D0474411

Jean-Claude Pons, Christiane Charlemaine,
Émile Papiernik

Le guide des jumeaux

La conception, la grossesse, l'enfance

Illustrations de Thierry Delétraz
et France Dumas

15, RUE SOUFFLOT, 75005 PARIS

ISBN : 2-7381-1656-6

www.odilejacob.fr

SOMMAIRE

TROISIÈME PARTIE

Les jumeaux dans la famille

QUATRIÈME PARTIE

Trois, quatre, cinq, six et plus...

CINQUIÈME PARTIE

La culture et la génétique des jumeaux

Informations pratiques

Annexes

INTRODUCTION

Avoir des jumeaux est une aventure !

Une aventure qui peut être angoissante, sympathique ou merveilleuse :

— angoissante pour certains parents qui redoutent des difficultés de toutes sortes, médicales, psychologiques, financières ;
— sympathique pour d'autres chez qui tout va bien, tout se passe bien, et tout est bien qui finit bien ;
— merveilleuse pour d'autres encore avec, au bout de l'aventure, une véritable révélation, un épanouissement...

« Deux fois plus de problèmes, mais deux fois plus de bisous... », nous disent certaines mères cherchant à réduire l'aventure en une formule unique, attitude paradoxale alors que l'on est par essence dans le monde de la diversité. Aucune grossesse multiple ne ressemble à une autre. C'est chaque fois une nouvelle aventure qui commence.

Les sentiers de la mise au monde sont parsemés d'embûches et ce guide a pour but de vous aider à les repérer et à les traverser. Des difficultés de tous ordres vous attendent... L'aventure est médicale : il faudra se battre contre le risque de la prématurité* ou contre d'autres complications plus rares et n'existant pas dans les grossesses simples ; l'aventure est aussi psychologique : vous allez vous retrouver face à des enfants qui ont déjà vécu en couple avant même d'être nés ; l'aventure est quotidienne avec les difficultés économiques que la situation de parents d'enfants multiples peut engendrer ; l'aventure est scientifique avec le développement de la gémellologie* comme branche de la génétique ; l'aventure est culturelle, à travers la mythologie et les conceptions populaires qui imprègnent notre vie quotidienne.

Face à ces aventures aux multiples facettes, et même si au départ vous n'aviez pas un tempérament d'aventurier, trois spécialistes – deux obstétriciens et une psychologue – ont pris le parti de partager ces moments avec vous, en mêlant simplicité, amitié, savoir, expérience. Nous avons pour objectif de vous aider à préparer la course et à parvenir à bon port.

Pour vivre complètement l'aventure, les spécialistes que nous sommes n'ont pas pu se limiter aux champs de leur spécialité. Nous avons dû prendre des risques, notamment celui d'aborder des sujets qui ne nous sont pas habituels comme la littérature ou la mythologie. Nous avons acquis au cours du temps un savoir-faire concernant la prise en charge des grossesses multiples et nous nous sommes aperçus, il y a bien longtemps, de la possibilité de prévenir la plupart des difficultés en informant les futurs parents. C'est cette constatation qui nous a incités à écrire ce livre.

Les mots marqués d'un astérisque sont expliqués dans le glossaire page 315.

Les chercheurs en psychologie dans le domaine de la gémellité* ne sont pas très nombreux et leurs thèmes sont bien circonscrits : la relation précoce mère-enfants, le développement normal des enfants jumeaux, l'effet de couple. Obstétriciens et psychologues ont développé au fil des années des travaux de recherche sur la prévention des accidents de la grossesse. Ce guide rend compte des résultats de certains de ces travaux. Il va également dans le sens d'un approfondissement de la réflexion tout en apportant des informations pratiques et des outils pour faire face aux difficultés de l'aventure.

Ce livre se compose de plusieurs parties, la première est consacrée à la grossesse gémellaire dans ses aspects médicaux et psychologiques, la deuxième est plus centrée sur la mise au monde des jumeaux, tandis que la troisième développe les questions concernant les triplés et la quatrième partie celles les grossesses de très haut rang. Cette séparation nous a semblé nécessaire car on observe autant de différences entre une grossesse triple et une grossesse gémellaire qu'entre une grossesse gémellaire et une grossesse unique, à la fois sur le plan médical et sur le plan psychologique. Les aspects culturels très présents dans les préoccupations des futurs parents et des jumeaux eux-mêmes viennent ensuite, d'une part les aspects plus littéraires ou mythologiques, d'autre part les aspects scientifiques avec la gémellologie. La dernière partie de cet ouvrage est consacrée aux questions pratiques, comme les aides et les prestations familiales.

Nous n'avons pas jugé utile de faire appel à un pédiatre dans la rédaction de ce guide dans la mesure où, une fois né, chaque enfant peut être pris individuellement en ce qui concerne ses problèmes de santé ; à l'inverse, le déroulement d'une grossesse multiple ou les préoccupations psychologiques des familles de jumeaux sont spécifiques.

Ce guide est donc l'histoire d'une double rencontre entre obstétriciens et psychologue d'une part, et parents de jumeaux et enfants jumeaux d'autre part. Les parents et les futurs parents sont présents à chaque page à travers les témoignages qu'ils ont bien voulu nous apporter dans le cadre de nos consultations ou dans le cadre de la Fédération nationale des associations « Jumeaux et plus ». Ils sont aussi présents dans les conseils pratiques et les informations que seule leur expérience nous a permis d'acquérir.

Au terme de cette rédaction, nous sommes bien conscients que les vrais spécialistes de la gémellité sont les jumeaux eux-mêmes ainsi que leurs parents. Enfin, vous ne saurez pas toujours, en lisant ce guide, si tel chapitre a été écrit par un obstétricien ou par un psychologue, car nos textes se complètent et se répondent, et par conséquent sont enchevêtrés. Certains chapitres seront bien sûr davantage axés sur l'aspect médical et d'autres sur l'aspect psychologique, mais parfois, comme certains jumeaux, nous sommes devenus fusionnels et nous nous sommes surpris à écrire la même chose.

Première partie

Vous êtes enceinte de jumeaux

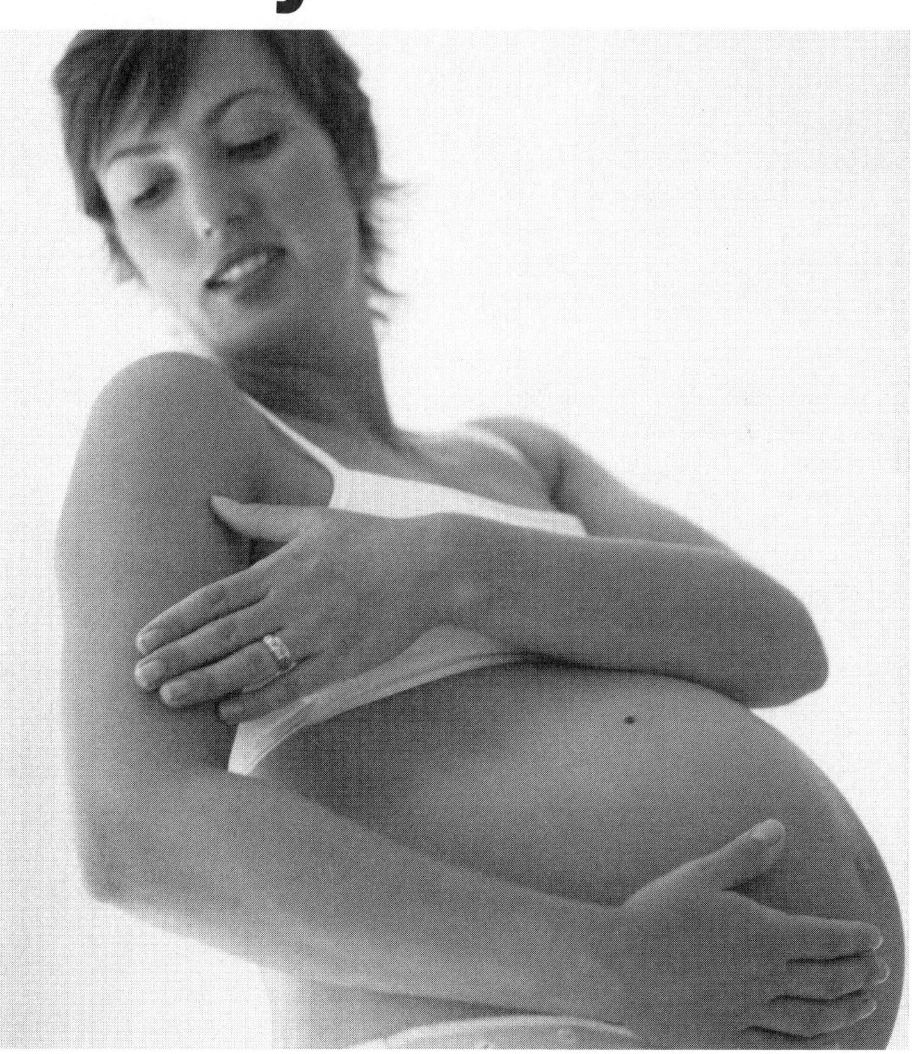

“*Peut-être y a-t-il des mères gémellaires dont chaque enfant est à demi manqué aussi longtemps qu'il ne naît pas flanqué d'un frère pareil.*”

Michel TOURNIER

DES VRAIS OU DES FAUX JUMEAUX

Votre désir de jumeaux

Le médecin doit faire parfois face au désir de jumeaux de ses patientes et répondre à des questions bien délicates :

« Docteur, mon mari et moi, nous voudrions des jumeaux, pourriez-vous me prescrire un traitement ? »

Les patientes qui posent cette question se doutent bien, pour la plupart, que la réponse est « non ». Soit un « non » énergique et sans appel, soit un « non » un peu enrobé.

« Madame, il n'existe pas de médicaments pour avoir des jumeaux. Nous disposons de médicaments pour traiter les couples qui ne peuvent pas avoir d'enfant. Ces traitements donnent accidentellement des grossesses gémellaires, mais nous faisons tout pour les éviter... parce qu'elles sont difficiles à mener à terme et parce que c'est bien compliqué d'élever deux enfants du même âge... Déjà, un seul, ce n'est pas toujours facile... »

Une patiente nous a vraiment étonnés. C'est une histoire authentique.

« Docteur, je veux des jumeaux. J'ai toujours eu envie d'avoir des jumeaux. Je me suis déjà fait prescrire des médicaments pour stimuler mon ovulation par ma gynéco en lui faisant croire que j'étais stérile. Sans résultat. En fait, pour assurer, je voudrais faire une fécondation *in vitro**. »

Comment ne pas rester sans voix devant un tel vent de folie et lui faire comprendre qu'elle avait pris des risques...

À une patiente qui insistait, après avoir épuisé tous les arguments faisant appel à la raison, nous avons conseillé des vacances en Afrique chez les Yoruba (nous verrons pourquoi plus loin dans ce guide). Pourquoi pas, après tout, certains de nos confrères prescrivent bien des cures thermales...

En fait, ce désir de jumeaux est ancien et, à vrai dire, assez peu souvent formulé de façon aussi claire. Il sous-tend deux idées : la fascination qu'exercent sur nous les jumeaux et les naissances multiples, et l'illusion probablement entretenue par les médias de la toute-puissance de la médecine, en particulier dans le domaine de la reproduction, qui laisse penser à certains couples que tout est possible dans ce domaine.

Par ailleurs, il n'est pas totalement exclu que certains considèrent que la médecine est un service comme un autre et qu'ils peuvent s'acheter une paire de bébés comme ils s'offriraient une paire de chaussures.

Le désir de jumeaux reste le plus souvent du domaine du fantasme et même de l'ambivalence, car la plupart des futures mères redoutent d'avoir des jumeaux et en même temps en ont un peu envie. Mais il arrive parfois que la réalité rejoigne le fantasme.

Risquez-vous d'avoir des jumeaux ?

Lorsque vous apprenez que vous êtes enceinte de jumeaux, passé l'effet de surprise, vous voulez savoir si ce sont des vrais ou des faux jumeaux.

Un ou deux œufs ?

Pour bien comprendre l'évolution du taux de grossesses multiples, il faut d'emblée aborder la notion de zygosité : il existe des grossesses monozygotes et dizygotes*.

Vous avez dit zygote* ?

Le terme zygote, d'origine grecque, signifie « œuf ». Les grossesses monozygotes sont donc produites à partir d'un seul œuf, les grossesses dizygotes sont obtenues à partir de deux œufs différents. Ainsi, les jumeaux monozygotes sont identiques, ils possèdent le même patrimoine génétique ; ce sont les « vrais jumeaux » ou les « jumeaux identiques ». Les jumeaux dizygotes possèdent deux patrimoines génétiques différents. Ils peuvent se ressembler comme deux frères ou deux sœurs se ressemblent, ils peuvent aussi être de même sexe ou de sexe différent ; ce sont les « faux jumeaux » ou les « jumeaux fraternels ».

Le nombre des grossesses dizygotes varie avec le groupe ethnique, l'âge, la parité, les saisons, les données géographiques, l'imprégnation hormonale de la mère.

Tous ces facteurs peuvent s'associer. Ils sont très détaillés page 23.

L'augmentation des grossesses multiples à laquelle nous assistons actuellement porte seulement sur les grossesses dizygotes.

Les facteurs responsables de la survenue d'une grossesse gémellaire monozygote* sont différents de ceux pouvant influencer la survenue d'une grossesse dizygote.

Dans ce livre, nous utiliserons indifféremment les termes monozygotes ou MZ pour les vrais jumeaux et dizygotes ou DZ pour les faux jumeaux, bien que nous soyons conscients de la nuance péjorative de cette appellation « faux jumeaux » pour les dizygotes. Les dizygotes n'en sont pas moins des « jumeaux » (jumeau signifie « né le même jour »).

> « Au début, vous avez soit un zygote, soit deux zygotes…
> mais après, vous vous retrouvez avec deux zigotos. »
> Un père de jumeaux un peu turbulents

La conception de jumeaux

Au slogan de l'enfant programmé et désiré : « Un enfant si je veux, quand je veux », nous ne sommes pas encore mûrs pour substituer la devise : « Des jumeaux si je veux, quand je veux, comme je veux. » La conception d'un enfant et, *a fortiori*, de deux enfants fait intervenir des mécanismes complexes. La fécondation est la rencontre et la fusion des cellules reproductrices, spermatozoïdes et ovules.

Une brève rencontre, la fécondation

Les spermatozoïdes et l'ovule ne doivent pas être en retard au rendez-vous de la fécondation qui a lieu dans le tiers externe de la trompe.

Les spermatozoïdes

Ils sont fabriqués en permanence dans les testicules. Leur chemin est long et accidenté jusqu'à la rencontre avec l'ovule. Ils doivent traverser successivement les conduits génitaux de l'homme : tubes séminifères, épididyme, canal déférent, urètre. À la suite du rapport sexuel, ils sont déposés au fond du vagin, ils traversent alors la glaire cervicale qui constitue pour eux un milieu de transport idéal, mais seulement en période d'ovulation pendant laquelle la glaire s'organise en un système de canaux dans lesquels les spermatozoïdes deviennent « fléchants ». Quand tout va bien, ils traversent tout l'utérus et, un quart d'heure après l'éjaculation, sont présents au rendez-vous. En dehors de la période de l'ovulation, la glaire est un véritable piège dans lequel les spermatozoïdes stagnent.

L'ovule

L'ovulation a lieu le quatorzième jour du cycle si vous êtes réglée tous les 28 jours. Le follicule qui est entré en croissance sur l'un des ovaires et a subi une maturation sous l'effet de l'hormone hypophysaire FSH*, se rompt et libère l'ovule, aussitôt capté par la trompe. Cette ovulation est sous le contrôle d'une autre hormone hypophysaire appelée LH. Sous l'action des cils vibratiles de sa paroi, il est acheminé progressivement jusqu'au lieu du rendez-vous.

La rencontre

Pour qu'il y ait conception, il faut que le rapport sexuel ait lieu au bon moment, c'est-à-dire au moment de l'ovulation. Parmi les millions de spermatozoïdes qui gravitent autour de l'ovule, un seul réussira à pénétrer dans cette cellule. Le noyau de l'ovule contient 23 chromosomes, celui contenu dans la tête du spermatozoïde apporte également 23 chromosomes ; ainsi la première cellule du futur individu qui comporte 46 chromosomes est formée : il s'agit de l'œuf.

La migration de l'œuf

L'œuf, constitué par la réunion de l'ovule et du spermatozoïde, se divise et migre progressivement vers la cavité utérine. Il va s'enfoncer et se nicher dans la muqueuse de l'utérus qui a été préparée par les sécrétions hormonales, c'est la nidation. L'œuf sécrète une hormone – l'hormone chorionique gonadotrophique (HCG) – que l'on dose lorsqu'on fait un test de grossesse.

La conception des faux jumeaux

Les faux jumeaux, ou jumeaux dizygotes, proviennent de deux œufs différents, donc de deux ovules fécondés par deux spermatozoïdes différents. Les deux ovules ont été produits par une double ovulation, soit sur le même ovaire soit sur chaque ovaire. La fécondation se fait de manière identique dans une trompe ou dans les deux, et deux œufs s'implantent dans l'utérus (Figure 1 : La conception de faux jumeaux, deux ovules, deux spermatozoïdes).

Ce phénomène survient fréquemment lorsque vous êtes soignée pour une stérilité et que vous recevez un traitement pour stimuler votre ovulation. Les médicaments sont des analogues de la FSH (Follicle Stimulating Hormone) et ils induisent souvent une maturation de deux ou plusieurs follicules.

On pense qu'en dehors de ces traitements, il existe une relation entre les taux de sécrétion de FSH et l'apparition de faux jumeaux. C'est cette explication que l'on donne au fait que les femmes africaines ont plus de jumeaux : elles présentent des taux de sécrétion plus élevés de FSH.

Ainsi l'ovulation double s'explique par la maturation de deux follicules sous la dépendance d'un taux élevé de FSH.

On peut repérer et mesurer par échographie le nombre de follicules en cours de maturation.

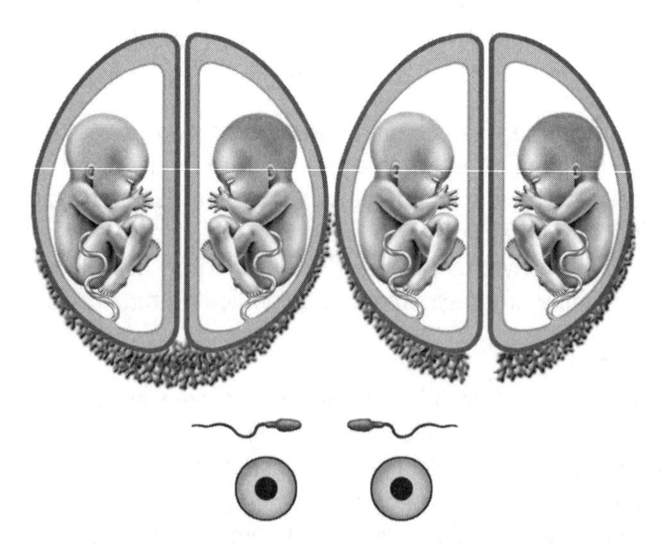

Figure 1 : La conception de faux jumeaux, deux ovules, deux spermatozoïdes.

La conception des vrais jumeaux

Au début, tout se passe normalement, un seul spermatozoïde féconde un seul ovule. Puis un événement accidentel et, semble-t-il, aléatoire survient : l'œuf ainsi formé se sépare en deux parties. Cette séparation peut survenir dans les treize jours qui suivent la fécondation, déterminant ainsi les différents types de jumeaux monozygotes (Figure 2 : La conception de vrais jumeaux, un ovule, un spermatozoïde).

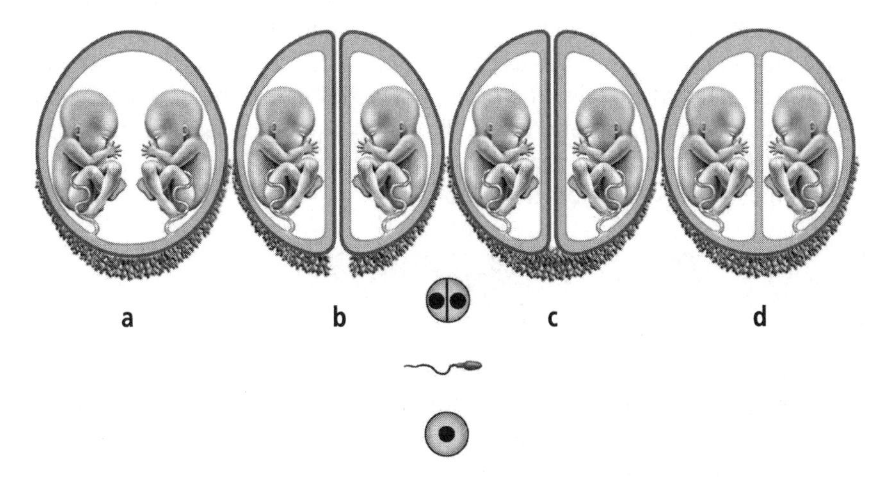

Figure 2 : La conception de vrais jumeaux, un ovule, un spermatozoïde.

Chorion* et amnios*

Dans le cas d'une grossesse unique, l'œuf (ou zygote) est entouré par des membranes. On distingue en fait deux membranes : l'une a pour nom chorion et l'autre, amnios. La première qui entre en jeu, rapidement après la fécondation, est l'amnios, d'origine embryonnaire, qui forme une poche contenant le liquide amniotique et l'embryon. La grossesse évoluant, l'amnios va s'accoler à une seconde membrane qui, elle, est d'origine trophoblastique, le chorion. Le trophoblaste* est une structure qui donnera plus tard le placenta. Le chorion se situe entre la paroi utérine et l'amnios. À la fin de la grossesse, lorsque ces membranes se fissurent ou se déchirent, la femme enceinte « perd les eaux ».
Chez les jumeaux, les embryons, puis les fœtus, sont entourés des mêmes membranes en contact, de l'intérieur vers l'extérieur, avec le liquide amniotique, l'amnios, le chorion, la muqueuse utérine. En revanche, tout se complique au niveau de la cloison qui sépare les deux bébés : on distingue trois configurations possibles :
- une cloison épaisse formée de 4 feuillets : 2 amnios et 2 chorions (b, c) ;
- une cloison fine formée de 2 amnios (d) ;
- pas de cloison du tout (a).

- *La séparation peut être précoce*, c'est-à-dire dans les deux premiers jours, entre la formation de l'œuf et le stade morula – stade auquel l'œuf parvient dans l'utérus après s'être divisé un grand nombre de fois et a l'aspect d'une petite mûre. Les embryons sont alors bichoriaux et biamniotiques* (b, c), comme les dizygotes.
- *La séparation peut être tardive*, entre le troisième et le septième jour ; elle se fait alors au stade blastocyste* – stade auquel l'œuf devient une sphère creuse dont une partie renflée deviendra le futur embryon. Cela représente 70 % des cas, les embryons sont alors monochoriaux et biamniotiques (d).
- *La séparation peut être très tardive*, l'éventualité est rare et représente 1,2 % des cas. La division a lieu après huit jours, les embryons sont alors monochoriaux et monoamniotiques (a). Ils ne sont séparés par aucune membrane. À un stade encore plus tardif, au-delà du treizième jour, la séparation est incomplète : il s'agit alors de siamois.

Rencontre du troisième type : ni monozygotes ni dizygotes

Certains les appellent semi-monozygotes. En simplifiant à l'extrême, on pourrait dire qu'il s'agit de la fécondation par deux spermatozoïdes différents d'un ovocyte qui s'est clivé en deux accidentellement. La fréquence de ce phénomène dans l'espèce humaine n'est pas connue.

La superfœtation

Après l'ovulation, la survenue d'une seconde ovulation est théoriquement impossible. Si elle survenait quelques jours ou quelques semaines après la première, on pourrait imaginer en théorie qu'une seconde grossesse survienne, décalée de quelques jours ou de quelques semaines, ce qui aboutirait à la naissance de deux enfants dont l'un serait plus vieux de quelques jours ou quelques semaines par rapport à l'autre. Ce phénomène, qui n'est pas absolument prouvé, s'appelle superfœtation. Nous avons suivi une patiente enceinte de triplés qui avait reçu des injections d'HCG, hormone qui déclenche l'ovulation, toutes les quarante-huit heures (cette pratique n'est pas classique !) ; sur les différentes échographies faites au début de la grossesse, l'un des triplés paraissait présenter un décalage d'une semaine par rapport aux deux autres. Cette différence d'âge s'est progressivement estompée et n'était plus apparente à la fin de la grossesse. D'autres observations s'avèrent nécessaires pour affirmer la réalité de la superfœtation.

La superfécondation

C'est la fécondation simultanée de deux ovocytes produits au cours du même cycle par deux spermatozoïdes venant de deux pères différents. Le problème a été soulevé par le naturaliste français Buffon en 1774, donnant la superfécondation comme explication possible à la naissance en Louisiane d'un enfant blanc et d'un enfant noir.

Un jumeau blanc et un jumeau noir

La première thèse de médecine américaine soutenue en 1810 rapporte le cas de deux enfants jumeaux, l'un blanc, l'autre métis. L'arbre généalogique et l'histoire de la mère étaient largement en faveur de la thèse de la superfécondation.

Plus récemment, l'analyse des groupes HLA (système d'antigènes tissulaires voisin des groupes sanguins) chez deux faux jumeaux a apporté la preuve que leurs pères étaient différents. Plus récemment encore, l'analyse des empreintes génétiques a permis ce diagnostic. On trouvera beaucoup plus d'exemples de superfécondation dans les mythes, comme ceux d'Amphitryon ou de Castor et Pollux, et surtout dans nos fantasmes d'adultère. Le cinéma a apporté sa contribution à la théorie de la superfécondation. Dans le film *Jumeaux*, une paternité multiple, dans le cadre de la procréation médicalement assistée, permet à Arnold Schwarzenegger d'avoir Dany DeVito pour frère jumeau. On ignore la fréquence réelle de ce phénomène qui passe inaperçu si les deux géniteurs appartiennent à la même ethnie. Cependant, nous voudrions rassurer les pères de jumeaux : tous les jumeaux n'ont pas des pères différents !

Malgré le nombre considérable de publications sur la gémellité, l'origine de jumeaux dizygotes et monozygotes n'est pas beaucoup mieux comprise qu'il y a une vingtaine d'années. Le point essentiel qui permettra dans l'avenir de mieux appréhender le déterminisme de la gémellité est l'analyse de la zygosité, absente de la plupart des publications scientifiques et médicales publiées à ce jour.

Les faux jumeaux ont-ils toujours deux placentas ?

Non, c'est inexact. La réalité est malheureusement un peu plus compliquée.

Rappelons dans un premier temps comment se constitue le placenta : lors de la nidation, le trophoblaste (ou chorion) s'enfonce dans la muqueuse utérine, comme nous l'avons vu, et érode la paroi des vaisseaux maternels. Le trophoblaste constitue peu à peu le placenta en émettant de multiples petites arborisations : les villosités choriales*. L'organisation des villosités commence à partir de la deuxième semaine du développement de l'œuf. Pour se constituer, le placenta comporte des milliers de villosités, au niveau desquelles s'opèrent les échanges entre la mère et l'enfant.

On voit clairement comment peuvent s'effectuer les échanges entre le sang de la mère et celui du fœtus. À aucun moment les deux sangs ne se mélangent. Ils sont toujours séparés par la paroi de la villosité, à travers laquelle se font les échanges.

On distingue, en cas de grossesse gémellaire, deux types de placentas : le placenta monochorial et le placenta bichorial.

Les jumeaux dizygotes ont toujours des placentas bichoriaux. Les jumeaux monozygotes ont dans 70 % des cas un placenta monochorial et dans 30 % des cas des placentas bichoriaux. Le médecin qui examine le placenta de jumeaux après l'accouchement ne peut pratiquement jamais affirmer la zygosité, si ce sont des vrais ou des faux jumeaux, il peut en revanche caractériser le type de placenta, monochorial ou bichorial.

Le placenta monochorial

Il appartient exclusivement aux jumeaux monozygotes, ou vrais jumeaux. Selon l'aspect des membranes qui entourent l'œuf, on peut parler de deux types de placentas monochoriaux : les placentas monochoriaux biamniotiques (d) et les placentas monochoriaux monoamniotiques (a).

Le placenta monochorial biamniotique

C'est le placenta le plus fréquent chez les vrais jumeaux puisqu'on l'observe dans 70 % des cas. On trouve donc un seul placenta et deux cavités amniotiques.

L'analyse de la cloison qui sépare les deux jumeaux permet de dire que le placenta est biamniotique. Cette cloison est constituée de deux feuillets qui sont deux amnios accolés.

Cette paroi est fine. Après la naissance, on peut facilement décoller ses deux feuillets l'un de l'autre, les deux cordons s'insèrent de chaque côté de la cloison. Des anastomoses* vasculaires, c'est-à-dire des communications entre les circulations des deux parties du placenta correspondant aux deux bébés, sont constantes et peuvent expliquer un certain nombre de complications sur lesquelles nous reviendrons.

Le placenta monochorial monoamniotique*

Ce type de placenta est rare. On le rencontre chez 1,2 % des jumeaux monozygotes. On observe alors un seul chorion et une seule cavité amniotique.

Il n'y a pas de cloison entre les deux jumeaux. Les insertions des cordons sur le placenta peuvent être proches l'une de l'autre, les anastomoses des deux circulations sont alors constantes.

Le placenta bichorial biamniotique

On le rencontre chez 30 % des jumeaux monozygotes lorsque la séparation de l'œuf se fait à un stade précoce, et chez 100 % des jumeaux dizygotes. Les placentas peuvent être distincts (on distingue alors deux placentas [b]) ou fusionnés (on voit alors une seule masse placentaire [c]). Vous comprenez pourquoi on ne peut pas dire, en présence d'un seul ou de deux placentas, que les jumeaux sont vrais ou faux ; cette interprétation est simpliste et fausse.

Après la naissance, l'examen de la cloison qui sépare les deux bébés permet assez facilement de mettre en évidence que celle-ci est plus épaisse et constituée de quatre membranes : il s'agit de deux amnios et de deux chorions. Dans ce type de placenta, il n'existe pas d'anastomoses vasculaires entre les deux circulations fœtales.

Il est essentiel, après toute naissance de jumeaux, de préciser le type de placentation. L'examen du placenta sera fait soigneusement en salle de naissance et tout placenta de jumeaux doit ensuite être examiné par un anatomopathologiste ; une telle opportunité ne se reproduira plus jamais dans la vie des jumeaux, elle est unique et il ne faut pas se priver d'en tirer le maximum d'informations.

Une augmentation importante des jumeaux depuis 1975

On a assisté depuis le début du siècle à une augmentation de l'incidence des grossesses multiples avec une remontée spectaculaire du taux de ces naissances depuis 1975. Nous disposons en France des données de l'Insee concernant les grossesses multiples ainsi que de plusieurs études statistiques françaises et étrangères.

Cette remontée est le résultat de trois facteurs :

— non seulement le nombre de grossesses (d'enfant unique ou de jumeaux) augmente depuis quelques années mais, en outre, le pourcentage de grossesses gémellaires augmente du fait des deux autres facteurs ;

— l'âge maternel à la première grossesse est plus élevé ; ce facteur explique un tiers de l'augmentation ;

— les traitements de la stérilité qui se sont beaucoup développés à partir de cette date expliquent deux tiers de l'augmentation. La courbe d'évolution du nombre des grossesses triples, quadruples et quintuples en France depuis 1970 et les courbes de vente d'hormones hypophysaires humaines utilisées pour ces traitements sont strictement parallèles. On explique ainsi aisément pourquoi les grossesses multiples sont en augmentation depuis l'apparition des médicaments inducteurs d'ovulation.

Gilles Pison, de l'Institut national d'études démographiques, a exploré l'évolution de la fréquence de la gémellité en France au cours des trois derniers siècles (voir le graphique page suivante). Le pic observé au cours des dernières années est bien réel. Un autre pic est visible pendant la guerre de 1914-1918 et, fait étonnant, le taux de gémellité au début du XVIIIe siècle est comparable à celui constaté à la fin du XXe siècle.

En 1995, 9 548 femmes ont eu des jumeaux et 212 des triplés. Le taux d'accouchements doubles était donc de 13,2 pour 1 000 accouchements et le taux d'accouchements triples de 2,9 pour 10 000. Le taux d'accouchements gémellaires a diminué régulièrement au milieu du XXe siècle et atteint un minimum en 1972 où il était de 8,8 pour 1 000 accouchements. Il a ensuite augmenté jusqu'en 1994 avec un taux de 13,6 pour 1 000.

Le taux d'accouchements triples a subi des variations encore plus fortes au cours des années récentes. En 1972, il était de 0,9 pour 10 000 accouchements, en 1989 de 4,4 pour 10 000. Ainsi, entre 1972 et 1989, le taux d'accouchements triples

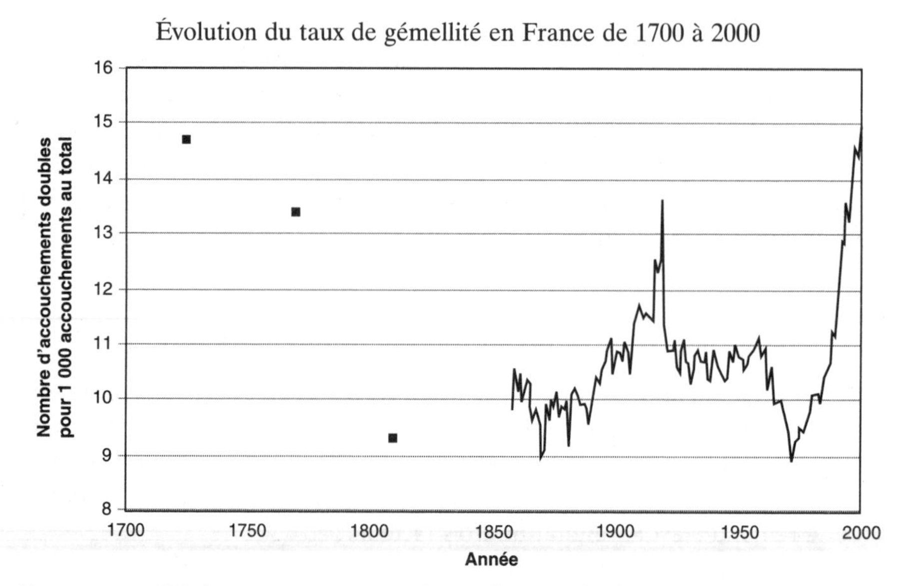

Note : avant 1858, les mesures correspondent à des périodes (1700-1749, 1750-1789, 1790-1829), les points étant placés au milieu de chaque période.

Souces : avant 1858 : Hector Gutierrez et Jacques Houdaille (1983) ; entre 1858 et 1900 : Statistiques générales de la France ; à partir de 1901 : Fabienne Daguet (2002).

a été multiplié par 4,9. Ce taux s'est ensuite stabilisé, puis a baissé pour atteindre 2,9 pour 10 000 en 1995.

L'« épidémie » des grossesses multiples a porté surtout sur les grossesses triples, quadruples et quintuples entre 1972 et 1989. On a même vu, en 1989, naître les premiers sextuplés français.

Fréquence des grossesses multiples (de survenue naturelle spontanée)

Gémellaires	1/100 grossesses
Triples	1/7 000 grossesses (soit 100 par an en France)
Quadruples	1/600 000 grossesses (soit 1 par an en France)
Quintuples	1/50 000 000 grossesses (soit 1 tous les 70 ans en France)

Vos chances d'avoir des faux jumeaux

Si nous résumons, il existe donc deux types de grossesses gémellaires : monozygotes (MZ) et dizygotes (DZ). On sait distinguer les vrais jumeaux monozygotes, c'est-à-dire issus d'un seul œuf qui s'est divisé en deux, des faux jumeaux dizygotes qui, eux, résultent d'une double ovulation. Les grossesses gémellaires dizygotes sont soit induites par des traitements inducteurs d'ovulation, soit spontanées.

Sans pouvoir vraiment dresser un portrait-robot, nous pouvons détailler les « facteurs de risque », ou de chance, selon les points de vue, de grossesses gémellaires dizygotes spontanées.

Les facteurs de risque des grossesses gémellaires DZ sont :

- l'ethnie
- l'âge
- la parité
- les saisons
- le facteur géographique
- le facteur sexuel
- les facteurs hormonaux
- l'hérédité
- la nutrition

Le facteur ethnique

Hellin a donné en 1895 une loi mathématique permettant de calculer l'incidence des naissances multiples. Les incidences des jumeaux dans la population européenne seraient de 1 sur 80, celles des grossesses triples de 1 sur 80 au carré, celles des grossesses quadruples de 1 sur 80 au cube, etc.

La gémellité dizygote varie beaucoup : 3 pour 1 000 chez les Asiatiques, 8 pour 1 000 chez les Caucasiens et 16 pour 1 000 chez les Africains, indépendamment de la localisation géographique.

L'incidence des grossesses multiples dans la race blanche occupe une place intermédiaire. Le taux de grossesses multiples est beaucoup plus élevé en Afrique, le record étant observé au Nigeria, particulièrement à l'ouest chez les Yoruba où une grossesse sur vingt-deux est une grossesse gémellaire. Un enfant sur onze est donc un jumeau. Le plus faible taux de grossesses multiples s'observe en Asie. Au Japon ou en Chine, le taux de grossesses multiples est de 4 pour 1 000 naissances. L'incidence est de 9 pour 1 000 chez les Américaines d'origine européenne. Les Nord-Américaines d'origine africaine ont une incidence plus élevée à 12 pour 1 000.

On pense que ces facteurs ethniques peuvent s'expliquer par le niveau des hormones circulantes maternelles et leur action sur l'ovulation et l'implantation de l'œuf. Les taux hormonaux sont bien plus élevés chez les femmes africaines.

L'âge

L'âge de la mère est directement corrélé à la survenue de grossesse multiple. En Europe, le pic de survenue d'une grossesse gémellaire est de 37 ans. L'influence de l'âge maternel s'explique par les niveaux hormonaux, en particulier de gonadotrophine hypophysaire (FSH), hormone contrôlant la maturation folliculaire, qui s'élèvent avec l'âge. Le taux de grossesses multiples après 37 ans ne continue pas à s'élever car il est contrebalancé par l'élévation du taux des avortements spontanés par anomalie de l'œuf. Si cette anomalie porte sur les deux œufs, un avortement survient. Si elle porte sur un seul des œufs, la patiente donnera naissance à un enfant unique, d'où la diminution apparente des grossesses gémellaires.

La parité

La parité désigne le nombre d'enfants précédents. Une femme qui n'a jamais eu d'enfant est une nullipare. Lorsqu'elle a un, deux ou trois enfants, on la dit primipare, deuxième pare, troisième pare... La fréquence des grossesses gémellaires augmente avec la parité, indépendamment de l'âge de la mère.

Les saisons

Contrairement aux *Demoiselles de Rochefort*, toutes les jumelles ne naissent pas sous le signe des gémeaux. Une étude réalisée en Angleterre en 1976 montre qu'il y aurait plus de naissances gémellaires au mois de novembre et que le taux le plus bas est observé au mois d'août. Une étude canadienne indique un pic de naissances gémellaires pendant la période allant d'août à novembre, avec un maximum de naissances en octobre. Ces études n'ont pas été confirmées par d'autres enquêtes. Il existe une hypothèse explicative. On pense que les variations de l'éclairement jouent un rôle sur les ovulations doubles, plus fréquentes au printemps, par l'intermédiaire d'une glande appelée épiphyse située à la base du cerveau et sensible à la lumière.

Le facteur géographique

Au-delà des facteurs ethniques, certaines régions semblent plus propices à la survenue de grossesses multiples. Globalement, les Scandinaves ont des taux de naissances multiples comparables à ceux des autres Européennes ou des Américaines, soit 9 pour 1 000. Toutefois, certaines tribus nordiques présentent une incidence très élevée, le taux étant de 15 à 20 pour 1 000 jusque vers les années 1960 où il commence à décroître. On a suggéré le rôle de l'exposition à la lumière et son influence sur certaines glandes endocrines, en particulier la glande pinéale (ou épiphyse). Cette exposition prolongée à la lumière à la suite de la longue nuit polaire pourrait stimuler une double ovulation. Le déclin observé dans le taux des naissances multiples pourrait aller de pair avec l'urbanisation et le changement de vie de ces populations.

Aux États-Unis, il semble exister un taux de grossesses multiples plus important en Californie que dans le reste du pays. En Europe, le record des naissances multiples est détenu par la Roumanie. D'une façon générale, les naissances multiples semblent plus fréquentes à la campagne qu'à la ville. Différentes explications ont été recherchées, mais aucune ne semble satisfaisante.

En France, le village de Pleucadeuc en Bretagne aurait un microclimat gémellaire très marqué et une incidence de jumeaux MZ très élevée depuis plusieurs générations. Aucune étude n'a été faite. Nous ne connaissons pas les statistiques locales, mais ce village, qui organise une fête des jumeaux chaque année le 15 août, a toute notre sympathie.

Le facteur sexuel

Une femme a beaucoup plus de chances d'avoir des jumeaux (sont multipliés par 19) dans les trois premiers mois du mariage. Ceci est probablement lié au nombre élevé de rapports sexuels pendant cette période.

L'explication qui paraît la plus plausible serait que les mères de jumeaux sont très fertiles. Les femmes qui ont le plus de chances d'avoir des jumeaux sont aussi celles qui tombent enceintes le plus vite. Par ailleurs, au lendemain de la Première Guerre mondiale, le nombre de grossesses gémellaires était plus élevé parmi les grossesses ayant débuté immédiatement après le retour des soldats à la maison. Les femmes les plus fertiles sont devenues enceintes avant les autres. Elles avaient des taux circulants de FSH plus élevés et ont eu, par conséquent, plus de jumeaux.

Les hormones

Les hormones hypophysaires appelées gonadotrophines, FSH (Follicle Stimulating Hormone) et LH (Luteinizing Hormone), sont les hormones sécrétées par l'hypophyse, située dans le cerveau, qui stimulent les ovaires et sont responsables de l'ovulation. Les mères de jumeaux présentent des taux élevés de gonadotrophines hypophysaires. Les femmes africaines, en particulier au Nigeria, ont un taux de gonadotrophines plus élevé que les femmes européennes. Elles ont également, nous l'avons vu, le taux le plus important au monde de grossesses gémellaires. Les taux de ces hormones hypophysaires sont également plus élevés lors des premiers cycles après l'arrêt d'une contraception orale. Et on sait que les femmes ont plus de chances d'avoir des jumeaux lorsqu'elles tombent enceintes les deux premiers mois suivant l'arrêt de la contraception orale. Là encore, on croit que les femmes les plus susceptibles d'avoir des jumeaux sont celles qui deviennent enceintes le plus vite.

L'hérédité

Il existe des familles de jumeaux dizygotes. La transmission familiale est alors certaine et se fait par les femmes. Plusieurs études portant sur des familles prédisposées le prouvent. Les jumelles ont deux fois plus de jumeaux que la population générale. Il y a plus de grossesses gémellaires quand le taux de consanguinité augmente modérément. Il y aurait alors un effet cumulatif du gène gémellaire. En revanche, quand le taux de consanguinité augmente de façon importante, le taux d'avortements augmente encore plus et peut masquer le phénomène gémellaire. En résumé, si dans votre famille on trouve beaucoup de jumeaux, vous avez une chance plus élevée d'avoir vous-même des jumeaux. Ceci ne concerne que les faux jumeaux.

Le facteur nutritionnel

Pour expliquer la différence ethnique dans la survenue des naissances multiples, certains auteurs ont recherché des facteurs liés à l'environnement. Le régime alimentaire semble pouvoir jouer un rôle. Les femmes africaines, en particulier au Nigeria, se nourrissent de patates douces (yams). Chez ces femmes, on observe 62 naissances gémellaires pour 1 000. Chez les femmes de la même ethnie mais vivant dans des couches sociales plus aisées au régime alimentaire différent, le taux de grossesses gémellaires est de 15 pour 1 000. En fait, on a montré que les patates douces contiennent une substance analogue aux hormones œstrogéniques. Les facteurs ethniques, nutritionnels et hormonaux sont imbriqués. Dans nos contrées, la qualité de l'alimentation intervient également. On a constaté moins de naissances DZ pendant les périodes de malnutrition, comme la famine de Rotterdam en 1945. Pendant la Seconde Guerre mondiale, la fréquence de la grossesse gémellaire dizygote était de 6,4 pour 1 000 alors qu'elle était de 7,1 pour 1 000 avant et après la guerre.

Quelques records de jumeaux

Le plus d'enfants « en tout » : Mme Vassiliev (1707-1782), à Sheya, à l'est de Moscou, a mis au monde entre 1725 et 1765, 69 enfants en 27 grossesses : seize fois des jumeaux, sept fois des triplés et quatre fois des quadruplés.
Le plus d'enfants « d'un seul coup » : Mme Géraldine Brodrick a eu des nonuplés (5 garçons et 4 filles) le 13 juin 1971 à l'hôpital royal de Sydney, en Australie. L'un d'entre eux seulement a survécu six jours.
Le plus de jumeaux dans une ville : on a compté 38 paires de jumeaux parmi 275 familles à Chunychon, en Corée. Les jumeaux représentent 36 % de la population.
Les jumeaux les plus légers : Mary et Margaret Stimson sont les jumelles les plus légères ayant survécu. Elles pesaient 453 g et 538 g (total : 991 g) à la naissance, le 16 août 1931, en Grande-Bretagne.

Source : *Le Livre Guiness des records*, Éditions n° 1.

Les faux jumeaux nés après traitements

Les traitements de l'infertilité

Parmi les facteurs qui permettent d'aboutir à une fécondation, certains sont bien cernés. Chez la femme il faut :

— une ovulation régulière, de qualité correcte, des trompes perméables - un appareil génital permettant les rapports sexuels aboutissant au contact spermatozoïdes-glaire ;
— une glaire cervicale de bonne qualité ;
— une muqueuse utérine réceptive, propre à la nidation.

Les troubles de l'ovulation sont une cause fréquente d'infertilité. Le bilan hormonal comporte l'évaluation au troisième ou au quatrième jour du cycle de FSH, LH et œstradiol plasmatiques. Une FSH élevée (au-dessus du seuil de 10 UI/l) et/ou une œstradiolémie majorée (75 pg/ml) signent, même en dehors de tout trouble patent clinique du cycle menstruel, un trouble de la maturation ovocytaire.

Des tests hormonaux plus sophistiqués sont alors prescrits pour tenter de mieux caractériser l'anomalie. Le traitement de ces troubles est permis par des médicaments appelés « inducteurs de l'ovulation » qui ont pour inconvénient de dépasser leur but et d'être à l'origine d'un grand nombre de grossesses multiples.

Au début de ces traitements dans les années 1970, les taux de grossesses multiples étaient considérables, atteignant parfois 50 %, et des grossesses de rangs très élevés ont été observées. Une femme de Sydney en Australie a donné naissance à des nonuplés en 1971. Ce phénomène a été observé également à Birmingham en 1976 et à Naples en 1979. En France, une femme a donné naissance à des sextuplés. On a parlé dans la presse de « bavure médicale ». Les erreurs des débuts des traitements de la stérilité étaient acceptées, elles sont devenues intolérables aujourd'hui.

Le citrate de clomifène

L'inducteur de l'ovulation le plus ancien est le citrate de clomifène, mieux connu sous le nom de Clomid® et plus récemment de Pergotime®. C'est une antihormone : elle n'a pas d'effet hormonal direct, mais elle est capable de bloquer le récepteur de l'hormone au niveau des cellules cibles. Au niveau de l'hypophyse, elle provoque une production accrue de gonadotrophines dans le but de stimuler l'ovulation. Les femmes bénéficiant de traitement par Clomid® ont un taux de grossesses gémellaires de 80 pour 1 000.

Les grossesses triples sont exceptionnelles. Un monitorage de l'ovulation n'est pas indispensable avec ce type de stimulation ou, seulement de manière ponctuelle, pour apprécier la sensibilité individuelle de la patiente.

Les autres hormones

Les hMG (human menopausal gonadotrophin) et FSH purifiées sont utilisées pour remplacer l'hormone FSH qui contrôle la maturation de l'ovocyte.

Avec les hMG utilisées seules, les taux de grossesses multiples sont beaucoup plus élevés allant jusqu'à 45 % dans certaines études. Avec l'association citrate de clomifène-hMG, les taux de grossesses multiples seraient de 20 %. L'utilisation de FSH purifiée au lieu d'hMG n'a pas modifié le taux de grossesses multiples. Les taux de complications les plus faibles sont observés avec le citrate de clomifène. Il est donc logique de commencer chaque fois que c'est possible par le citrate de clomifène.

Les grossesses multiples surviennent rarement au cours des stimulations de l'ovulation pour anomalies de l'ovulation (sauf en cas d'ovaires polykystiques), mais s'observent surtout dans les inductions de l'ovulation réalisées chez des patientes ayant des ovulations normales et chez qui nous tentons d'améliorer la rencontre entre l'ovocyte et le spermatozoïde, par exemple en cas de stérilité inexpliquée.

Le citrate de clomifène peut être prescrit sans surveillance particulière du fait de la rareté de ses complications, en revanche les prescriptions d'hMG ou de FSH sans dosages hormonaux ni échographies ne sont pas possibles. Cette double surveillance hormonale et échographique permet de n'administrer l'hCG (hormone chorionique gonadotrophin) que si le nombre de follicules est inférieur à 3 ou 4 et le taux d'œstradiol plasmatique inférieur à 1 200 pg/ml.

Un monitorage précoce permet non seulement d'adapter les doses des médicaments inducteurs de l'ovulation utilisés mais aussi d'arrêter la stimulation en cas de recrutement d'un trop grand nombre de follicules, de ne pas administrer l'hCG et de déconseiller les rapports sexuels. Il n'est pas toujours aussi simple d'éviter les grossesses multiples. Le respect d'un certain nombre de règles permet de limiter le nombre de grossesses multiples, il apparaît clairement qu'on ne peut totalement les éviter.

La fécondation in vitro

Dans la FIV, la rencontre entre gamètes* mâles et femelles est assurée en dehors de l'appareil génital féminin. La FIV réalise en dehors de l'organisme ce qui se fait normalement dans la trompe de la femme : captation de l'ovocyte mature par le pavillon tubaire, transport des spermatozoïdes jusqu'à l'endroit où doit avoir lieu la fécondation, fécondation, transport de l'œuf jusqu'à la cavité utérine, lieu de son implantation, tout en assurant les conditions nécessaires aux premières segmentations embryonnaires.

On a appelé les nouveau-nés de cette méthode les « bébés-éprouvette ».

Il est plus facile de contrôler le taux de grossesses multiples en FIV, en limitant le nombre d'embryons transférés dans l'utérus, qu'en cas d'induction de l'ovulation.

Si le gynécologue ne replace *in utero* qu'un seul embryon, le risque de grossesses multiples est alors très faible (mais non nul, puisque la division de l'œuf après le transfert *in utero* est possible). Le problème est que le taux de grossesses est également très bas, de l'ordre de 12 % par transfert, alors que le taux moyen de grossesses évolutives par transfert, en France, est de 25 %, parce que la plupart des centres replacent trois embryons. Très peu de couples acceptent ce faible taux de succès en terme de grossesse, pour éviter une hypothétique grossesse gémellaire (que, par ailleurs, certains souhaitent vivement, comme nous l'avons indiqué page 13.

Si on augmente le nombre d'embryons transférés, on augmente le taux de grossesses mais aussi celui de grossesses multiples (Tableau 1).

TABLEAU 1 : ANALYSE DES GROSSESSES MULTIPLES SELON LE NOMBRE D'EMBRYONS TRANSFÉRÉS

Nombre d'embryons transférés	Simples (%)	Gémellaires (%)	Triples ou plus (%)	Effectifs
1	98,6	1,4	0,0	287
2	85,4	13,7	0,9	569
3	73,1	21,6	5,3	1 472
4	64,1	27,8	8,1	1 499
> 5	58,8	27,7	13,4	430

(FIVNAT 92)

D'autres facteurs doivent être pris en compte au moment du choix du nombre d'embryons transférés : l'âge de la patiente, l'origine de l'infécondité et le taux de fécondation.

Le taux de grossesses multiples passe de 33 % avant 30 ans à 15 % après 40 ans. Le nombre d'embryons transférés dépend des équipes, en général 2 ou 3, mais parfois plus selon l'âge. En cas de FIV d'indication masculine, 30 % des grossesses sont multiples. Le taux de grossesses multiples est également lié au taux de fécondation (nombre d'embryons obtenus par rapport au nombre d'ovocytes mis en fécondation). Il passe de 20 % lorsque le taux de fécondation est supérieur à 50 %, à 30 % lorsque le taux de fécondation est inférieur à 50 %. Ces considérations ont permis de développer une politique de transfert adapté, qui est à l'origine de la très forte diminution des transferts au-delà de 3.

Les mères de vrais jumeaux

Les facteurs déterminant la division d'un œuf en deux pour donner deux individus identiques ne sont pas élucidés complètement. On ne trouve pas de différence ethnique. La fréquence des grossesses monozygotes est stable dans les différentes régions du globe (de 3,5 à 5,5 pour 1 000 naissances). Elle est stable également quelle que soit la parité. Le seul facteur de variation établi pour les grossesses gémellaires monozygotes est l'âge maternel, indépendamment de la parité : on observe davantage de grossesses MZ aux âges extrêmes, chez les très jeunes mères et lors de grossesses dites tardives. Les taux de grossesses MZ sont de 3 pour 1 000 avant 20 ans et de 4,5 pour 1 000 après 40 ans.

Il est par ailleurs démontré que les mères de jumeaux monozygotes présentent souvent des cycles longs (supérieurs à vingt-huit jours) avec des ovulations tardives, c'est-à-dire après le quatorzième jour du cycle. On suppose que l'ovocyte ainsi produit est trop mature, « trop vieux », de moins bonne qualité, d'où le risque de division de l'œuf. Enfin, la survenue d'une grossesse gémellaire monozygote serait plus fréquente chez les couples qui utilisent l'abstinence comme méthode contraceptive au cours de la période périovulatoire. Cette méthode privilégie la fécondation en cas de cycle anormal ou d'ovulation tardive accidentelle. Contrairement à ce que pensent beaucoup de femmes, l'œuf peut se diviser également dans les cas d'induction d'ovulation et de fécondation *in vitro*. Ces techniques ne mettent donc pas à l'abri du risque d'avoir des vrais jumeaux. On comprend mieux que l'on puisse observer des grossesses triples après replacement dans l'utérus de deux embryons.

BÉBÉS-ÉPROUVETTE MULTIPLES : les grandes premières[1]

Les premières jumelles-éprouvette, Audrey et Céline, sont nées le 7 octobre 1983 à l'hôpital Antoine-Béclère, à Clamart (Hauts-de-Seine). Cette première, comme la naissance d'Amandine, premier bébé-éprouvette français, est due au professeur René Frydman et au biologiste Jacques Testart.
Les premiers triplés-éprouvette, Mélanie, Julien et Aurélie, sont nés à l'hôpital Tenon, à Paris, le 4 janvier 1985.
Les premiers quadruplés-éprouvette, Axelle, Alicia, Benjamin et Romain, sont nés à Caen (Calvados) le 22 janvier 1987.
Les premiers quintuplés-éprouvette, Alan, Brett, Conner, Douglas et Edward (A, B, C, D, E, pour les intimes et les échographistes !), sont nés à Londres le 26 avril 1985.

Le diagnostic de la grossesse gémellaire

Faire le diagnostic positif de grossesse

Il peut être simple chez une femme préalablement bien réglée, dont la date des dernières règles est connue, et qui présente depuis une absence de règles et des signes sympathiques de grossesse : nausées, somnolence, seins tendus et sensibles, pollakiurie, etc. Cette éventualité est la plus fréquente et le diagnostic est clinique, dans le cas où l'examen ne décèle aucune anomalie.

Parfois le diagnostic est moins évident, lorsque les cycles sont irréguliers, que la date des dernières règles est imprécise, ou qu'il existe des saignements anormaux.

Dans ce cas, le diagnostic est confirmé de manière certaine par une recherche de bêta hCG, hormone sécrétée par l'embryon dans le sang.

À partir de six semaines d'absence de règles que l'on appelle 6 SA (pour semaine d'aménorrhée*), en fonction de l'examen clinique et de l'existence éventuelle de signes anormaux – douleurs pelviennes associées ou non à des saignements –, une échographie pelvienne précoce est réalisée afin de s'assurer de la normalité de la grossesse. Elle permet de visualiser :
— une grossesse normale, intra-utérine et évolutive ;
— une grossesse anormale : grossesse extra-utérine ou avortement ;
— l'existence d'un kyste ovarien ou d'un fibrome utérin associé.

1. Et espérons-le, en ce qui concerne les quadruplés et les quintuplés : « Les grandes premières », *Le Livre Guiness des records*, Éditions n° 1.

Préciser la date de début de la grossesse

La datation précise du début de la grossesse est un élément primordial, permettant de déterminer son âge, dont découlent nombre d'éléments ultérieurs :

— mesures légales : déclaration aux organismes sociaux, début du congé maternité ;
— mesures médicales : diagnostics de prématurité, ou de dépassement de terme, ou d'anomalie de la croissance fœtale.

L'âge gestationnel est exprimé en semaines d'aménorrhée révolues (SA), à partir du premier jour des dernières règles.

Le terme est calculé à partir du premier jour des dernières règles : il est fixé à 40 SA et 4 jours, soit 284 jours d'aménorrhée. Mais attention ! le terme administratif est 41 SA ou 9 mois...

Seule l'échographie permet de déterminer avec précision l'âge gestationnel, la clinique n'ayant ici que peu de valeur.

Cette échographie précoce de datation doit être idéalement pratiquée entre 6 et 12 SA révolues : à partir de la longueur craniocaudale* (LCC) de l'embryon, l'âge gestationnel est alors estimé avec une précision de +/– 3 jours. En effet, durant le premier trimestre, les paramètres échographiques biométriques varient peu et la croissance embryonnaire est régulière.

Avant 5 SA révolues, l'échographie n'est pas pertinente ; entre 5 et 6 SA, la mesure du sac embryonnaire ne permet qu'une datation imprécise.

Après 12 SA révolues, l'âge gestationnel est évalué à +/– 5 jours par la confrontation du diamètre bipariétal avec la longueur du fémur.

TABLEAU 2 : DÉTERMINATION DE L'ÂGE GESTATIONNEL
EN FONCTION DES PARAMÈTRES BIOMÉTRIQUES ÉCHOGRAPHIQUES ENTRE 6 ET 12 SA
(LCC : LONGUEUR CRANIOCAUDALE, SA : SEMAINES D'AMÉNORRHÉE, MM : MILLIMÈTRE)

ÂGE (en SA)	LCC (en mm)
6	5
7	10
8	16
9	23
10	32
11	44
12	56

Quand pourrai-je savoir si j'attends des jumeaux ?

Vous le saurez très vite en faisant une échographie. Aujourd'hui, elle est réalisée à titre systématique à 12 semaines d'aménorrhée (ou absence de règles) et parfois plus tôt s'il existe une indication médicale. Elle permet de faire le diagnostic de grossesse gémellaire dans 100 % des cas. Au cours de toute échographie du premier trimestre, la principale préoccupation de l'examinateur est de rechercher le nombre des embryons. Il faut savoir que cette recherche n'est pas forcément facile ; dès 5 semaines d'aménorrhée, l'échographiste peut visualiser les deux sacs gestationnels. À 7 semaines, il peut voir les deux embryons et leurs cœurs qui battent. Il est fondamental de faire un diagnostic précoce de grossesse gémellaire car c'est, pour le médecin, la possibilité de mettre en place très tôt des mesures de prévention de la prématurité. On a en effet clairement montré que le pronostic, c'est-à-dire le terme, le poids de naissance des enfants et leur état de santé après la naissance, est meilleur lorsqu'on a fait le diagnostic de grossesse gémellaire très tôt.

Pour la patiente et son conjoint, c'est la possibilité de s'organiser très tôt pour porter et accueillir deux enfants.

Toutefois, il n'est pas souhaitable de faire un diagnostic trop précoce car il peut être entaché d'erreurs. Lorsqu'une grossesse multiple est diagnostiquée trop tôt, on risque lors d'une échographie suivante de ne pas trouver le même nombre d'embryons ; ceci est dû au phénomène que les Anglo-Saxons appellent les *vanishing twins**, c'est-à-dire les « jumeaux évanescents » : il s'agit de la lyse* (ou résorption) et de la disparition complète d'un ou de plusieurs embryons.

Qu'est-ce que le signe de Capuron ?

Nous espérons que votre médecin n'utilisera pas ce signe pour diagnostiquer votre grossesse gémellaire. Il s'agit d'une méthode de diagnostic bien tardive, puisque le diagnostic de gémellité est fait au moment de l'accouchement lorsque l'on voit apparaître un deuxième enfant : c'est le signe de Capuron, du nom du médecin qui en a fait la description. Au XIXe siècle, la moitié des grossesses gémellaires était diagnostiquée lors de l'accouchement.

12 semaines, ça fait combien de mois ?

L'âge gestationnel est exprimé en semaines d'aménorrhée révolues (SA), à partir du premier jour des dernières règles.

C'est à la fois très simple et très compliqué. Les patientes ont l'habitude de compter en mois, les médecins en semaines. Il n'y a pas d'équivalence évidente entre les semaines et les mois, puisque les semaines sont des semaines d'aménorrhée calculées à partir du premier jour des dernières règles, et les mois sont des mois de grossesse calculés à partir du jour supposé de la fécondation. Habituellement, le cycle menstruel dure vingt-huit jours, avec une ovulation et parfois une fécondation au quatorzième jour du cycle. La durée d'une grossesse unique est de neuf mois ou de quarante et une semaines d'aménorrhée. Si le premier jour de vos dernières règles est le 1er janvier, la fécondation aura lieu le 14 janvier et la date théorique de votre accouchement sera le 14 octobre. Toutefois, nous disons bien théorique car, en cas de grossesse gémellaire, il ne nous semble pas raisonnable de laisser la grossesse se poursuivre au-delà de 39 semaines d'aménorrhée, nous y reviendrons dans « La date optimale pour accoucher », page 116. En ce qui concerne le calcul de vos congés de maternité, il conviendra d'utiliser la date théorique, c'est-à-dire 9 mois ou 41 semaines. Il se peut aussi que vous ayez eu vos dernières règles le 1er janvier et que vous n'ayez pas ovulé le 14 janvier car vos cycles sont très irréguliers.

L'annonce aux parents

Comment réagissent les mères ?

Le diagnostic de grossesse gémellaire est en général connu très tôt, grâce au développement de l'échographie. Pourtant, il est souvent à ses débuts empreint d'incertitude. Certains médecins, prudents, préviennent qu'un des embryons « peut disparaître en cours de route ». « On a d'abord diagnostiqué une grossesse gémellaire à 6 semaines... mais ce n'était pas sûr. Les médecins étaient très partagés : "Il y a deux œufs, oh ! non, il n'y en a qu'un, mais non, il y en a deux." Puis ils ont regardé plus attentivement : "Oh ! il y en a bien deux et ce sont des faux jumeaux." *A priori*, ils ne s'étaient pas trompés : à la deuxième échographie, il y avait deux bruits du cœur. Mais j'ai alors été inquiète, j'avais peur qu'ils ne se développent pas tous les deux. »

Le diagnostic de grossesse gémellaire peut être annoncé comme une « bonne nouvelle » ou sous forme de question : « Souhaitez-vous avoir tout de suite une famille nombreuse ? », ou encore prendre une allure de catastrophe. L'attitude des médecins varie en fonction des réactions très différentes de leurs patientes.

Quand les mères apprennent qu'elles attendent des jumeaux, leurs réactions peuvent être très différentes selon les situations familiales. Il y en a qui éprouvent une très grande joie : « Pendant deux jours, avec mon mari, on était complètement ailleurs ; on a eu du mal à retomber sur terre ; on était contents, heureux, mais on se demandait ce qui allait se passer, on n'arrivait pas à le formuler, il y avait plein de questions qui nous inquiétaient : est-ce qu'on va pouvoir y arriver financièrement ? Est-ce qu'on va pouvoir les assumer ? Moi, j'avais déjà quelques craintes pour un seul enfant. On se dit : est-ce que je serai une bonne mère ? Alors pour deux, cela fait très peur. Après, on a annoncé la nouvelle à la famille, on était très contents tous les deux mais mon mari n'a pas mangé pendant deux jours. » Certaines disent qu'elles ont rêvé de jumeaux juste la nuit précédente : « J'ai su à 4 mois et demi, à la première échographie, que j'attendais des jumeaux. En fait, je me posais la question parce que ma mère m'avait dit : "Oh ! là, là, tu prends du volume très vite, peut-être qu'il y en a deux !" Le fait qu'elle m'ait dit cela était presque devenu une certitude pour moi. J'en ai parlé à ma gynécologue qui m'a fait une échographie. J'ai été surprise, même si je m'y attendais. J'aurais été déçue s'il n'y en avait eu qu'un. Je le souhaitais parce que ma mère m'avait mis cette idée dans la tête, et puis je pensais : tiens, ce serait bien d'en avoir deux. Mon mari, quelques jours avant la première échographie, avait rêvé qu'il y avait deux bébés. Il faut dire que je désirais avoir quatre enfants rapprochés, j'aime les familles nombreuses. J'ai seulement un frère de dix ans plus âgé que moi, j'en ai souffert, j'aurais aimé être dans une famille nombreuse. » D'autres peuvent vouloir avorter. La gémellité peut constituer une valeur familiale et une situation familière. Certaines femmes, bercées pendant toute leur enfance par des histoires de jumeaux transmises de génération en génération, rêvent d'avoir des jumeaux et mettent toutes les chances de leur côté, par exemple en stimulant leurs ovaires par des médicaments. Pour d'autres, les jumeaux peuvent agrandir une famille ayant déjà des enfants. Ils peuvent aussi être acceptés avec résignation par une famille ayant de fortes convictions religieuses.

Le plus souvent, les jumeaux nés de couples souffrant de problèmes de fertilité sont considérés comme une bénédiction et leur arrivée est fréquemment surIdéalisée. Les couples n'ayant pas d'autre enfant sont aussi généralement aux anges. Si, par chance, il s'agit d'un garçon et d'une fille, ils se considèrent alors comme véritablement comblés. Les mères se trouvent souvent « exceptionnelles » et ont l'impression de vivre une aventure un peu extraordinaire ; les pères sont très fiers. « C'était l'époque des grandes décisions, on a décidé de se marier, de changer d'appartement, on n'avait pas d'angoisse, il fallait agir vite, nous étions ravis. » « Il fallait tout revoir autrement, on était un peu sous le choc. J'étais fière de faire quelque chose différemment de tout le monde. Il faut du temps pour accepter l'idée que l'on va être privé de la relation mère-bébé intense. » « Je trouvais cela original d'avoir des jumeaux, beaucoup de mamans rêvent d'avoir des jumeaux. »

Pour beaucoup de parents, les sentiments sont contradictoires, passant de l'inquiétude à l'euphorie. « J'ai très mal réagi, ça a été l'effondrement général quand l'échographiste me l'a annoncé. Je lui ai d'abord fait répéter, pensant qu'il s'agissait d'une blague ou d'une erreur, et puis il ne m'a plus entendue parce que je me suis mise à pleurer pendant... je ne sais pas... je dirais que j'ai pleuré pendant quinze jours. J'étais seule pour l'examen, ce jour-là... La réaction de mon mari a été en revanche plus positive. Moi, je ne m'y attendais absolument pas. Ça a été la surprise, et, en plus, je m'imaginais ça comme quelque chose d'horrible, d'atroce. » « Je l'ai vraiment très mal pris au départ. C'était une réaction un peu égoïste : avec deux enfants, je ne vais pas pouvoir sortir et puis je vais être grosse, je vais être laide, et puis cela fait un peu "mère chatte"... Après, j'ai pensé au côté psychologique : je ne pourrai jamais en aimer deux. Ce ne sera pas aussi personnalisé qu'avec un seul bébé, la relation ne sera pas si intense. » « Tout cela n'a pas duré très longtemps, mais il m'a fallu le temps de m'habituer. Ensuite, j'ai surmonté. Tout le monde autour de nous trouvait cela tellement bien que l'on s'est dit que ce n'était pas si grave ; finalement, j'ai été très contente. Il y a toute une évolution : d'abord une réaction à laquelle il faut faire face et puis, quelques jours après, c'est le contraire, ça devient positif. »

Les jumeaux peuvent être le résultat d'une longue et coûteuse bataille pour une grossesse. Jusqu'à récemment, il était possible de dire que les jumeaux, triplés et plus, n'étaient jamais planifiés. Cependant, comme le traitement des couples infertiles est devenu presque banal, beaucoup de ces parents savent qu'une naissance multiple peut en résulter. Certains peuvent même être déçus si le résultat est seulement une grossesse unique. « À cette époque, je faisais beaucoup de cauchemars, je rêvais que j'accouchais d'un enfant et on me disait : "C'est fini, il n'y en a pas d'autre, il n'y en a jamais eu deux." » Étonnamment, parmi les parents qui se présentent pour le traitement contre l'infertilité, tous ne s'attendent pas à une grossesse, et encore moins à avoir des multiples, et ils sont bouleversés quand le traitement réussit. La joie éprouvée par les familles et les obstétriciens à l'annonce de la grossesse rend certains parents incapables d'exprimer leurs sentiments, ils deviennent parfois dépressifs. Contrairement à ce que beaucoup de médecins, sages-femmes, familles et amis croient, pour la plupart des parents, apprendre que le bébé tant attendu amène un ou deux compagnons de jeux est un choc. Souvent, ils éprouvent d'abord des sentiments très négatifs et surmontent difficilement le choc initial qui peut persister durant toute la grossesse. « J'étais très en colère. J'attendais cette grossesse. Elle était ardemment souhaitée. Je voulais être enceinte. Mais je ne m'attendais pas à deux bébés. Je me suis fait cette réflexion : si c'est deux, je n'en veux pas. J'étais très fâchée... parce que deux, c'est particulier. L'enfant par définition est unique. Quand il y en a deux, je trouve que cela nous rapproche du règne animal... C'était vraiment ma toute première réaction ; après, j'ai été très contente, très fière, je trouvais ça très drôle... Je l'ai raconté à tout le monde. J'étais assez excitée, très contente mais en même temps un peu fâchée. Pendant la grossesse, oh ! le mépris que l'on ressent pour les femmes qui ne portent qu'un seul enfant ! Toute cette agitation pour un. Alors que nous, on en a deux... »

La première période d'anxiété pour les mères, et quelquefois les pères, commence souvent quand le diagnostic est annoncé à la première échographie. Des difficultés psychologiques importantes peuvent persister longtemps après la naissance chez les femmes ayant mal vécu leur grossesse dès l'annonce du diagnostic. Il est important que les futures mères de jumeaux soient aidées psychologiquement pendant et après leur grossesse, comme nous le verrons au cours de ce livre.

Les pères ressentent des émotions très fortes

Les émotions paternelles sont très fortes à l'annonce d'une grossesse gémellaire. Les futurs pères sont, comme leurs compagnes, en état de choc et réalisent très vite les problèmes matériels qui vont se poser. Beaucoup de pères sont perturbés en apprenant la nouvelle : plusieurs ont brûlé des feux rouges, d'autres ont eu des accrochages en voiture. L'un des futurs pères de jumeaux s'est immédiatement consacré à une intense activité de bricolage, surélevant l'étage supérieur de la maison en vue de l'accueil des enfants, activité exclusive qui s'est poursuivie pendant plus d'un an après la naissance... et dure peut-être encore. Un cas extrême, celui d'un père qui s'est enfui un week-end pour réfléchir seul. Il est finalement rentré à la maison, acceptant la situation, mais que d'angoisse pour la mère pendant ces deux jours ! Il faut aussi souligner que beaucoup de pères se sentent valorisés par cette future double naissance.

VOTRE GROSSESSE AU QUOTIDIEN

Choisir votre maternité

Bien choisir le lieu de son accouchement est essentiel. C'est l'une des premières questions que vous devrez résoudre dès que vous saurez que vous attendez des jumeaux, car certains services hospitaliers et certaines cliniques sont très demandés. Il est donc important de s'inscrire tôt. Deux possibilités s'offrent à vous : les hôpitaux publics et les cliniques privées.

Les décrets du 9 octobre 1998 incitent les établissements pratiquant l'obstétrique, la néonatologie et la réanimation néonatale à s'inscrire dans le cadre de réseaux de soins régionaux favorisant la coopération entre ces structures. L'adhésion à un réseau est fondée sur le volontariat. Actuellement, toutes les maternités de France travaillent ensemble, dans le cadre de réseaux de périnatalité. Ce système permet aux enfants de naître dans des maternités adaptées à leur niveau de risque.

Les hôpitaux publics

Il existe plusieurs possibilités.

Le secteur hospitalier classique

Vous devez vous inscrire le plus tôt possible à la maternité pour y être suivie et y passer les examens médicaux. Une autre possibilité est d'être suivie dans un centre de PMI (Protection maternelle et infantile), qui assure les différentes visites et le suivi de votre grossesse. Toutefois, il est impératif de vous inscrire à la maternité de l'hôpital dans lequel vous accoucherez, distincte du centre de PMI ; si vous n'êtes pas inscrite, on ne vous refusera évidemment pas d'entrer le jour de votre accouchement, mais vous courez le risque d'être transférée dans un autre hôpital après la naissance. Dans le secteur hospitalier, la surveillance de l'accouchement sera effectuée par la sage-femme de garde. Au moment de la naissance de vos bébés, l'obstétricien de garde sera présent et, en cas de besoin, on pourra faire appel à l'anesthésiste et au pédiatre.

Le secteur privé à l'hôpital

Certains médecins ont établi un contrat avec leur établissement qui leur permet d'avoir une clientèle personnelle. Dans ce cas, vous aurez à régler les honoraires du praticien. Ces honoraires seront partiellement remboursés par la Sécurité sociale selon un forfait normal si le médecin est conventionné. Le dépassement d'honoraires peut, en totalité ou en partie, être remboursé par votre mutuelle auprès de laquelle il faut vous renseigner.

Les cliniques privées

Schématiquement il en existe trois types.

- *La clinique est conventionnée*. Elle a signé une convention avec la Sécurité sociale. Les frais de séjour sont pris en charge à 100 % et seront donc réglés directement par votre caisse de Sécurité sociale. Certains suppléments peuvent toutefois rester à votre charge : supplément pour chambre seule, frais de téléphone... Le remboursement des honoraires du médecin varie avec la convention qu'il a choisie :

— soit le médecin est conventionné, il pratique donc strictement les tarifs prévus - et remboursés - par la Sécurité sociale ;

— soit le médecin est conventionné à honoraires libres, il pratique alors un dépassement d'honoraires. Ses honoraires seront remboursés partiellement par la Sécurité sociale selon un forfait normal : le dépassement sera à votre charge, mais peut toutefois être remboursé en partie ou en totalité par votre mutuelle. Renseignez-vous auprès de votre médecin sur les tarifs qu'il pratique pour les consultations et les accouchements afin de ne pas avoir de mauvaise surprise ;

— soit le médecin n'est pas conventionné : cette éventualité est rare et vous n'aurez droit à aucun remboursement.

Dans certaines cliniques, il faudra faire l'avance des frais, renseignez-vous avant.

- *La clinique est agréée*, mais non conventionnée. Vous devrez alors faire l'avance des frais. Vous ne serez pas remboursée sur la base des frais réels.
- *La clinique n'est pas agréée*. Vous n'aurez droit à aucun remboursement des frais de séjour et des honoraires. Votre caisse de Sécurité sociale peut, après accord du service du contrôle médical, accorder des prestations comme si l'accouchement avait eu lieu à domicile.

Ainsi, comme vous le voyez, selon que votre clinique est conventionnée ou agréée, vous pouvez accoucher gratuitement ou bien avoir une somme importante à débourser. Vous devez donc vous renseigner au moment de l'inscription, au début de la grossesse, pour savoir ce que vous aurez à régler : frais de séjour, honoraires de l'obstétricien, de la sage-femme, du pédiatre, de l'anesthésiste, frais supplémentaires (communications téléphoniques, télévision, boissons, etc.).

Les trois niveaux de soins des maternités

Les maternités[1], qu'elles soient privées ou publiques, sont classées en trois niveaux en fonction des soins à apporter aux nouveau-nés et à leur mère. Voir également page 307.

- *Les maternités de niveau I* assurent le suivi et l'accouchement des femmes dont la grossesse est normale et dont les nouveau-nés ne présentent pas de risque particulier. Ces établissements ne disposent pas de structure de néonatologie.

1. Articles R. 712-84, R. 712-85 I, II et III, et R. 712-86 I, II et III du Code de la santé publique.

- *Les maternités de niveau II* associent une unité d'obstétrique à une unité de néonatologie, permettant d'assurer, vingt-quatre heures sur vingt-quatre, la surveillance et les soins spécialisés des nouveau-nés à risque et de ceux dont l'état s'est dégradé après la naissance, qu'ils soient nés ou non dans l'établissement.
- *Les maternités de niveau III* disposent, en plus des unités d'obstétrique et de néonatologie, d'une unité de réanimation néonatale permettant d'assurer la prise en charge des nouveau-nés, vingt-quatre heures sur vingt-quatre, qui présentent des détresses graves ou des risques vitaux, qu'ils soient nés ou non dans l'établissement [1].

Sur quels critères faut-il faire votre choix ?

Votre choix dépendra bien sûr de vos possibilités géographiques, de votre budget et de vos tendances personnelles. Vous pouvez également être attirée par la renommée d'une maternité ou d'une clinique, ou par la confiance que vous inspire un médecin en particulier. Nous pouvons toutefois vous donner un vrai conseil : si vous attendez des jumeaux, vous devez privilégier avant tout la sécurité de l'accouchement. Les éléments suivants nous paraissent essentiels :

— la présence en permanence d'une équipe obstétricale facilement mobilisable ou mieux, sur place ;
— un équipement de surveillance des deux jumeaux dans la salle de travail ;
— une possibilité de réaliser des transfusions sanguines rapides ;
— des équipements de réanimation du nouveau-né et des équipes entraînées à les pratiquer ;
— une salle d'opération située à proximité de la salle de naissance et réservée à la maternité, au cas où vous auriez besoin d'une césarienne en urgence ;
— la présence dans le même hôpital d'un service de réanimation néonatale ou de pédiatrie peut également être un facteur orientant votre choix.

Dès le début de votre grossesse, il faut vous informer du niveau de la maternité pour savoir si, en cas de problème, vous serez transférée dans une maternité de niveau supérieur. De la même manière, vous devez savoir si votre maternité est susceptible de garder vos bébés et de s'en occuper ou s'ils seront transférés dans un autre établissement en cas de problème survenant après la naissance.

Un autre élément essentiel qui doit guider votre choix est celui de la possibilité d'une anesthésie péridurale. Il nous semble que la péridurale est particulièrement indiquée en cas d'accouchement de jumeaux. Vous devez donc vous assurer que l'établissement dans lequel vous souhaitez accoucher dispose d'un anesthésiste toujours présent et disponible pour la maternité, connaissant bien les problèmes de l'obstétrique. La péridurale est entièrement gratuite dans les hôpitaux publics.

L'accouchement de jumeaux constitue pour la plupart des équipes une indication médicale à la réalisation d'une péridurale.

1. Direction générale de la santé Paris-France, « Propositions et recommandations au niveau national », www.sfpm.net.

La distance séparant votre domicile de la maternité ne doit pas être votre seul critère de décision. Dans l'immense majorité des cas, vous aurez tout le temps de vous rendre sur votre lieu d'accouchement. Il ne faut donc pas avoir peur d'aller un peu plus loin pour trouver une maternité bien équipée. Toutefois, il ne faut pas exagérer dans l'autre sens, les distances trop grandes peuvent être dangereuses, il est hors de question d'avoir des jumeaux dans un taxi ou au bord d'une route.

Vous serez probablement soucieuse de votre bien-être et de celui de vos bébés après la naissance. La nuit, aurez-vous la possibilité de les garder près de vous ou, si vous êtes trop fatiguée, de les confier à la pouponnière pour les reprendre le matin ? Votre pédiatre pourra-t-il venir rendre visite à vos bébés dans l'établissement ? Le pédiatre de l'établissement sera-t-il à votre disposition chaque jour ? Pourrez-vous le rencontrer facilement ? Quelle est la politique de la maternité vis-à-vis de l'allaitement des jumeaux ? De nombreuses questions qu'il ne faut pas hésiter à poser. Ce qui peut également guider votre choix est la présence de votre mari pendant l'accouchement. Votre bien-être personnel ne doit pas être oublié : assurez-vous que la maternité où vous voulez accoucher prévoit de donner une chambre seule aux patientes ayant des jumeaux. Quant au raffinement des installations hôtelières, vous serez plus souvent mieux servie en clinique qu'à l'hôpital public ; toutefois, la différence tend à s'estomper car, depuis plusieurs années, les maternités publiques font des efforts réels dans ce domaine.

Peut-on avoir des jumeaux à domicile ? Non !

L'accouchement à domicile est très répandu aux Pays-Bas. Les médecins hollandais ont des critères très stricts pour accepter d'accoucher une patiente à domicile. Il faut qu'elle ait déjà accouché une fois sans difficulté à l'hôpital, qu'elle n'ait aucune complication prévisible, que le bébé soit en présentation céphalique. Aux Pays-Bas, l'accouchement gémellaire à domicile est contre-indiqué, aucun médecin ne prendrait un tel risque.

Aménager votre vie

Attendre des jumeaux ne va pas sans répercussions sur la vie quotidienne. Vous vous posez sûrement beaucoup de questions à ce sujet. Vous êtes probablement très heureuse d'attendre des jumeaux, mais vous n'avez pas du tout envie de modifier quoi que ce soit à vos habitudes. Si vous lisez un guide s'adressant aux femmes enceintes attendant un enfant unique, vous apprendrez que la grossesse n'est pas une maladie, que l'on peut continuer à travailler pendant la grossesse, qu'il n'y a aucune raison de changer sa vie quotidienne à quelques exceptions près. L'art de mettre au monde deux enfants est un peu différent. Nous allons vous demander dans ce chapitre d'apporter des modifications à votre mode de vie.

Nous voudrions vous expliquer tout d'abord de façon un peu schématique qu'au sixième mois de grossesse vous ressemblerez étrangement à une femme enceinte d'un seul enfant prête à accoucher. Au-delà de 6 mois, vous serez probablement gênée par l'encombrement des deux bébés. La plupart des questions que vous vous posez au début de la grossesse trouveront des réponses naturelles et vous aurez probablement à ce moment-là une grande envie de vous reposer. Les conseils que nous vous donnons concernent surtout les deux premiers trimestres de la grossesse : vie calme et repos. Il se peut qu'ils s'ajoutent à ceux d'un environnement hyperprotecteur. Comme vous attendez des jumeaux, votre mari ou votre famille ont probablement très envie de vous mettre sous cloche et de vous interdire de bouger. Nous comptons sur votre bon sens pour faire la part des choses.

Les transports et les voyages

Il n'y a aucune raison que vous vous priviez d'un voyage agréable au début de la grossesse. Vous devrez résister aux avis les plus variés de votre entourage.

La voiture et le train

On vous mettra successivement en garde contre la voiture, contre l'avion, contre le train. Si vous devez effectuer un long voyage, il nous semble beaucoup plus raisonnable de prendre l'avion ou le train que la voiture qui provoque beaucoup plus de secousses. À partir de 24 semaines d'aménorrhée – 5 mois de grossesse –, nous vous conseillons vivement d'éviter ce genre de voyage. Si vous devez faire un long parcours en train, réservez une couchette. Même pour les petits trajets, la ceinture de sécurité peut être très gênante, vous devez placer les deux sangles, l'une au-dessus et l'autre au-dessous de votre ventre. Ne demandez pas un certificat médical à votre médecin pour éviter le port de la ceinture car ce qui peut vous arriver de pire pendant votre grossesse est d'avoir un accident de voiture sans ceinture de sécurité. Lorsque votre ventre deviendra trop encombrant pour conduire, soyez attentive au signal que la nature vous envoie : ne conduisez plus. Enfin, si vous devez effectuer un voyage un peu long, quel que soit le moyen de transport, consultez votre médecin avant le départ pour vous assurer que tout va bien.

Quelles sont les précautions à prendre en avion ?

Les femmes enceintes jusqu'à 34-36 semaines d'aménorrhée sont acceptées par les compagnies aériennes. En cas de grossesse gémellaire, si votre col est fermé, il est certainement possible de faire un trajet en avion durant une heure ou deux. D'une façon générale, il paraît prudent d'éviter les voyages en avion au troisième trimestre. Toute décision doit être réfléchie au cas par cas.

Le danger ne vient pas de l'altitude. La pressurisation des avions équivaut à une altitude de 2 000 à 2 500 m ; cela ne présente pas de danger ni pour vos bébés ni pour vous, à condition que vous ne présentiez pas de pathologie pouvant influer sur l'oxygénation des fœtus (hypertension artérielle, maladie cardiaque, anémie sévère). Un certificat médical attestant l'absence de complications peut vous être demandé. La ceinture de sécurité doit être positionnée sous le ventre.

Le principal risque ne vient pas de l'avion, mais des aéroports où des progrès concernant l'accueil et le confort des voyageurs seraient souhaitables.

Il existe aussi un risque de phlébite, lié à deux facteurs : la stase veineuse et la déshydratation. Afin d'éviter cette complication, il est conseillé :

— d'allonger les jambes pendant le voyage, de pratiquer régulièrement des contractions des membres inférieurs en position assise, de se lever et de marcher toutes les heures dans l'avion ;
— de boire beaucoup pendant le voyage (sans alcool) ;
— de porter des bas de contention en cas de mauvais état veineux des membres inférieurs ;
— de rester chez soi en cas d'antécédents de phlébite, ou d'embolie pulmonaire, ou d'anomalies de la coagulation.

Votre activité professionnelle

Vous pouvez travailler au début de la grossesse. Vous arrêter de travailler dès la fécondation serait probablement abusif. L'arrêt de travail, aux alentours du quatrième mois de grossesse, nous semble une thérapeutique beaucoup plus efficace et beaucoup moins nocive que les médicaments évitant les contractions utérines ; nous sommes donc tentés de vous le proposer. Il y a quinze ans, nous écrivions : « On peut renouveler ici notre appel aux pouvoirs publics réclamant un arrêt de travail légal de maternité à partir de 24 semaines pour toutes les femmes attendant des jumeaux. » Notre appel semble avoir été entendu. Les associations « Jumeaux et plus » ont prouvé leur grande efficacité. Aujourd'hui, les futures mères de jumeaux bénéficient d'un congé prénatal de douze semaines. Toutefois, dans ce livre de conseils, nous ne voudrions pas être dogmatiques et vous dire à partir de quel jour vous arrêter. Cela sera à déterminer entre vous et votre médecin. Il ne faut pas attendre qu'il soit trop tard pour vous reposer vraiment, il faut absolument éviter les trop grands efforts physiques dès le début de la grossesse. Nous pensons que toutes les économies d'efforts réalisées au début se retrouvent à la fin de la grossesse et permettent d'éviter un accouchement prématuré. Certaines de nos patientes à qui nous demandons d'arrêter de travailler nous expliquent qu'il est plus nocif pour leur moral de rester enfermées à la maison, seules toute la journée, que de travailler à l'extérieur. Il s'agit généralement de patientes qui ont la chance d'avoir une profession agréable, l'idéal est dans ce cas de pouvoir adapter leurs conditions de travail à leur état. Les employeurs sont parfois compréhensifs, mais rarement. À l'opposé, toute femme ayant un travail fatigant, sur machine ou à la chaîne, travaillant debout pendant plus de six heures par jour, supportant des charges, travaillant dans un environnement bruyant, à une température trop basse ou trop élevée, ou dans une atmosphère enfumée, doit impérativement s'arrêter de travailler pendant la grossesse. D'autres patientes à qui nous serions enclins de proposer un arrêt de travail en plus des douze semaines offertes sont celles qui ont des trajets importants pour se rendre sur leur lieu de travail, soit en transports en commun, soit en voiture. En aucun cas, vous ne devez vous culpabiliser vis-à-vis de la société, car les frais occasionnés par quelques mois d'arrêt de travail d'une mère sont infimes comparés aux frais de prise en charge de deux enfants prématurés en réanimation néonatale.

La vraie difficulté apparaîtra si vous ne pouvez pas vous arrêter de travailler. Ce peut être le cas si vous occupez une profession à haute responsabilité ou que vous risquez de perdre votre emploi malgré la législation en vigueur ; cette situation est souvent rencontrée en pratique. Il se peut aussi que financièrement vous ne puissiez pas vous permettre d'avoir un arrêt de travail et de toucher la moitié de votre salaire.

La femme au foyer pose un problème particulier car, dans son cas, l'arrêt de travail n'a pas de signification. On peut facilement obtenir d'une femme qui travaille à l'extérieur qu'elle se repose, après lui avoir rédigé un arrêt de travail, mais c'est beaucoup plus compliqué pour une femme qui a l'habitude de rester à la maison, *a fortiori* si elle a déjà plusieurs enfants et des difficultés socio-économiques.

Donc, mères de jumeaux, ce que la loi prévoit n'est peut-être pas toujours tout à fait suffisant avec un repos de douze semaines (auxquelles on peut ajouter deux semaines de repos supplémentaire) avant la date prévue pour l'accouchement d'un enfant unique (c'est-à-dire le terme théorique de 9 mois) et de vingt-deux semaines après. (Les détails de ces droits sont résumés dans « Législation actuelle en faveur des multiples », page 285.) Le temps de repos « administratif » est dans certains cas encore trop court et pas toujours suffisant pour que toutes les grossesses gémellaires se déroulent normalement. Il faut donc, lorsque c'est nécessaire, avoir recours à l'arrêt de travail.

Le congé prénatal peut être anticipé de deux semaines de congés pathologiques en cas d'anomalie du déroulement de la grossesse.

TABLEAU 3

Type de grossesse	Durée totale de congé	Période prénatale	Période postnatale
Grossesse simple : l'assurée ou le ménage a moins de 2 enfants.	16 semaines	6 semaines	10 semaines
Grossesse simple : l'assurée ou le ménage assume déjà la charge d'au moins 2 enfants ou l'assurée a déjà mis au monde au moins 2 enfants nés viables.	26 semaines	8 semaines	18 semaines
Grossesse gémellaire	34 semaines	12 semaines	22 semaines
Grossesse de triplés ou plus	46 semaines	24 semaines	22 semaines

Préservez votre sommeil

Le sommeil est essentiel au cours d'une grossesse gémellaire. Nous vous conseillons de dormir la nuit au moins huit heures. Si vous êtes en arrêt de travail, faites la sieste, c'est excellent. Il se peut que votre rythme de sommeil soit perturbé : au début, vous pouvez avoir envie de dormir en fin d'après-midi et avoir des insomnies au milieu de la nuit. Évitez à tout prix les excitants tels que le café, surtout l'après-midi, faites un repas léger le soir, évitez les somnifères et couchez-vous tôt.

À la fin de la grossesse, votre sommeil deviendra parfois difficile à cause du volume des bébés. Vous ne pourrez dormir ni sur le ventre ni sur le dos, vous risquez d'avoir des malaises. Il vous restera le côté droit et le côté gauche. Les bébés, s'ils sont particulièrement remuants, vont vous réveiller très souvent. Nous n'avons pas de solution à proposer, sinon de profiter du début de la grossesse pour beaucoup vous reposer. Vous pouvez également vous faire à l'idée que mener une grossesse gémellaire jusqu'au bout est une épreuve physique difficile, et si vous ne dormez plus du tout, demandez à votre médecin qu'il vous prescrive un somnifère le moins toxique possible pour les enfants.

Pendant la grossesse, des insomnies liées à l'angoisse de la prématurité ou à la peur de l'accouchement peuvent survenir, il est donc important d'en parler avec votre mari, avec vos amis et surtout avec votre médecin.

Arrêtez le tabac

Vous arrêter d'un seul coup vous demandera sûrement beaucoup moins d'efforts que de diminuer progressivement. Le tabagisme passif est également dangereux. Il faut demander à votre entourage de ne plus fumer en votre présence. Ne jetez pas ce livre avant d'avoir lu la suite : la nicotine est un produit toxique qui entraîne une vasoconstriction des artères utérines. Ainsi la quantité de sang qui arrivera à vos bébés sera diminuée. Ils grandiront donc beaucoup moins vite. Les enfants de mères qui fument font à la naissance 200 g de moins que les enfants de mères qui ne fument pas. Si une femme a une grossesse unique et met au monde un enfant de 3 400 g, il peut paraître peu important qu'elle fume et que son enfant pèse 3 200 g. N'oubliez pas que vous attendez des jumeaux et que vous serez probablement très heureuse si vos bébés font chacun plus de 2 kg. La grossesse gémellaire est déjà une cause d'hypotrophie* fœtale, il est inutile d'en rajouter une autre. Par ailleurs, l'oxyde de carbone introduit par la cigarette va se combiner à l'hémoglobine du sang des fœtus. Cette hémoglobine ne sera plus disponible pour leur apporter de l'oxygène. En dehors de ces complications chroniques, vous risquez des accidents aigus si vous fumez. Une femme qui fume pendant sa grossesse a dix fois plus de risques d'avoir un hématome rétroplacentaire qu'une femme qui ne fume pas. L'hématome rétroplacentaire est un décollement prématuré du placenta au cours de la grossesse pouvant entraîner une souffrance fœtale. Cet accident est gravissime et souvent à l'origine de la mort d'un ou des deux fœtus.

N'oubliez pas non plus que ces deux fœtus deviendront deux petits enfants qui n'apprécieront sûrement pas que leur mère sente la cigarette.

Nous sommes bien conscients de la difficulté de s'arrêter de fumer. Mais vous n'êtes pas seule. Votre médecin est là pour vous aider en vous confiant à un collègue ou à une sage-femme spécialiste en tabacologie qui pourra vous informer et accompagner votre sevrage. Par ailleurs, la substitution par des patchs de nicotine est tout à fait possible pendant la grossesse. Le fait d'attendre des jumeaux ne vous impose pas de porter deux patchs.

Choisissez le sport qui vous convient

Si vous êtes une sportive entraînée, que votre état de santé ne pose aucun problème, vous pouvez continuer votre activité sportive, mais avec prudence. À partir du moment où cet entraînement occasionnera des contractions utérines, il conviendra de diminuer, puis d'arrêter. Il n'y a pas de terme fixe où nous vous conseillons d'arrêter le sport. Si vous n'avez jamais pratiqué de sport, la grossesse, en particulier la grossesse gémellaire, est un très mauvais moment pour commencer. Nous vous conseillons plutôt la pratique de la marche ou de la natation, mais sans efforts excessifs.

Certains sports sont à déconseiller de façon absolue : il s'agit de la plongée sous-marine, de l'aérobic, du tennis, du squash, du basket, de l'athlétisme et du volley-ball. Le patinage, le ski, le ski nautique, l'équitation, l'alpinisme et les sports de combat sont également à éviter. Vous pouvez en revanche pratiquer la bicyclette, pendant les premiers mois, sans rouler trop vite et sur un terrain peu accidenté, la natation, le yoga, la gymnastique et surtout la marche.

Les rapports sexuels

On n'a jamais montré de relation entre l'activité sexuelle pendant la grossesse et le risque de prématurité. Vous avez donc le feu vert. Toutefois, si vous constatez que les rapports sexuels entraînent des contractions utérines en grand nombre, nous vous suggérons une certaine modération.

En fin de grossesse, il se peut que le volume occupé par les bébés constitue une gêne, nous n'avons pas l'intention de vous conseiller ici des positions particulières. Faites travailler votre imagination. Après 37 semaines, vos bébés n'ont plus de risque de prématurité, les rapports sexuels peuvent alors être vivement conseillés. Ils constituent un moyen de maturation du col de l'utérus et de déclenchement très efficace et beaucoup moins déplaisant que les méthodes médicales.

Votre alimentation

Une prise de poids plus importante

Les femmes enceintes de jumeaux prennent naturellement plus de poids que les femmes enceintes d'un enfant unique, et la différence peut être importante.

Il est même vrai que les mères de jumeaux dizygotes prennent plus de poids à 6 mois de grossesse que les mères de jumeaux monozygotes.

Si on compare les grossesses gémellaires et les grossesses uniques, la prise de poids du premier trimestre est souvent la même, mais, dès le deuxième trimestre, les mères de jumeaux ont une tendance très forte à prendre 2 ou 3 kg par mois, contre un peu moins de 2 kg pour les mères d'un enfant tout seul. Il est probable que le signal vient des enfants et du ou des placentas qui produisent plus d'hormones. Ces hormones modifient l'appétit de la mère et sa capacité à stocker les réserves d'énergie sous forme de dépôt sous la peau. On peut évaluer cet effet grâce à un petit appareil qui mesure l'épaisseur du pli cutané. Ainsi, ces hormones augmentent l'épaisseur du pli et font prendre plus de kilos.

Une prise de poids importante a des inconvénients et des avantages.

Les inconvénients de prendre trop de poids sont les mêmes que pour une grossesse unique. C'est le risque particulièrement redouté de ne pas perdre ce poids après la naissance. Moins connu est le risque que soit favorisée l'apparition d'une poussée d'hypertension artérielle. Un risque particulièrement désagréable est celui de la survenue de vergetures. Quoi que vous fassiez, elles sont plus fréquentes au cours d'une grossesse gémellaire qu'au cours d'une grossesse unique. Les vergetures sont très liées à une brusque prise de poids, et les fêtes sont à craindre.

Mais il n'y a pas que des effets négatifs.

Vous savez que la prise de poids habituelle est d'environ 1 kg par mois pour une grossesse unique. La prise de poids plus importante entre le deuxième et le sixième mois présente un remarquable avantage pour une grossesse de jumeaux, c'est de diminuer le risque de la prématurité la plus sévère, celle qui pourrait survenir avant 6 mois de grossesse ou 28 semaines d'aménorrhée. C'est en tout cas ce qu'affirment beaucoup d'équipes, en particulier de l'autre côté de l'Atlantique, qui ont développé des programmes très spéciaux de prise en charge des grossesses de jumeaux.

Si vous bénéficiez d'un arrêt de travail à partir de 22 semaines, si vous avez raisonnablement réduit votre activité physique en évitant les efforts brusques et violents, vous pouvez suivre l'avis américain de prise de poids à volonté entre 2 et 6 mois. Vous pouvez vous laisser aller à suivre votre appétit nettement augmenté, prendre deux collations par jour comme les enfants à l'école, aller jusqu'à 10 et même 12 kg à 6 mois, puis ralentir vos envies dans les mois qui suivent, vous aurez déjà réalisé quelque chose de très important pour vos jumeaux.

Il n'y a guère de risque de favoriser l'apparition d'un diabète de grossesse pendant une grossesse de jumeaux en relation avec la prise de poids importante, alors que ce risque est nettement augmenté pour une grossesse unique.

Votre perte de poids le jour de l'accouchement sera plus importante que pour l'accouchement d'un enfant singulier, elle sera de l'ordre de 10 kg, en tenant compte des deux enfants, des deux placentas, des deux contenus de la poche des eaux. Votre utérus qui était devenu plus important que pour une grossesse unique va diminuer également très vite de volume (et de poids).

La seule séquelle d'importance est l'existence de vergetures, question discutée ailleurs dans ce livre (voir page 50) ; elle est assez sérieuse pour envisager une chirurgie esthétique si nécessaire, quand vous aurez réussi la récupération des fonctions du périnée et des muscles abdominaux.

Les recommandations canadiennes sont les suivantes : « Les femmes présentant une grossesse multiple courent un plus grand risque de donner naissance à des bébés prématurés et de faible poids. Compte tenu de la masse supplémentaire de tissus maternels et fœtaux inhérente à une grossesse multiple, il faut prévoir une prise de poids plus grande que dans le cas d'une grossesse unique. Il existe peu de données sur le gain pondéral souhaitable pour une gestation de trois fœtus ou plus ; il apparaît toutefois raisonnable de s'attendre à un gain plus élevé que dans le cas d'une grossesse gémellaire[1]. »

Vous pouvez calculer votre indice de masse corporelle en divisant votre poids en kilo par le carré de votre taille en mètre. Par exemple, pour une personne pesant 82 kg pour 1,60 m, l'IMC est égal à 82/(1,60 × 1,60) = 32[2]. L'obésité est définie par un indice supérieur à 30.

Les femmes qui ont un indice de masse corporelle compris entre 20 et 25 et qui sont enceintes de jumeaux devraient gagner au total de 16 à 20,5 kg et viser un rythme d'augmentation pondérale d'environ 0,7 kg par semaine durant les deuxième et troisième trimestres. Dans le cas des femmes qui affichaient avant la conception un IMC inférieur à 20, il faudra mettre l'accent sur la prise de poids tout au long de la grossesse, et il est préférable, à compter de la vingtième semaine de gestation, d'obtenir un gain pondéral hebdomadaire d'au moins 0,8 kg.

Dans tous les cas de grossesse gémellaire ou multiple, il faut mesurer la prise de poids à chaque consultation.

Équilibrez vos repas

Un apport de 1 800 à 2 000 calories par jour est recommandé en cas de grossesse unique, à nuancer en fonction de la corpulence de la femme, mais sans être en dessous de 1 600 calories par jour. Ces chiffres sont à revoir à la hausse en cas

1. Direction générale des produits de santé et des aliments, « Nutrition pour une grossesse en santé. Lignes directrices nationales à l'intention des femmes en âge de procréer », *Santé Canada*, 24 octobre 2002.
2. L'IMC se calcule ainsi.

de grossesse multiple. Idéalement, la répartition de 55 % de glucides (dont 10 % de sucres simples), 25 % de lipides et 20 % de protéines est optimale.

- *Les glucides ou hydrates de carbone* constituent le « carburant » qui permet de faire face aux besoins énergétiques. Ils sont de deux types :

— les sucres rapides : saccharose ou glucose. Ils fournissent une énergie rapidement assimilable ;

— les sucres lents, comme l'amidon des pommes de terre, des pâtes, du pain ou du riz. Ils libèrent leur énergie quelques heures après l'ingestion.

- *Les lipides* constituent également des fournisseurs d'énergie. Ce sont les graisses, c'est-à-dire l'huile, le beurre, la margarine...
- *Les protides ou protéines* constituent le principal matériau de construction et sont de deux types :

— les protéines animales : apportées par la viande, le poisson, les œufs et le lait. Elles apportent les acides aminés indispensables. Les acides aminés sont les unités de base dont l'agencement constitue les protéines ;

— les protéines végétales : fournies essentiellement par les céréales et les légumes secs. Elles n'apportent pas tous les acides aminés indispensables.

La répartition idéale est de trois repas, auxquels sont ajoutées une à deux collations équilibrées afin d'éviter le grignotage. Les boissons doivent être abondantes, au moins 1,5 l d'eau par jour. Dans la seconde partie de la grossesse, la compression du tube digestif par l'utérus pourra vous contraindre à fractionner vos repas.

Les vitamines et oligoéléments

Une supplémentation en fer est classiquement admise si vous êtes anémiée, ce qui est fréquent en cas de grossesse multiple ; un apport en calcium est également recommandé chez les femmes consommant peu de laitages.

L'apport de vitamines n'est pas systématique, sauf cas particuliers (acide folique chez les femmes à risque, vitamine D en cas de faible ensoleillement).

Modérez le café et le thé et supprimez l'alcool

Vous pouvez continuer à prendre du thé et du café, mais en toute petite quantité. Il s'agit de produits excitants et lorsque vous connaîtrez mieux vos bébés, vous vous apercevrez qu'après l'absorption d'un de ces produits, leurs mouvements deviendront plus brusques. Le thé et le café ne font courir à vos bébés aucun risque de malformations. Il n'en est pas de même pour l'alcool : le risque de voir survenir un syndrome d'alcoolisme fœtal existe. Ce syndrome est caractérisé par un retard de croissance, des perturbations au niveau du système nerveux central et des anomalies au niveau de la face. Il existe – on en est aujourd'hui certains – des formes frustes de ce syndrome, pouvant se traduire par un retard mental ou un retard scolaire. Ces formes peuvent être liées à des consommations de petites quantités d'alcool. On conseille à toutes les femmes enceintes de supprimer toute consommation d'alcool.

Prévenir la toxoplasmose et la listériose

La listériose

Certains aliments sont à éviter :
— évitez la consommation de fromages à pâte molle au lait cru, de poissons fumés (saumon fumé par exemple) et de graines germées (soja) ;
— pour la charcuterie consommée en l'état (pâtés, rillettes, produits en gelée, jambon...), préférez les produits préemballés aux produits vendus à la coupe. Ces aliments doivent être consommés très rapidement après leur achat ;
— achetez des aliments congelés de manière industrielle, ne congelez pas vous-même les aliments.

Il vous faut respecter certaines règles d'hygiène :
— faites cuire soigneusement les aliments crus d'origine animale (viandes, poissons) ;
— lavez soigneusement les légumes crus et les herbes aromatiques ;
— conservez les aliments crus (viandes, légumes...) à part des aliments cuits ou prêts à être consommés ;
— après la manipulation d'aliments non cuits, lavez-vous les mains et nettoyez les ustensiles de cuisine qui ont été en contact avec ces aliments ;
— nettoyez fréquemment et désinfectez ensuite avec de l'eau javellisée votre réfrigérateur ;
— dans le cas de repas qui ne sont pas pris en collectivité, les restes alimentaires et les plats cuisinés doivent être réchauffés soigneusement avant d'être consommés immédiatement.

La toxoplasmose

— mangez la viande très cuite. Évitez de manger de la viande saignante ou de la charcuterie ; consommez le jaune d'œuf bien cuit ;
— lavez très soigneusement les fruits et les légumes qui ne s'épluchent pas, épluchez les autres ;
— pour les personnes qui ont des chats, ne manipulez pas la litière, évitez que le chat entre en contact avec les aliments que vous allez consommer, lavez bien la table avant le repas. Nourrissez le chat avec des aliments bien cuits ou spécialisés ;
— lavez-vous les mains avant les repas et après avoir manipulé de la viande saignante ou de la terre.

Les petits maux

Particulièrement fréquents, ces maux durant la grossesse sont en général bénins, c'est-à-dire sans conséquence fâcheuse pour votre grossesse, d'où l'appellation « petits maux » souvent employée par les médecins, rarement par les femmes enceintes.

Au cours de la grossesse, les modifications de l'organisme maternel peuvent vous déplaire en raison de leur inconfort ou de leurs conséquences esthétiques. La plupart vont régresser après la naissance de vos bébés. Néanmoins, ce guide a été écrit pour vous aider à trouver des solutions. Il n'existe pas de mesures préventives complètement efficaces, tout juste des conseils, mais en cas de persistance, certaines sont accessibles à un traitement.

Les modifications de la peau

Les vergetures

Elles touchent 90 % des femmes, en général au troisième trimestre, et se localisent principalement sur le ventre, les seins et les cuisses. Elles sont malheureusement plus fréquentes en cas de grossesses multiples. Plusieurs mécanismes semblent en cause : la distension et l'étirement nécessaires de la peau et le rôle des hormones (en particulier surrénaliennes).

Anatomiquement, elles correspondent à une déchirure des fibres d'élastine et de collagène du derme. Elles sont initialement rouges et violacées, et entraînent des démangeaisons, puis elles s'atténuent et pâlissent après l'accouchement, mais elles ne disparaissent jamais.

Malgré une efficacité imparfaite, les mesures préventives méritent d'être suivies, car elles permettent de limiter l'importance des vergetures. La meilleure prévention réside dans le contrôle de la prise de poids qui doit être régulière et ne pas excéder 12 kg. L'application régulière d'une crème hydratante ou antivergetures permet surtout d'activer la circulation, de nourrir et d'hydrater la peau afin de lui conserver souplesse et élasticité.

Une hyperpigmentation

La majorité des troubles cutanés inhérents à la grossesse régressent spontanément dans les semaines suivant l'accouchement. Durant la grossesse, l'imprégnation hormonale est à l'origine d'une production accrue de mélanine, responsable d'une hyperpigmentation du corps. Environ 90 % des femmes enceintes sont concernées, préférentiellement les femmes brunes ou à peau mate. Cette pigmentation s'observe surtout au niveau des zones déjà normalement plus foncées : aréoles des seins, région périnéale, région périombilicale. Vous ne manquerez pas d'observer une curieuse petite ligne médiane abdominale *(linea nigra)* qui n'est « pas tout à fait au milieu ». Les grains de beauté ou les cicatrices récentes peuvent également devenir plus colorés.

Au cours de la seconde moitié de la grossesse, peut apparaître le « masque de grossesse » qui réalise une hyperpigmentation brune irrégulière du visage, aggravé par l'exposition solaire.

Nous vous conseillons d'éviter l'excès de soleil et d'utiliser une crème « écran total » sans parfum.

En cas de persistance du masque de grossesse après l'accouchement, un traitement dermatologique reposant sur les dépigmentants locaux peut être préconisé par un spécialiste.

La multiplication des vaisseaux

Les hormones au cours de la grossesse induisent une augmentation de la perméabilité vasculaire et une prolifération des petits vaisseaux, ayant pour conséquence la survenue d'anomalies de la peau parfois un peu disgracieuses appelées angiomes stellaires, érythème palmaire et œdèmes.

- *Les angiomes stellaires* sont des petits points rouges parfois pulsatiles, centrés sur une artériole et se ramifiant en branches fines. Ils prédominent au niveau du visage, du cou, du décolleté. La majorité régresse dans les trois mois qui suivent l'accouchement. Les angiomes stellaires persistant après l'accouchement peuvent être traités au laser.
- *L'érythème palmaire* est une rougeur des paumes des mains. Il disparaît spontanément une à deux semaines après l'accouchement.
- *Les œdèmes* vasculaires sont bien connus et sont liés à l'augmentation de la perméabilité capillaire et à la rétention hydrosodée. Ils prédominent au réveil, atteignant le visage et les mains. Ils sont différents des œdèmes veineux (mous et prenant le godet) observés aux membres inférieurs et liés à la diminution du retour veineux par compression de la veine cave inférieure par l'utérus gravide.

Une hyperpilosité

Durant la grossesse, il existe une hyperpilosité modérée, en particulier sur le visage, les jambes, les bras et la ligne médiane abdominale.

La chevelure est particulièrement abondante ; ceci s'explique par le fait que pendant la grossesse, 90 à 95 % des cheveux se trouvent en phase de croissance. Malheureusement, à l'inverse, deux à quatre mois après l'accouchement, on assiste à une chute massive de cheveux, lorsqu'ils passent majoritairement en phase de repos. Le retour à l'état de base peut prendre jusqu'à une ou deux années.

Les troubles digestifs

Les nausées et les vomissements

Ils surviennent habituellement au début de la grossesse, au lever, et sont déclenchés par diverses odeurs dans la journée.

Des mesures diététiques s'imposent : éviter les odeurs fortes, préférer de petits repas plus nombreux riches en hydrates de carbone (glucides) et les aliments froids. Les médicaments contre les vomissements à base de métoclopramide sont utiles dans les formes sévères.

Exceptionnellement, il existe une forme grave appelée « vomissements incoercibles de la grossesse » imposant l'hospitalisation, en raison des risques de dénutrition et de déshydratation.

Les brûlures d'estomac

Elles surviennent plutôt au troisième trimestre et se manifestent par une sensation de brûlure derrière le sternum, pouvant être accompagnée d'une régurgitation de liquide acide, responsable d'œsophagite. Elles sont favorisées par la position couchée sur le dos et la position penchée en avant.

Le traitement repose sur des préparations antiacides et antireflux.

La constipation

Elle est également très fréquente ; la compression de l'intestin par l'utérus est particulièrement importante en cas de grossesse multiple. Nous vous conseillons des mesures diététiques : boissons abondantes, alimentation riche en fibres et pauvre en aliments fermentescibles, activité physique régulière (marche, notamment). Si cela ne suffit pas, le traitement repose sur les médicaments qui modifient le bol intestinal. Les médicaments lubrifiants à base d'huile de paraffine doivent être utilisés avec prudence en raison du risque de malabsorption des aliments au long cours. Les laxatifs stimulants sont contre-indiqués.

La circulation

Les jambes lourdes

L'insuffisance veineuse des membres inférieurs est précoce, dès le premier trimestre, et régresse après l'accouchement. Elle donne une sensation de jambes lourdes et est favorisée par la station debout, l'hérédité et la multiparité.

Nous vous conseillons la surélévation des pieds du lit, une certaine activité physique et la contention mécanique (les collants de contention se vendent en pharmacie). En cas de gêne importante ou d'intolérance à la contention (difficile à supporter l'été), un traitement veinotonique peut vous être proposé.

Les hémorroïdes

La maladie hémorroïdaire est particulièrement fréquente durant la grossesse. Elle régresse habituellement dans les quinze jours qui suivent l'accouchement, mais récidive le plus souvent.

Nous vous conseillons, d'une part, de lutter contre la constipation et d'avoir une activité physique et, d'autre part, de suivre un traitement médicamenteux général et local.

Le traitement général utilise les veinotoniques à dose soutenue pendant une semaine. Le traitement local est basé sur des crèmes, pommades ou suppositoires à visée antalgique et décongestionnante.

Les crampes

Ce sont des contractures musculaires survenant surtout la nuit aux membres inférieurs, elles sont particulièrement fréquentes au troisième trimestre. Si vous êtes très gênée, nous vous conseillons un traitement à base de magnésium.

Les douleurs osseuses

Particulièrement fréquentes au cours de la grossesse, les douleurs peuvent être source d'inquiétude du fait de leur intensité et de leur localisation.

Le syndrome du canal carpien, qui se manifeste par des fourmillements et des douleurs de la main ou des deux mains, est favorisé durant la grossesse par l'œdème lié à la rétention hydrosodée. Il régresse habituellement dans les jours suivant l'accouchement.

Les douleurs ostéo-articulaires sont particulièrement fréquentes chez la femme enceinte de jumeaux. Elles sont liées au déplacement vers l'avant du centre de gravité et aux modifications de la statique rachidienne (hyperlordose, bascule du bassin).

Le syndrome de Lacomme correspond à un relâchement douloureux ostéo-musculo-articulaire des ceintures, se traduisant par une sensation de pesanteur pelvienne et des tiraillements aux plis de l'aine, allant parfois jusqu'à l'impotence totale. Le traitement repose sur l'association d'antalgiques, de décontracturants et de vitamine B6.

La lombalgie, ou la lombosciatique commune, est liée aux modifications de la statique rachidienne.

Le traitement est symptomatique et associe le repos et les antalgiques.

Les pertes blanches et les infections vaginales

Les sécrétions vaginales sont augmentées au cours de la grossesse. Cela ne veut pas dire que vous avez une infection. Simplement, sous l'effet des hormones, le pH, ou acidité vaginale, s'est modifié et la desquamation augmente. Les injections vaginales, par l'utilisation de produits trop agressifs, risquent de détruire la flore vaginale normale et de laisser la place à une infection réelle.

La flore vaginale normale est principalement constituée de bactéries appelées lactobacilles ou bacilles de Doderlein. Elle est fréquemment colonisée par des espèces variées de microbes souvent d'origine digestive, potentiellement pathogènes en cas de prolifération massive.

Les pertes physiologiques

La leucorrhée physiologique se compose de glaire cervico-vaginale et de cellules vaginales desquamées. Elle est laiteuse, n'a pas d'odeur et ne tache pas. Sous l'effet de l'imprégnation hormonale gravidique, elle se modifie pour devenir abondante, épaisse et blanchâtre. Toute leucorrhée ne répondant pas à ces critères ou associée à des signes tels qu'une démangeaison, une brûlure, des douleurs pendant les rapports, de fréquents besoins d'uriner – pollakiurie – doit faire penser à une infection gynécologique et faire pratiquer un examen au spéculum.

De la même façon, il ne faut jamais prendre d'ovules tant que la preuve bactériologique d'une infection n'a pas été apportée. Si vous avez un doute à ce sujet, il faut demander à votre médecin de vous prescrire des prélèvements vaginaux que vous pratiquerez dans un laboratoire : le plus souvent, les résultats seront normaux et vous aurez échappé à un traitement inutile et dangereux. Nous profitons de cette question sur la toilette intime pour vous dire que vous pouvez tout à fait prendre des bains pendant votre grossesse. Si votre col est très ouvert en fin de grossesse, il est préférable de prendre des douches.

Les infections des voies génitales basses et les infections urinaires sont fréquentes durant la grossesse du fait des modifications physiologiques du milieu. Le plus souvent bénignes, elles peuvent cependant être responsables d'infections materno-fœtales sévères et de menaces d'accouchements prématurés. Vous devez donc être particulièrement attentives à ces problèmes.

L'infection urinaire

L'infection urinaire est la première cause d'infection bactérienne durant la grossesse. Elle est diagnostiquée par l'examen cytobactériologique des urines (ECBU) qui est pratiqué systématiquement :

— en cas de bandelette réactive positive. Ce sont des tests que l'on effectue en trempant ces bandelettes dans l'urine ; ils indiquent la présence de leucocytes et/ou de nitrites et/ou de protéines et/ou de sang ;
— en cas de suspicion de cystite ou de pyélonéphrite ;
— en cas de menace d'accouchement prématuré et/ou de rupture prématurée des membranes ;
— chez les femmes présentant des facteurs de risque d'infection urinaire, par exemple le diabète.

Sa positivité est affirmée par un compte de germes > 10^5/ml.

La présence de germes dans les urines sans manifestation pour la femme évolue vers une pyélonéphrite, c'est-à-dire une infection des reins dans 30 % des cas : elle doit être dépistée lors de chaque examen prénatal au moyen de bandelettes urinaires réactives et confirmée par un ECBU.

Un exemple de traitement pouvant être prescrit : Amoxicilline®, 2 g par jour pendant sept jours.

Quel que soit le type d'infection urinaire présenté, une surveillance secondaire par ECBU doit être effectuée mensuellement jusqu'à l'accouchement afin de dépister précocement les récidives.

LE SUIVI DE VOTRE GROSSESSE

Le premier trimestre

Les grossesses gémellaires nécessitent une surveillance rapprochée car elles sont plus à risque que les grossesses simples. Cela ne veut pas dire que tout va toujours mal. Bien au contraire, et heureusement, ces grossesses se déroulent souvent normalement. Vous ne vous faites pas écraser chaque fois que vous traversez la rue... pourtant le risque existe... Donc, pas de panique. Soyez zen, mais continuez à regarder à droite et à gauche avant de traverser... Un suivi très attentif de votre grossesse gémellaire vous est donc recommandé.

Les risques sont actuellement bien identifiés. Un consensus existe parmi les obstétriciens pour accepter l'idée d'un suivi des grossesses gémellaires différent de celui des grossesses monofœtales. La prise en charge de ces grossesses ne peut pas être calquée sur celle des grossesses uniques et les arguments pour l'affirmer ne manquent pas. Ainsi, certains risques n'existent pas en cas de grossesse unique, par exemple le syndrome transfuseur-transfusé*. Autre exemple, le risque de retard de croissance intra-utérin (RCIU)* existe pour les grossesses uniques et multiples, mais l'évaluation prénatale de la croissance de chaque fœtus est difficile sans échographie mensuelle.

Un suivi différent, mais quel suivi ? Le suivi des grossesses uniques est bien codifié. Il n'en va pas de même pour les grossesses gémellaires.

Aucune enquête sur les pratiques médicales dans ce domaine n'est disponible en France, mais les usagers, à travers la Fédération nationale des associations « Jumeaux et plus », se plaignent d'une grande hétérogénéité dans le suivi de ces grossesses et, en dépit de sollicitations répétées auprès de la Haute Autorité en santé (HAS) [1], aucune recommandation officielle en France n'indique les modalités du suivi des grossesses multiples, alors que des recommandations ont été élaborées dans d'autres pays.

Comme pour toute grossesse, les consultations prénatales obligatoires sont au nombre de sept[2]. C'est un minimum, et dans le cas des grossesses multiples, on peut bien sûr consulter plus souvent.

Le but des consultations est double : d'une part, vérifier que la grossesse évolue normalement, d'autre part, rechercher d'éventuels éléments anormaux pouvant mettre en péril la poursuite de la grossesse pour la mère ou les enfants.

1. Nouveau nom de l'Anaes (Agence nationale d'accréditation et d'évaluation en santé).
2. Décret n° 92-143 du 14 février 1992 relatif aux examens obligatoires : prénuptiaux, pré- et postnatals.

La première consultation

La première consultation doit se dérouler au cours du premier trimestre, et donner lieu à la déclaration légale de la grossesse avant la fin de la quatorzième semaine de gestation, soit 16 SA.

Les objectifs de cette première consultation sont nombreux :
- confirmer le diagnostic de la grossesse, déterminer la date de début et le terme probable ;
- rechercher d'éventuels facteurs de risque médicaux, psychologiques et sociaux ;
- vous prescrire les examens biologiques obligatoires et vous les expliquer ;
- établir le plan de surveillance de la grossesse : rendez-vous ultérieurs, examens biologiques de dépistage et échographies ;
- déclarer la grossesse (un imprimé spécial doit être rempli) ;
- vous prodiguer les conseils hygiéno-diététiques importants pour le bon déroulement de votre grossesse.

Cette première consultation permet avant tout de bien prendre contact afin de vous proposer le suivi le plus adapté à la situation.

Le début de la grossesse

Il peut être rendu difficile par les signes sympathiques (qui n'ont rien de sympathique !) de début de grossesse : nausées importantes gênant l'alimentation, asthénie marquée, ballonnements, etc. Nous les avons évoqués dans « Les troubles digestifs », page 51.

Il faut particulièrement être attentif à l'existence de douleurs abdominales ou de saignements – métrorragies – évoquant une grossesse extra-utérine ou une menace d'avortement.

Il peut être utile de pratiquer un dosage de hCG plasmatique et une échographie pelvienne.

Vos antécédents personnels

Il est important lors de cette première consultation de prendre le temps pour un entretien attentif, précisant au mieux votre mode de vie et vos antécédents familiaux, médicaux, chirurgicaux, psychologiques, gynécologiques et obstétricaux, car l'ensemble contribue au dépistage des risques liés ou non à la gémellité, qui imposeront une surveillance et une prise en charge particulières.

Vos précédentes grossesses

Votre médecin doit analyser chacune des grossesses précédentes, leur déroulement et l'existence d'anomalies afin d'évaluer le risque de récidive, et éventuellement de mettre en place les mesures préventives adaptées.

Pour chaque grossesse antérieure, il vous demandera de préciser :
- le déroulement de la grossesse, en particulier la survenue de complications ;
- la date, le lieu, le terme et le déroulement de l'accouchement (voie basse ou césarienne, hémorragie de la délivrance, durée du travail < 2 h) ;
- le poids de naissance de l'enfant ;

— les antécédents de grossesse extra-utérine, d'avortement spontané, de menace d'accouchement prématuré ;
— le mode d'allaitement.

Vos antécédents gynécologiques

Le syndrome Distilbène – ou DES-syndrome – doit être systématiquement évoqué devant toute femme née entre 1950 et 1978 : votre médecin recherchera l'exposition *in utero* en s'enquérant du déroulement de la grossesse de votre mère.

Vous avez une maladie particulière

De manière générale, l'existence d'une maladie maternelle doit donner lieu à une consultation spécialisée préconceptionnelle et à un suivi adapté durant la grossesse, le plus souvent par une équipe pluridisciplinaire.

Dans la mesure où la femme a une maladie chronique, les problèmes doivent idéalement être réglés avant la conception :
— équilibre optimal du diabète, voire mise à l'insuline en vue de la grossesse ;
— adaptation du traitement de l'hypertension artérielle ;
— vérification de la nécessité d'un traitement médicamenteux au long cours, et remplacement si possible d'un médicament potentiellement dangereux par un médicament inoffensif pour la grossesse.

Outre le retentissement de la grossesse sur l'évolution de la maladie, l'affection elle-même peut être source d'anomalie ou d'accident durant la grossesse.

TABLEAU 4 : LES PRINCIPAUX ANTÉCÉDENTS MÉDICAUX ET LEURS RISQUES POTENTIELS[1]

ANTÉCÉDENTS	RISQUES POTENTIELS
Cardiopathie	RCIU, accouchement prématuré.
Insuffisance respiratoire	RCIU.
Diabète	Aggravation. Malformation, mort fœtale *in utero*, macrosomie, traumatisme fœtal.
Syndrome vasculo-rénal	Hypertension, toxémie, hématome rétroplacentaire.
Pathologie voie urinaire	Hypertension, RCIU, accouchement prématuré.
Lupus	RCIU, accouchement prématuré, mort fœtale *in utero*.
Épilepsie	Aggravation. Malformation.
Traumatisme bassin colonne	Traumatisme fœtal.
Hépatite, VIH, herpès	Risque fœtal, néonatal.
Anémie chronique, hémoglobinopathie	RCIU, anémie fœtale, accouchement prématuré.

RCIU : retard de croissance intra-utérin (voir page 96).

1. J.-C. Pons, K. Menthonnex, *Soigner la femme enceinte*, Paris, Masson, « Abrégés », 2005.

Si cela n'a pas été réalisé avant la mise en route de la grossesse, votre médecin vous proposera une consultation de conseil génétique en cas d'antécédent de maladie génétique, afin de déterminer le risque éventuel de récurrence de la pathologie et d'envisager un diagnostic prénatal lorsqu'il est possible (voir « La grossesse peut se compliquer », page 87).

Les antécédents familiaux

La recherche des antécédents familiaux, en particulier maternels, doit s'orienter sur certaines maladies (HTA, toxémie, syndrome vasculo-rénal, diabète, thrombose veineuse profonde), mais également sur l'existence de pathologies malformatives ou de maladies à transmission héréditaire.

L'examen général

Il comporte :

— la comparaison du poids actuel et de celui antérieur à la grossesse ;
— l'auscultation cardiaque à la recherche d'un souffle, mesure de la fréquence cardiaque ;
— la mesure de pression artérielle : le chiffre de 130/90 mm de mercure est retenu comme la limite supérieure de la normale chez la femme enceinte ; au-dessus de cette limite, on parle d'hypertension ;
— la palpation abdominale, recherche de cicatrice ou de hernie ;
— l'examen des membres inférieurs à la recherche de signes d'insuffisance veineuse ;
— la palpation de la thyroïde ;
— l'examen des seins : ils sont tendus, augmentés de volume, et le réseau veineux est plus visible.

L'examen obstétrical

Il est réalisé en position gynécologique, la vessie vide.

Il débute par une inspection de la vulve et de ce qui l'entoure à la recherche d'anomalie ou de lésions.

L'examen au spéculum permet d'observer le col, de volume augmenté et violacé du fait de la grossesse. Le médecin vérifie l'absence de lésions (herpès, condylomes) ou de signes d'infection et recherche l'existence de pertes blanches ou de sang d'origine utérine.

Il est indispensable de réaliser un frottis cervico-vaginal si le dernier frottis date de plus de deux ans, ou si une anomalie est observée.

Le toucher vaginal explore l'utérus et ses annexes, et oriente sur le bon déroulement du début de grossesse :

— l'utérus est augmenté de volume en rapport avec le terme, régulier, ramolli et globuleux, ses bords sont perceptibles dans les culs-de-sac vaginaux ;
— les culs-de-sac sont explorés à la recherche d'une anomalie annexielle, évoquant un kyste ovarien, une grossesse extra-utérine ou un fibrome ;

— le col est perçu sous forme d'un petit cylindre d'environ 3 cm de longueur, ferme, dont l'orifice externe est fermé ;
— la palpation associée de l'hypogastre, c'est-à-dire du bas du ventre, permet chez les femmes minces de percevoir l'utérus sous la forme d'un globe situé au-dessus du pubis ferme, régulier et indolore, à partir de 8-9 semaines.

Les bruits des cœurs fœtaux peuvent être recherchés à l'aide d'un appareil à effet Doppler à partir de 11 semaines. La fréquence est rapide, autour de 140 battements par minute, et le timbre évoque volontiers un « cheval au galop », ce qui permet de les distinguer des battements maternels plus lents. Toutefois, au début d'une grossesse gémellaire, il est impossible de différencier les deux cœurs sauf si les deux fréquences sont très différentes (120 et 150 battements par minute). Sinon, seule l'échographie peut le permettre.

La programmation du suivi de la grossesse

Au terme de cette première consultation, les examens biologiques obligatoires prévus par la loi sont prescrits, ainsi que ceux nécessaires en fonction des données de l'interrogatoire (voir page suivante). La date présumée de début de grossesse est notée en fonction des dernières règles, elle sera confirmée par l'échographie, ce qui permettra la déclaration de grossesse à votre Caisse de Sécurité sociale et d'allocations familiales.

La programmation du suivi de la grossesse est effectuée :
— avis spécialisé en cas de pathologie associée ;
— prise des rendez-vous pour les consultations ultérieures ;
— dates et lieu des échographies.

C'est aussi lors de cette consultation que votre médecin vous donnera des conseils pour votre mode de vie pendant la grossesse ; ils sont simples et de bon sens.

C'est le moment d'analyser vos conditions de travail : long trajet quotidien, assis ou debout, aménagement des horaires ou du poste, etc.

Les conditions de vie seront précisées : niveau socio-économique, statut marital, nombre d'enfants à charge, habitat, aide à domicile. Ces éléments peuvent influer directement sur le bon déroulement de la grossesse.

Les consommations de tabac et d'alcool seront précisées, l'alimentation doit être normale et équilibrée. En cas de maigreur ou d'obésité, une consultation de diététique pourra vous être proposée, l'accompagnement du médecin généraliste est ici primordial (voir « Votre alimentation », page 46).

Les activités physiques doivent être poursuivies de manière raisonnable, de même que le sport chez les femmes entraînées ; une activité douce de type natation ou gymnastique en piscine est conseillée aux femmes non entraînées, et au dernier trimestre pour toutes.

Les voyages sont à déconseiller au dernier trimestre et il vaut mieux préférer l'avion ou le train en cas de nécessité.

Les rapports sexuels ne posent aucun problème en l'absence d'anomalie (*placenta praevia* au dernier trimestre, menace d'accouchement prématuré, etc.).

L'automédication est à proscrire.

Votre médecin n'aura peut-être pas le temps d'entrer dans tous les détails. Pour en savoir plus, nous vous indiquons plusieurs pistes :

— un entretien au quatrième mois avec une sage-femme qui vous donnera une foule de renseignements et d'explications ;

— les réunions d'information organisées par certaines maternités (voir « Choisir votre maternité », page 37).

Les examens obligatoires

Dans le cadre de la surveillance de la grossesse, la loi prévoit des examens biologiques[1] systématiques variables selon le terme.

La recherche de sucre et d'albumine dans les urines

Elle est systématique lors de chacune des sept consultations, et peut se faire au cabinet médical ou à domicile sur des urines fraîchement émises, au moyen de bandelettes urinaires réactives que vous pourrez acheter en pharmacie, ou au laboratoire d'analyses sur prescription médicale.

Elle a pour but de dépister la survenue d'une pathologie rénale ou vasculorénale - albuminurie -, ainsi qu'un diabète gestationnel débutant - glycosurie.

Le groupe sanguin

Lors de votre première consultation, en cas de première grossesse, si vous ne possédez pas de carte de groupe sanguin complète, une première détermination du groupe sanguin ABO ainsi que le phénotype Rhésus complet et Kell sont demandés. Une seconde détermination devra être effectuée au cours du huitième ou du neuvième mois, le cas échéant.

La syphilis

Le dépistage se fait par deux tests spécifiques appelés TPHA et VDRL.

La rubéole et la toxoplasmose

Une sérologie de la rubéole et de la toxoplasmose est systématique en l'absence de résultats écrits confirmant l'immunité acquise, et une recherche d'anticorps irréguliers ainsi que leur titrage et leur identification sont effectués en cas de positivité.

---

1. Ils sont définis par le décret n° 92-143 du 14 février 1992 relatif aux examens obligatoires pré- et postnatals (*JO* du 16 février).

TABLEAU 5 : LES EXAMENS BIOLOGIQUES AU PREMIER TRIMESTRE DE GROSSESSE

Lors de chaque examen	Glycosurie et albuminurie
Le 1er examen	La détermination du groupe sanguin ABO, phénotype rhésus complet et Kell (en l'absence de carte de groupe complète). Dépistage de la syphilis (TPHA, VDRL). Sérologies de la rubéole et de la toxoplasmose (en l'absence d'immunité) et recherche d'anticorps irréguliers, identification et titrage si positives. Sérologie VIH (proposée et conseillée). ECBU si infections urinaires à répétition.
Tous les mois à partir du 2e examen	Sérologie de la toxoplasmose si immunité non acquise.

Lorsque l'immunité n'est pas acquise, la sérologie de la toxoplasmose est répétée chaque mois jusqu'au terme. Les consignes de prévention concernant la maladie doivent être données et explicitées lors de la première consultation de grossesse. Elles sont détaillées dans « Votre alimentation », page 46.

Le sida

Un test de dépistage de l'infection par le virus de l'immunodéficience humain doit être proposé à chaque femme enceinte, après information sur les risques de contamination lors du premier examen prénatal[1]. Cet examen n'est pas obligatoire, mais vous sera « systématiquement proposé » par votre médecin.

Le dépistage biologique du risque de trisomie 21

Le dépistage repose sur le dosage de marqueurs sériques associés à un risque accru de trisomie 21. Cet examen n'établit en aucun cas un diagnostic, il permet uniquement d'estimer le risque d'attendre un enfant trisomique 21.

Chaque femme enceinte de moins de 15 SA doit recevoir les informations suivantes[2] :

« Les analyses de cytogénétique ou de biologie destinées à établir un diagnostic prénatal doivent avoir été précédées d'une consultation médicale de conseil génétique antérieure aux prélèvements, permettant :

— d'évaluer le risque pour l'enfant à naître d'être atteint d'une maladie d'une particulière gravité, compte tenu des antécédents familiaux ou des consultations médicales effectuées au cours de la grossesse ;
— d'informer la femme enceinte sur les caractéristiques de cette maladie, les moyens de la détecter, les possibilités thérapeutiques et sur les résultats susceptibles d'être obtenus au cours de l'analyse ;
— d'informer la patiente sur les risques inhérents aux prélèvements, sur leurs contraintes et leurs éventuelles conséquences.

1. Loi n° 93-121 du 27 janvier 1993, art. 48.-I.
2. Les modalités de la réalisation de ce dépistage sont définies par la loi du 29 juillet 1994 dite « de bioéthique » (loi n° 94-654) et le décret d'application 95-559 du 6 mai 1995, au même titre que tous les actes biologiques de diagnostic prénatal.

« Le médecin consulté délivre une attestation signée certifiant qu'il a apporté à la femme enceinte les informations définies ci-dessus. Cette attestation est remise au praticien effectuant les analyses. Elle doit être conservée par l'établissement public de santé ou le laboratoire d'analyses de biologie médicale dans les mêmes conditions que le compte rendu d'analyses. »

Le prélèvement doit être réalisé entre 14 et 17 semaines d'aménorrhée. Il est donc préférable de parler avec votre médecin de ce dépistage au plus tôt, dès la première consultation de grossesse.

Le test utilise différents marqueurs ; les plus fréquents sont l'alphafœtoprotéine (AFP), l'hormone chorionique gonadotrophique (hCG) et l'œstriol non conjugué (E3).

Le risque est évalué après dosages d'au moins deux marqueurs, et intègre l'âge maternel et l'âge gestationnel.

Par ailleurs, la valeur des dosages est sensible à d'autres facteurs comme le tabagisme, le diabète insulinodépendant, le poids de la mère et... la gémellité (!). Il est donc fondamental, si vous effectuez ce test, que le laboratoire sache que vous attendez des jumeaux. Votre prélèvement sanguin sera alors adressé à l'un des quatre laboratoires français réalisant le test pour les jumeaux.

La sensibilité du test est en moyenne de 60 % pour les grossesses monofœtales, avec un seuil de risque de 1/250 qui conduit à l'amniocentèse chez 5 % des femmes.

Une appréciation du risque d'avoir un ou deux jumeaux atteints de trisomie 21 peut être donnée par le dosage des marqueurs sériques. Toutefois, ce test engendre la réalisation d'un nombre élevé d'amniocentèses, et donc un risque élevé de fausses couches.

Nous n'encourageons pas les futures mères de jumeaux dans cette direction et préférons privilégier le dépistage échographique.

Un calcul de risque global intégrant tous les paramètres (âge, marqueurs sériques, signes échographiques) est en cours d'évaluation dans les grossesses monofœtales. Son application aux grossesses gémellaires n'est pas validée en 2005.

L'échographie

Pour une grossesse monofœtale normale, la surveillance échographique n'est pas définie par la loi relative aux examens obligatoires de la grossesse. Il existe cependant un texte servant de référence[1], qui tient lieu de recommandation officielle, et qui concerne une prescription maximale[2] :

« Il n'y a pas lieu de demander ou de pratiquer plus de trois échographies (dates optimales – en semaines d'aménorrhée : SA – 11e-12e SA, 19e-22e SA, 31e-33e SA) dans la surveillance d'une grossesse normale, c'est-à-dire hors grossesse à risque et hors grossesse pathologique. »

1. RMO de 1994 (Référence médicale opposable, n° 9).
2. J.-C. Pons, K. Menthonnex, *Soigner la femme enceinte*, *op. cit.*

L'échographie obstétricale permet le diagnostic prénatal de malformations fœtales permettant une prise en charge fœtale et/ou périnatale. Toutefois, vous devez être clairement informée des possibilités réelles et des limites de ces examens. L'échographie dépend de l'opérateur. Elle ne peut pas tout déceler.

Pour chaque échographie, l'opérateur doit fournir un compte rendu détaillé stipulant :

- son identification et celle du prescripteur ;
- les nom, prénom et date de naissance de la patiente ;
- la date de l'examen, son indication, l'âge gestationnel et le niveau de risque de la grossesse ;
- les informations sur l'appareillage utilisé ;
- les références relatives à l'examen (courbes de croissance, protocoles).

Plusieurs échographies ont pu être faites au début de votre grossesse gémellaire, pour vérifier le diagnostic de grossesse (surprise ! il y en a deux), ou pour éliminer une grossesse extra-utérine (voir Photo 1).

La plus importante est celle qui est pratiquée à 12 semaines d'aménorrhée (11e-13e SA).

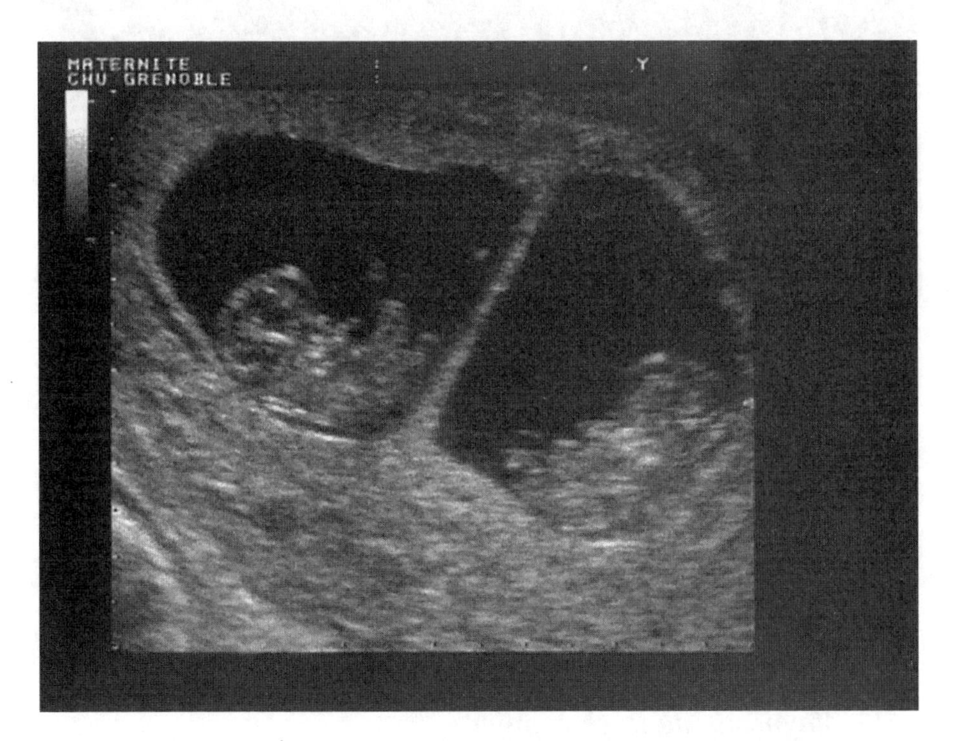

Photo 1 : Échographie d'une grossesse gémellaire à 12 SA.
On voit nettement les deux fœtus de part et d'autre de la cloison.

La détermination du terme de la grossesse

Les objectifs de l'échographie de 12 SA sont de :

— déterminer le terme de la grossesse : les paramètres biométriques (longueur craniocaudale, c'est-à-dire longueur tête-fesses, voir Photo 2) permettent de préciser l'âge gestationnel et la date de début de grossesse à +/– 3 jours ;

— étudier la morphologie et dépister les malformations majeures à expression précoce ;

— rechercher des signes d'appel de malformations fœtales et d'anomalies chromosomiques, notamment la mesure de la clarté nucale (espace apparaissant en clair au niveau de la nuque).

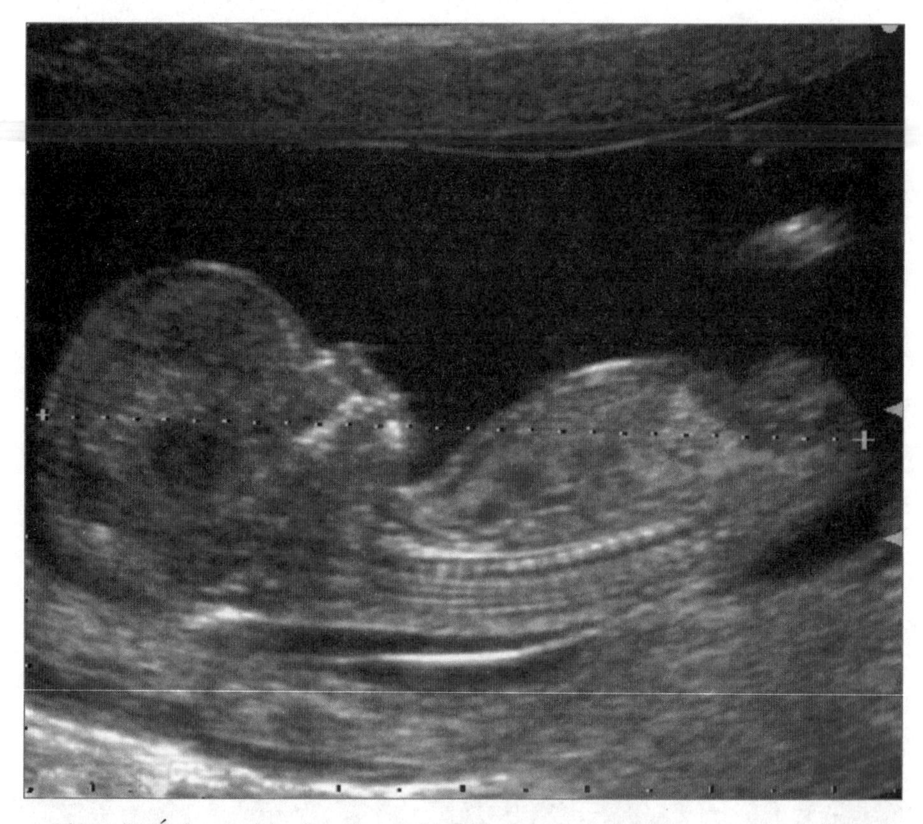

Photo 2 : Échographie d'un fœtus dont on mesure la longueur craniocaudale.

Le diagnostic de la chorionicité

Le diagnostic de la chorionicité doit être fait dès la première échographie (qu'il faut répéter en cas de doute). Le meilleur moment pour déterminer la chorionicité est de la dixième à la quatorzième semaine, d'autant plus que la distinction entre grossesse monochoriale* et bichoriale* devient difficile, voire impossible après 15 SA.

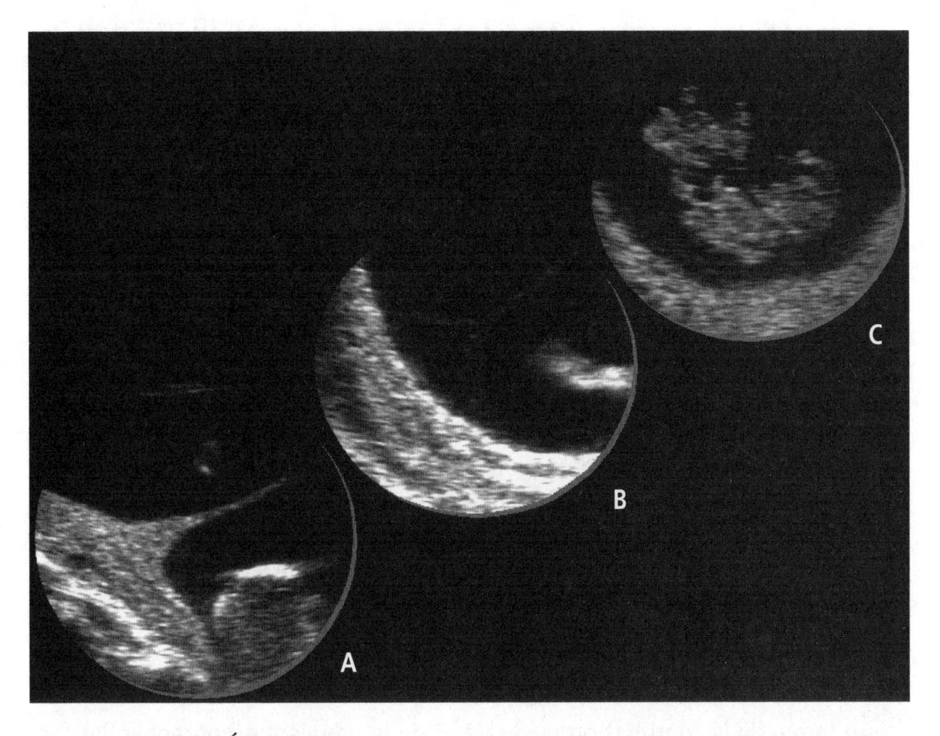

Photo 3 : Échographies des trois types de grossesses gémellaires :
A : bichoriale biamniotique, on voit la cloison épaisse et le raccordement large appelé signe du lambda ;
B : monochoriale biamniotique, on voit la cloison fine et triangle clair correspondant à la séparation des deux feuillests ;
C : monochoriale monoamniotique, il n'y a pas de cloison et la partie claire au centre du cliché correspond aux deux embryons.

Les grossesses monochoriales (25 % des grossesses gémellaires) doivent faire l'objet d'une surveillance clinique et échographique spécifique en rapport avec le risque de syndrome transfuseur-transfusé (15 % des grossesses monochoriales). La précocité du diagnostic représente un élément pronostique majeur dans cette pathologie.

Le dépistage des anomalies chromosomiques

En France, la trisomie 21 survient en moyenne dans 1 grossesse sur 700, et sa fréquence varie avec l'élévation de l'âge maternel, ce qui conduit à proposer un diagnostic par amniocentèse à partir de 38 ans.

La mise en place du dosage des marqueurs sériques (voir page 61), accessible à toutes les femmes, permet par ailleurs d'élargir le dépistage aux 70 % d'enfants trisomiques naissant d'une mère âgée de moins de 38 ans, mais avec une sensibilité médiocre d'environ 60 %.

L'apport de l'échographie en termes de dépistage anténatal est important, car il permet de proposer un caryotype en cas de malformations ainsi que devant des « petits » signes d'appel.

Les « petits » signes au premier trimestre sont essentiellement :

- *La clarté nucale.* Sa mesure nécessite une technique rigoureuse. La clarté nucale existe chez tous les fœtus mais est inférieure à 3 mm avant 35 ans, et 2,5 au-delà, à ce stade de la grossesse. Son augmentation est souvent corrélée à l'existence d'une anomalie chromosomique et/ou malformative. La réalisation d'un caryotype fœtal devant ce seul signe d'appel échographique retrouve 10 % d'anomalies chromosomiques ; en cas de normalité du caryotype, il est recommandé de pratiquer une échographie morphologique précoce vers 18 SA.
- *L'hygroma coli.* Il s'agit d'une image d'épaississement, voire de décollement cloisonné, de la peau nucale, se présentant comme des logettes liquidiennes kystiques. Son existence a une haute valeur prédictive en terme d'anomalie, puisque sur 100 caryotypes, on retrouve 40 % d'anomalies chromosomiques, 40 % d'autres anomalies et seulement 20 % normaux.

La déclaration de votre grossesse

Au terme de la consultation médicale et de la première échographie, les formulaires de déclaration de grossesse destinés à vos caisses de Sécurité sociale et d'allocations familiales peuvent être remplis. La première consultation doit se dérouler au cours du premier trimestre et donner lieu à la déclaration légale de la grossesse, avant la fin de la quatorzième semaine de gestation, soit 16 SA.

La date présumée de début de grossesse est notée en fonction des dernières règles, la vérification échographique permet de ne pas faire d'erreur.

Vos questions

Nous allons voir ici quelles sont les « faq » (*frequently asked questions* ou questions fréquentes) sur le suivi médical pendant une grossesse gémellaire.

Le suivi d'une grossesse gémellaire est-il différent de celui d'une grossesse simple ?

La surveillance des grossesses gémellaires est en partie semblable à celle des grossesses uniques et en partie différente.

Pour une grossesse unique, les médecins proposent à leurs patientes un suivi régulier et mensuel, et 3 échographies au minimum. Nous pensons qu'un suivi beaucoup plus fréquent est nécessaire en cas de grossesse gémellaire. Nous proposons une consultation accompagnée d'une échographie chaque mois au moins et plus souvent en fin de grossesse. Il est difficile d'envisager de faire venir la patiente enceinte de jumeaux plus qu'une fois par mois à l'hôpital. Aussi, de nombreuses équipes ont organisé un système de suivi à domicile par une sage-femme.

Ce suivi est décidé par le médecin. Il s'agit d'une sage-femme de la Protection maternelle et infantile (PMI), financée par la DASS après prise en charge, ou d'une sage-femme libérale, dont le remboursement est prévu par la Sécurité sociale. Les visites chez la patiente ont lieu une fois par semaine, à partir d'un terme compris entre 20 et 24 semaines. À domicile, la sage-femme pourra vous aider à planifier votre activité et à trouver un juste équilibre entre moments de travail et moments de repos. Nous l'avons dit, le repos au lit n'est jamais prescrit systématiquement, toutefois une réduction d'activité est essentielle. La sage-femme à domicile peut vous examiner et toute anomalie repérée peut donner lieu à une consultation supplémentaire à l'hôpital. Une hospitalisation n'est pas systématique, mais peut être proposée en cas de modification importante du col ou de contractions utérines non calmées par le repos à domicile.

Comment puis-je profiter au mieux de ma grossesse ?

Au cours de la grossesse gémellaire, le soutien psychologique est recommandé. Les premiers points que votre médecin vous explique avec précision concernent le déroulement de votre grossesse. Il est indispensable que vous sachiez où vous allez. Par ailleurs, vous ne devez pas avoir peur de poser toutes les questions qui vous passent par la tête à chaque consultation. Toutefois, aussi attentionné soit-il, le médecin n'aura pas forcément le temps de répondre à toutes vos questions. Il est donc important que vous puissiez rencontrer d'autres femmes enceintes de jumeaux ou ayant eu des jumeaux. Pour cela, il existe des associations : de nombreuses associations départementales « Jumeaux et plus » ont fleuri dans notre pays et sont regroupées dans le cadre de la Fédération nationale des associations « Jumeaux et plus ». Les adresses des différentes associations, départementales et nationales, françaises et étrangères, sont regroupées à la fin de ce livre (page 290).

En cas d'hospitalisation, vous pouvez vous inquiéter d'avoir des enfants nés prématurément ; l'équipe médicale et votre entourage seront alors votre meilleur soutien. L'inconnu fait peur ; vous pouvez demander à rencontrer le pédiatre de la maternité qui vous expliquera comment vos enfants seront pris en charge en cas de naissance prématurée. Vous pourrez également demander à voir le psychologue du service dans lequel vous êtes hospitalisée.

Que pensez-vous des twins-clinics ?

Les twins-clinics sont des consultations spécialisées dans la surveillance des grossesses gémellaires. Elles n'existent que dans très peu de maternités dans le monde. Nous avons lancé une telle expérience en France voici une vingtaine d'années. En ce cas, l'obstétricien devient spécialiste des jumeaux et des grossesses gémellaires, et toutes les consultantes sont des patientes attendant des jumeaux. Dans la salle d'attente de cette consultation, on rencontre, selon l'expression de Michel Tournier, des « mères gémellaires ». Ceci a pour intérêt d'apporter une grande complicité entre les mères qui se sentent sécurisées par la sensation d'appartenir à un groupe ayant des préoccupations similaires, et qui ne sont pas exclues et perdues au milieu de femmes attendant des enfants uniques. Elles sont probablement aussi mieux suivies, car l'équipe qui les prend en charge connaît parfaitement les problèmes de la gémellité. Évidemment, de telles consultations ne peuvent être réalisées que dans des grands centres. Cette initiative technique a été vraiment importante pour que nous arrivions à offrir une véritable amélioration des résultats, et ce avec succès.

Nous avons ouvert une consultation spécialisée pour les mères attendant des jumeaux à l'hôpital Antoine-Béclère à Clamart, il y a vingt ans, mais nous avons constaté que ces médecins devenaient des spécialistes de la gémellité, ce qui provoquait chez eux une certaine monotonie, tandis que les autres médecins ressentaient un appauvrissement, voire un sentiment de panique, devant une grossesse gémellaire. Nous avons donc renoncé à cette expérience.

Comment faire avec les idées reçues sur les jumeaux [1] ?

La gémellité exerçant toujours une certaine fascination sur le commun des mortels, la future maman de jumeaux sera parfois un peu étonnée de la sollicitude entourant la naissance de ses enfants. Non seulement parce que les enfants seront peut-être fragiles, petits, prématurés, mais aussi parce que ce sont des jumeaux. Les conseils émanant du personnel hospitalier et des visiteurs vont se cumuler, les uns contredisant souvent les autres. Il n'y a pourtant pas de formation particulière concernant les jumeaux. D'où viennent alors tous ces conseils ? Des « on dit », « il paraît », « il ne faut pas »... entendus dans la rue et lus dans la presse. Ne vous laissez pas submerger par ces vagues d'idées reçues, mais demandez l'avis des personnes compétentes en la matière ou concernées par le sujet, comme d'autres parents de jumeaux ou encore des jumeaux adultes.

Quels sont les bénéfices d'un suivi médical rapproché ?

Il faut savoir que, malgré les efforts des patientes et de leur conjoint ainsi que de l'équipe médicale, il est difficile de faire aussi bien pour les enfants issus de grossesses gémellaires que pour les enfants issus de grossesses uniques. Mais nous avons réalisé des progrès considérables. Au début des années 1980, on mesurait que 10 % des jumeaux mouraient soit juste avant, soit juste après la naissance. Avec un suivi particulièrement attentif, on peut faire tomber ce chiffre à 3 %, à condition que le suivi des patientes ait lieu dès le début de la grossesse et que le diagnostic de jumeaux soit précoce. Au début des années 1980, beaucoup de jumeaux souffraient du fait d'être nés tôt et le risque de handicaps dus à la grande prématurité était élevé. Actuellement, avec le meilleur suivi, la durée moyenne de la grossesse est légèrement inférieure à 37 semaines d'absence de règles, c'est-à-dire à 8 mois, ce qui veut dire que la moitié des jumeaux naît avant terme. Comme nous allons le voir plus loin, tous les progrès du suivi médical ont réussi à éviter la prématurité grave, c'est-à-dire la naissance avant 33 semaines d'absence de règles.

1. Dossier « Futurs parents de jumeaux et plus », Sabine Herbener, 1992, autoédition.

Le deuxième trimestre

Une consultation par mois

Le but des consultations médicales est de s'assurer de l'évolution favorable de la grossesse et de l'absence de complications, de prodiguer des conseils adaptés et de prendre rapidement les mesures nécessaires en cas d'anomalie. Elles se situent entre 17 et 28 SA.

Elles sont nécessaires pour :

— vérifier la bonne évolution de la grossesse et l'absence de pathologie intercurrente : prise de poids, mesure de la hauteur utérine, mesure de la tension artérielle et, surtout, contractions utérines ;
— dépister les premiers signes d'une modification du col ;
— vérifier les résultats des examens paracliniques (échographies, sérologies, bandelettes urinaires, RAI si rhésus négatif, test de O'Sullivan) ;
— débuter la préparation à l'accouchement au deuxième trimestre en cas de grossesse gémellaire ;
— orienter vers une consultation spécialisée en cas de pathologie sévère retrouvée ;
— discuter l'arrêt de travail en cas de repos nécessaire : le congé prénatal en cas de grossesse gémellaire est de douze semaines et le congé postnatal de vingt-deux semaines, soit trente-quatre semaines en tout.

Ce que vous ressentez

Votre médecin vous interroge sur les événements attendus et inattendus survenus au cours du mois écoulé.

À partir de 20 semaines, soit dans le courant du cinquième mois, vous percevez les mouvements de vos bébés. Ils sont un bon indice de vitalité fœtale, et leur absence prolongée chez un des fœtus ou chez les deux doit vous amener à consulter.

Par ailleurs, des contractions physiologiques surviennent habituellement à partir du cinquième mois et s'intensifient jusqu'au terme ; elles sont indolores et isolées. Tout épisode prolongé de contractions inhabituelles doit être signalé à votre médecin.

N'hésitez pas également à faire part de vos inquiétudes qui peuvent se traduire par des troubles du sommeil, une irritabilité, un manque d'entrain. Les consultations sont l'occasion d'instaurer un dialogue avec votre médecin, propice à apaiser vos craintes.

Les événements intercurrents comme des signes urinaires, des saignements, une fatigue importante, un épisode de fièvre doivent être signalés ou faire l'objet d'une consultation supplémentaire.

Le suivi de la grossesse est une forme de médecine préventive. Votre médecin cherchera les risques suivants :

TABLEAU 6

RISQUES MATERNELS	HTA et pré-éclampsie. Diabète. Hémorragies des deuxième et troisième trimestres (*placenta praevia*, hématome rétroplacentaire). Troubles de la crase sanguine. Cardiopathie, insuffisance respiratoire.
RISQUES FŒTAUX	RCIU. Menace d'accouchement prématuré. Syndrome transfuseur-transfusé. Malformation d'un jumeau.

Ces situations à risque doivent impérativement vous faire orienter assez rapidement vers une équipe spécialisée dans un centre périnatal de niveau III, maternité couplée à un service de néonatologie (voir page 38).

L'examen général

Le poids est mesuré, si possible toujours sur la même balance ; la prise de poids moyenne est de 14 kg pour une grossesse gémellaire.

La pression artérielle doit être prise au repos, en position assise, avec un brassard adapté à la circonférence du bras. Habituellement la PA est modérément abaissée.

Une PA supérieure à 130/90 mmHg à deux reprises à six heures d'intervalle est pathologique. Elle doit faire rechercher des signes cliniques d'hypertension (acouphènes, troubles visuels, céphalées), ainsi que l'existence d'une protéinurie à la bandelette. L'association d'une HTA et d'une protéinurie doit conduire à une hospitalisation en urgence pour pré-éclampsie.

L'examen obstétrical

La palpation de l'abdomen

Elle débute au niveau du pubis pour explorer l'utérus en remontant alors que vous êtes allongée sur le dos. Elle permet surtout au deuxième trimestre d'apprécier la consistance de l'utérus et d'évaluer la quantité de liquide amniotique.

La hauteur utérine

Elle est mesurée avec un mètre ruban, du bord supérieur du pubis jusqu'au fond de l'utérus. Sa croissance doit être régulière et proportionnelle au terme : en cas d'insuffisance ou d'excès, le terme doit être vérifié et un certain nombre de diagnostics envisagés.

Au deuxième trimestre, la hauteur utérine en centimètres correspond au terme en SA : 18 SA, 18 cm !

À 6 mois, vous serez encombrée par votre gros ventre comme une femme attendant un seul bébé à terme. Ce qui explique que le dernier trimestre peut être un peu difficile...

Les bruits du cœur

Le rythme des battements fœtaux se situe entre 110 et 160 par minute et subit des accélérations lors de ses mouvements.

Toutefois, les réserves sont les mêmes qu'au trimestre précédent. Mieux vaut faire une échographie avant chaque consultation.

L'examen médical

L'examen débute par une inspection de la vulve et du périnée, à la recherche de lésions cutanéo-muqueuses (herpès ?) ou d'une pathologie veineuse (varices vulvaires, hémorroïdes ?).

L'examen au spéculum est systématique en début de grossesse, mais ne sera pratiqué ultérieurement qu'en cas d'anomalie : leucorrhées pathologiques, écoulement de liquide, métrorragies.

Le toucher vaginal est pratiqué en position gynécologique, vessie vide. Il sert à rechercher des modifications cervicales au deuxième trimestre. Le col est évalué en termes de position, de longueur, de consistance et de degré d'ouverture ou de fermeture : cet examen contribue au dépistage et au diagnostic de menace d'accouchement prématuré.

Les examens biologiques

La recherche d'anticorps irréguliers doit être répétée au sixième mois (et huitième et neuvième mois), pour les femmes rhésus négatif ou précédemment transfusées.

Si vous avez saigné ou reçu un coup dans le ventre, et après une amniocentèse, une injection de gammaglobulines anti-D permettra de prévenir les complications liées au facteur rhésus.

Au cours du sixième mois (quatrième examen prénatal) doivent être pratiquées une recherche de l'antigène HBs (hépatite virale B) ainsi qu'une numération globulaire.

TABLEAU 7 : LES EXAMENS BIOLOGIQUES AU DEUXIÈME TRIMESTRE DE LA GROSSESSE

Lors de chaque examen	Glycosurie et albuminurie
Tous les mois à partir du 2e examen	Sérologie de la toxoplasmose si immunité non acquise.
4e examen (6e mois)	Recherche d'antigène HBs. Numération globulaire. Recherche d'anticorps irréguliers (femmes rhésus négatif ou transfusées).

L'examen cytobactériologique des urines

La présence de germes dans les urines en quantité supérieure à 10^4 sans signe de cystite – c'est ce qu'on appelle la bactériurie asymptomatique – augmente le risque d'une infection symptomatique favorisant la prématurité, le petit poids de naissance et la morbidité maternelle (HTA, anémie, infection amniotique).

Le dépistage systématique mensuel de la bactériurie au moyen de bandelettes urinaires réactives est donc recommandé.

L'examen cytobactériologique des urines n'est pas systématique et doit être réservé :

— au contrôle d'une bandelette réactive positive (leucocyturie et/ou nitriturie et/ou protéinurie et/ou hématurie) ;

— en cas de facteurs de risque d'infection urinaire : antécédents de pyélonéphrite, d'infections urinaires basses à répétition, de lithiases ou de maladie rénale ;

— en cas de diabète.

Les prélèvements bactériologiques vaginaux

Ils sont pratiqués en cas de signes d'infection (pertes anormales), de rupture prématurée des membranes, de menace d'accouchement prématuré, de fièvre.

En cas de positivité des prélèvements, il est impératif de traiter l'infection, généralement par des ovules.

Les vaginoses (ou déséquilibres de la flore vaginale) ne doivent être traitées que s'il existe des signes cliniques.

Le portage de streptocoque B ne doit pas être traité pendant le deuxième trimestre, sauf en cas de rupture des membranes.

Le dépistage du diabète gestationnel

Il est classiquement effectué en cas de facteurs de risque : obésité, antécédents de gros bébé (> 4 kg), antécédents familiaux, décès *in utero* inexpliqué, macrosomie, excès de liquide amniotique.

Il n'existe pas de réel consensus quant à sa mise en œuvre ; le plus souvent, le dépistage consiste à mesurer le taux de sucre dans le sang après avoir absorbé une certaine dose de sucre. Le diagnostic est confirmé par une hyperglycémie provoquée par voie orale.

TABLEAU 8

TEST DE O'SULLIVAN	Glycémie sanguine mesurée à jeun et 1 heure après l'ingestion de 50 g de glucose entre 26 et 28 SA. Pathologique si > ou = à 7,8 mmol/l (1,40 g/l).
HYPERGLYCÉMIE PROVOQUÉE ORALE	Après 3 jours d'alimentation riche en hydrates de carbone, glycémies sanguines mesurées sur 3 heures, après ingestion de 100 g de glucose. Diabète si 2 valeurs au moins > ou = aux normes : - à jeun 5,8 mmol/l (1,05 g/l) ; - à 1 heure 10,4 mmol/l (1,90 g/l) ; - à 2 heures 9,1 mmol/l (1,65 g/l) ; - à 3 heures 7,8 mmol/l (1,40 g/l).

Les examens « inutiles »

Du fait des modifications physiologiques liées à la grossesse, de nombreuses valeurs usuelles (bilan lipidique, vitesse de sédimentation, bilan électrolytique, calcémie, etc.) sont modifiées. Leur dosage risque de vous inquiéter à tort, car la plupart des laboratoires affichent des normes ne tenant pas compte de l'état éventuel de la grossesse. Il est donc souhaitable d'éviter autant que possible ces examens généralement inutiles.

Les échographies du deuxième trimestre

Leurs objectifs

Elles ont pour but de :
— étudier l'anatomie et la morphologie des fœtus de manière détaillée et vérifier l'absence des principales anomalies ;
— évaluer la croissance des jumeaux ;
— contrôler les annexes : placenta, liquide amniotique.

Le compte rendu doit mentionner :
— l'âge gestationnel (date de début de grossesse, mode de détermination ou correction).

Et pour chaque jumeau :
— la vitalité ;
— les mesures exprimées en millimètres à comparer aux courbes de référence, c'est l'analyse en percentile ;
— l'étude de la tête ;
— l'étude du thorax ;
— l'étude de l'abdomen ;
— l'étude du dos et des membres ;
— l'étude des annexes : volume de liquide amniotique, cordon ombilical, localisation du placenta, type d'insertion (normal ou bas), échostructure ;

— le dossier photo doit porter sur les paramètres suivants : diamètre bipariétal (BIP, Photo 4), diamètre abdominal transverse (DAT), périmètre abdominal (PA), longueur fémorale, cervelet, quatre cavités cardiaques, placenta ;
— les courbes de croissance : périmètres céphalique et abdominal, et fémur.

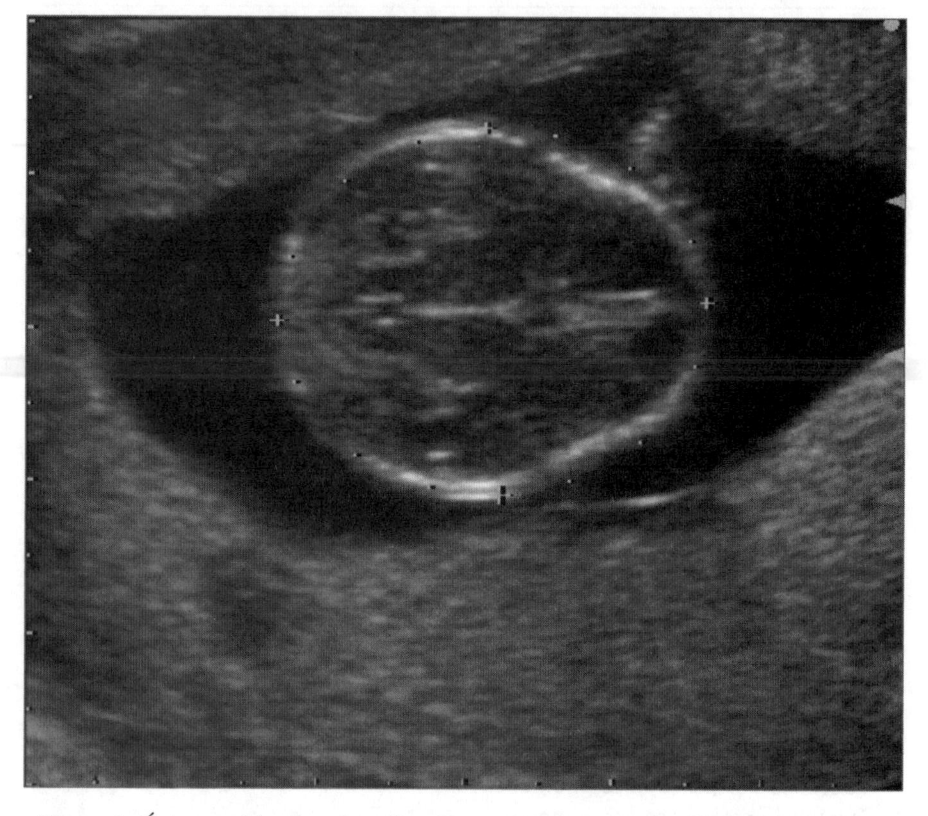

Photo 4 : Échographie du crâne d'un fœtus pour mesurer le diamètre bipariétal (entre la croix du haut et celle du bas).

Le dépistage des anomalies chromosomiques

L'étude des « petits » signes d'appel et des malformations qui conduiront à proposer la réalisation d'un caryotype est plus large qu'au premier trimestre. Elle est bien sûr plus délicate chez des jumeaux, et des contrôles peuvent s'avérer nécessaires. Le terme optimal pour cette recherche est 22 SA.

Les « petits » signes concernent la face, les membres et les différents organes. Ils sont analysés afin de décider de l'opportunité de proposer la réalisation d'un caryotype. Cette décision est obligatoirement prise par une équipe pluridisciplinaire dans le cadre d'un Centre pluridisciplinaire de diagnostic prénatal (CPDPN).

En pratique, l'utilisation conjointe des différents signes visibles à l'échographie et, en particulier, l'épaisseur de la nuque et des paramètres non échographiques qui prennent en considération l'âge maternel et éventuellement les marqueurs biochimiques, permet un dépistage de 80 % des anomalies chromosomiques.

Vos questions

Comment suit-on la croissance des bébés ?

Au cours d'une grossesse unique, la croissance du fœtus peut parfaitement être appréciée à l'aide d'un simple centimètre de couturière. En consultation, le médecin (ou la sage-femme) a l'habitude de mesurer la hauteur utérine, c'est-à-dire la distance entre la symphyse pubienne et le fond de l'utérus, et le périmètre ombilical, c'est-à-dire le tour de taille. Avec ces deux mesures et en suivant également la prise de poids, on peut dire si le bébé grossit bien. On dispose même de courbes établies pour les grossesses uniques. En cas de grossesse gémellaire, le problème est beaucoup plus complexe : la mesure de la hauteur utérine et du périmètre ombilical ne donne que la synthèse de la croissance des deux enfants. Seule l'échographie permet de les suivre individuellement : chacun peut alors être exploré, mesuré, comme on le ferait pour un fœtus unique. Il faut donc réaliser une échographie mensuelle au moins. Chez deux femmes enceintes de jumeaux, présentant le même périmètre ombilical et la même hauteur utérine, on peut imaginer que la première porte deux enfants ayant une bonne croissance et une parfaite santé, alors que l'autre porte un enfant anormalement gros et un enfant anormalement petit. Nous y reviendrons dans la partie consacrée aux éventuelles complications.

N'est-il pas normal que les jumeaux soient plus petits que les enfants singuliers ?

Vous posez là une question très importante : faut-il considérer que la croissance d'un enfant jumeau peut être superposable à celle d'un enfant unique ou faut-il considérer ou accepter le fait qu'il existe un système de croissance différent pour les jumeaux ?

La croissance des jumeaux est similaire à celle des singletons au premier et au deuxième trimestre de la grossesse, mais il existe un infléchissement de la croissance des jumeaux au troisième trimestre de grossesse par rapport à la croissance des singletons à partir de 32 SA.

Actuellement, on considère qu'il n'est pas normal pour un fœtus jumeau d'avoir des mensurations inférieures aux normes habituelles, sous le seul prétexte qu'il est jumeau. Il est évalué selon les mêmes critères qu'un enfant unique. Il faut donc reporter les mesures échographiques des jumeaux sur les courbes de croissance habituelles établies pour les grossesses uniques (voir le graphique ci-

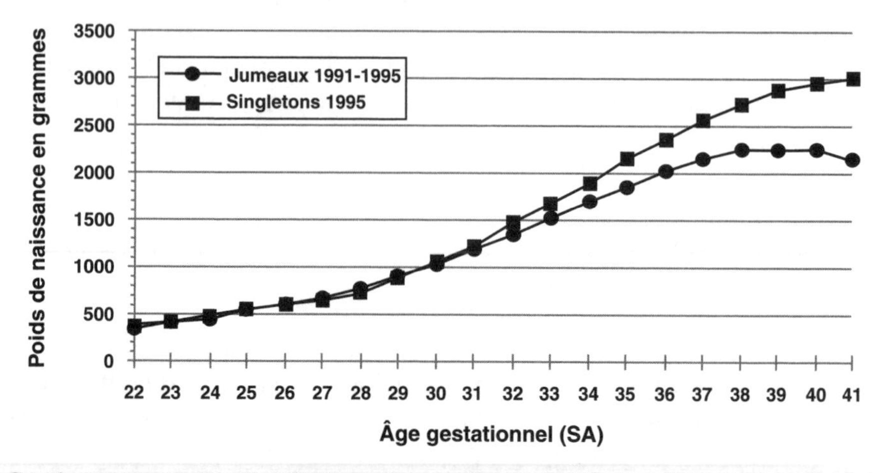

Courbes comparatives des dixièmes percentiles des poids de naissance des jumeaux et des singletons d'après l'US Natality Data Files 1991-1995.

dessus : Courbes comparatives des dixièmes percentiles des poids de naissance des jumeaux et des singletons d'après l'US Natality Data Files 1991-1995).

L'échographie donne-t-elle d'autres renseignements ?

Bien sûr... Comme pour toute grossesse, l'échographie nous informe sur l'absence d'anomalies fœtales et sur la bonne santé des jumeaux. Cependant, l'un des gros intérêts de cette technique est l'échographie du col utérin, tout particulièrement en cas de menace d'accouchement prématuré et, d'une façon générale, dans les situations à risque élevé de prématurité, donc au cours des grossesses gémellaires.

L'échographie du col utérin a bénéficié d'une évaluation technique satisfaisante ; elle doit être réalisée par voie vaginale. Cette méthode est plus précise que le toucher vaginal pour évaluer la longueur cervicale, à condition que l'échographiste ait reçu une formation suffisante. La longueur du col de l'utérus est le critère le plus fiable ; il est plus intéressant que la largeur de l'orifice interne ou la protrusion des membranes qui doivent être utilisées avec prudence dans les décisions médicales. Une mesure de longueur du col supérieure à 30 mm est plutôt rassurante. Elle pourrait permettre de diminuer le nombre d'hospitalisations et de traitements inutiles. Une mesure inférieure à 15 mm impose une prise en charge nécessaire (traitement intraveineux contre les contractions, corticoïdes, transferts *in utero*). Cependant, on ne dispose pas de données actuelles pour recommander l'abandon du toucher vaginal pour l'échographie du col dans la prise en charge des patientes.

Le troisième trimestre

Le troisième trimestre a pour particularité de durer au maximum deux mois et demi. Après 39 SA, c'est la « zone interdite ». Au minimum, il n'existe pas si l'accouchement survient avant 28 SA. Entre ces deux extrêmes, tous les intermédiaires sont possibles...

Situons-nous dans le cas le plus favorable de l'accouchement à terme qui concerne plus de la moitié d'entre vous.

Des consultations répétées

Les consultations du troisième trimestre, entre 28 et 39 SA, doivent avoir lieu une fois par mois. Elles sont nécessaires pour :

— suivre la bonne évolution de la grossesse : prise de poids, mesure de la hauteur utérine, écoute des bruits cardiaques fœtaux, mesure de la tension artérielle ;

— dépister les contractions utérines et les premiers signes d'une modification du col ;

— vérifier les résultats des examens paracliniques (échographies, sérologies, hémogramme, bandelettes urinaires, RAI si rhésus négatif).

La consultation du septième mois

La consultation du septième mois reprend le schéma des consultations précédentes. Rappelons que le nombre de consultations peut être augmenté en cas de problème et qu'un suivi en alternance avec une sage-femme à domicile peut être organisé.

Au troisième trimestre apparaissent également certains inconvénients liés au volume utérin : douleur sciatique, syndrome de Lacomme, syndrome du canal carpien, hernie hiatale, pyrosis ou dyspnée. Ces symptômes sont en général bénins et la patiente doit être rassurée (voir page 52 et suivantes).

La palpation de l'utérus permet, surtout au troisième trimestre, d'apprécier la consistance de l'utérus (tension ou relâchement musculaire), de situer les fœtus (présentation, position des dos) et d'évaluer la quantité de liquide amniotique.

Le toucher vaginal sert à explorer le col de l'utérus et la présentation des jumeaux.

La consultation du huitième mois

Elle est impérativement pratiquée par l'équipe obstétricale qui réalisera l'accouchement car son but est d'en établir le pronostic en fonction de la présentation des jumeaux et de l'évaluation du bassin, et d'en définir les modalités : accouchement spontané, provoqué, par voie basse ou par césarienne. Elle est particulièrement importante en cas de grossesse gémellaire où les indications de césarienne prophylactique sont fréquentes et les modalités de sortie des bébés plus complexes qu'en cas de grossesse unique.

Le but de cette consultation est de :
— déterminer la voie d'accouchement ;
— prévoir une consultation d'anesthésie ;
— contrôler les bilans paracliniques (sérologies, bilan de coagulation, hémogramme) ;
— faire la synthèse de la grossesse et établir un pronostic obstétrical.

Trois points sont essentiels :
— le segment inférieur (c'est la partie inférieure de l'utérus qui va se dilater au moment de l'accouchement) se forme au troisième trimestre entre le corps et le col utérin. Initialement épais, il va s'amplifier et s'amincir en se moulant sur la présentation du premier jumeau à sortir (J1), en fin de grossesse ou en début de travail : ses modifications sont un élément favorable pour le déroulement de l'accouchement ;
— la présentation de J1 est appréciée par la palpation abdominale et confirmée par le toucher vaginal, qui précise sa hauteur ;
— l'examen du bassin est utile et sera pratiqué au huitième mois par l'obstétricien.

La consultation d'anesthésie

Dans le cas où une intervention est programmée, une consultation préanesthésique est obligatoire [1].

Cette mesure est appliquée aux femmes enceintes dans le cas où une césarienne est programmée, ou si la femme souhaite bénéficier d'une analgésie péridurale. Elle est devenue systématique pour les équipes françaises. Le bénéfice est indiscutable en cas de grossesse gémellaire.

À partir de 39 SA, il n'est plus question de consultation. On entre dans la « zone interdite ». La grossesse ne doit pas se poursuivre au-delà...

Les examens biologiques

La grande particularité est la réalisation d'un prélèvement au début du troisième trimestre afin de dépister la présence dans le vagin de streptocoque B (4 à 25 % des femmes enceintes). Ce germe favorisant la prématurité et l'infection des bébés, sa mise en évidence impose non pas un traitement en cours de grossesse, mais une antibiothérapie pendant l'accouchement.

TABLEAU 9 : LES EXAMENS BIOLOGIQUES AU TROISIÈME TRIMESTRE DE LA GROSSESSE

5e examen (7e mois)	PV (recommandés) : recherche de streptocoque B.
6e ou 7e examen (8e ou 9e mois)	2e détermination du groupe sanguin.
6e et 7e examens (8e ou 9e mois)	Recherche d'anticorps irréguliers (femmes rhésus négatif ou transfusées).

1. Décret n° 94-1050 au *JO* du 5 décembre 1994.

Les échographies du troisième trimestre

Leurs objectifs sont de :

— surveiller la croissance fœtale et rechercher ses anomalies : macrosomie, hypotrophie ;
— surveiller le bien-être des jumeaux : en cas d'hypotrophie d'un ou des deux bébés, les échographies peuvent devenir hebdomadaires ;
— vérifier la présentation des jumeaux ;
— contrôler les annexes et leurs anomalies : position du placenta, quantité de liquide amniotique.

Le compte rendu reprend les éléments détaillés de l'échographie morphologique du deuxième trimestre et précise dans la conclusion :

— les présentations fœtales ;
— la croissance des jumeaux normale ou non ;
— le bilan morphologique satisfaisant ou non ;
— la localisation de l'insertion placentaire ;
— les difficultés éventuelles de l'examen et la nature de ces difficultés (paroi abdominale trop épaisse ?, superposition des fœtus ?, etc.) ;
— la demande éventuelle d'un contrôle échographique spécialisé ou d'investigations complémentaires.

VOUS ET VOS JUMEAUX

La vie secrète des jumeaux avant leur naissance

Leurs premiers contacts

Pendant longtemps, l'accouchement était considéré comme le « début de la vie ». L'activité fœtale était seulement estimée par les perceptions de la mère, et il n'était pas possible de décrire le comportement fœtal. Le développement de l'échographie en temps réel a été déterminant pour la recherche gémellaire. On a observé lors des échographies précoces les premières tentatives des contacts interhumains[1]. Les jumeaux monozygotes (MZ) montrent des formes variées de communication, des contacts de la tête, des membres et du corps qui peuvent être plus ou moins doux et aller jusqu'à l'« enlacement » et au « baiser », comme l'ont décrit les parents. Ils ont même mentionné que les bébés pouvaient parler entre eux en utilisant le langage du corps. Plus encore, les échographies nous permettent d'apercevoir certains signes de leurs futures relations. Il y a des jumeaux qui semblent rechercher un contact, une proximité. D'autres apparaissent plus fuyants, se montrant peut-être déjà délicats ou irritables. Ces traits semblent persister après la naissance. Ceci toutefois ne signifie pas que les jumeaux entretiennent déjà des relations complexes ou sociales ni éprouvent des sentiments compliqués d'amour, de jalousie ou de désir *in utero*.

Une fois nés, ils ne montrent aucun signe de reconnaissance sociale envers leur cojumeau. Être placés ensemble et à côté l'un de l'autre semble avoir peu ou pas de signification à ce stade. Souvent, les parents sont réellement surpris et désappointés par la rareté ou même l'absence d'interactions entre leurs nouveau-nés jumeaux. Quand ils se retrouvent allongés dans un berceau, la plupart des jumeaux se tiennent à distance et montrent de l'irritation aux stimulations de l'autre jumeau. Quelques-uns, seulement, cherchent la proximité de leur cojumeau, ils semblent trouver une chaleur purement physique dans cette proximité.

Tous les jumeaux, y compris les jumeaux MZ, émergent du temps troublé de la grossesse comme des individus uniques, avec des attirances et des manifestations comportementales assez distinctes. L'individualité et le caractère unique prennent forme pendant la gestation et sont évidents au moment où les jumeaux naissent. Les liens entre Laurence et Alice : « Laurence est beaucoup plus calme

1. B. Arabin, R. Bos, R. Rijlaarsdam *et al.*, « The onset of inter human contacts : Longitudinal ultrasound observations in early twin pregnancies », *Ultrasound Obstet. Gynecol.*, 1996, 8, p. 166-173.

que sa sœur. Dans mon ventre, elle prenait toute la place et bougeait très peu alors qu'Alice n'arrêtait pas. Alice était du côté gauche. Le fait qu'elle soit tout le temps en train de bouger, ça devait être un signe. Elle était moins bien installée. D'ailleurs, elle ne demandait qu'une chose, sortir, et c'est elle qui est née en premier... Elle était vraiment tout contre le col, alors que Laurence était beaucoup plus haut... Elle a mis plus longtemps à sortir, on a l'impression que Laurence était bien, là où elle était. Ça lui est resté, actuellement, dans le landau, c'est encore elle qui prend toute la place ! »

« Tout de suite, ma relation à eux a été différente. Au début, je ne connaissais pas le sexe des enfants, mais je savais qu'il y en avait un qui était plus gros que l'autre, placé en haut, et qui avait des mouvements différents. Pour moi, c'était Alexis, donc mon fils ; l'autre, en bas, était moins brusque, donnait des coups moins douloureux : c'était la fille, la plus petite, effectivement. »

Une relation de couple

L'un des jumeaux est habituellement moins avantagé que le second, qui grandit en partie presque à ses dépens. Les jumeaux ont une position, un site, un placenta, un cordon différents. Des sensations comme le bruit, les pulsations ou le toucher atteignent chaque cojumeau de manière différente. Tous ces faits laissent à penser que tous les jumeaux, y compris les jumeaux MZ, ont dès le départ différentes expériences qui peuvent avoir des conséquences sur leur futur développement mental, physique et psychique.

L'observation pendant la croissance fœtale d'un couple de jumeaux dizygotes (DZ) montre que l'un des jumeaux (A) tente un contact vers son cojumeau (B) mais celui-ci se réfugie contre le placenta, comme si c'était un oreiller. Ce comportement est observé après la naissance dans la relation dominant-dominé, le jumeau B cherche souvent refuge dans « les jupes de sa mère ». C'est ce que René Zazzo appelait l'« effet de couple [1] ». Il pensait que cette situation de couple, observée en période postnatale, existait déjà avant la naissance avec tous ces effets différenciateurs. Cette notion d'effet de couple est développée pages 183 et 197).

Vos interprétations

L'impact de l'échographie est pour vous une expérience rassurante, induisant une attitude positive envers vos bébés, qui sont perçus plus actifs, plus beaux et plus familiers.

L'échographie permet d'entrevoir les traits du futur tempérament de chacun des jumeaux, compte tenu de l'unique opportunité d'utiliser chaque cojumeau comme élément de comparaison. Les dispositions individuelles naissantes peuvent être pressenties dans la diversité des mouvements fœtaux, des positions préférentielles et des activités favorisées. Cependant, ceci doit être interprété

1. R. Zazzo, *Les Jumeaux, le couple et la personne*, Paris, PUF, 1960, 1991, 2001.

avec prudence. Ce que nous pouvons observer, de façon réaliste, est l'individualité et les premiers signes de tempérament. Dans une grande similitude, chaque fœtus bouge différemment selon des rythmes et des horloges différents. Certains bougent plus, certains moins, certains apparaissent plus saccadés dans leurs mouvements, certains réagissent plus fortement aux stimulations intrapaires, etc. Ces traits présentent la même continuité comportementale après la naissance.

De nos jours, grâce à l'échographie du premier trimestre, la conscience maternelle et paternelle d'une vie fœtale et l'attachement prénatal apparaissent très tôt. Les perceptions maternelles directes jouent une part croissante dans la différenciation des mouvements au fur et à mesure que la grossesse avance. Elles peuvent être, à certains moments, très précises. Cependant, on a observé que beaucoup de mères ne peuvent pas dire qui est qui, mais quelques-unes perçoivent des différences dans les mouvements de leurs fœtus jumeaux. Quand il s'agit d'estimer les différences intrapaires de comportement et de tempérament, cependant, cela devient plus compliqué. Certaines mères, particulièrement celles qui attendent des jumeaux MZ, semblent être constamment à la recherche de différences entre eux, de crainte de ne pas être capables de les distinguer l'un de l'autre. Le plus gros jumeau est quelquefois qualifié de goulu. Celui qui se déplace librement dans son liquide abondant peut être vu comme le chanceux, il profite d'une vie plus confortable et plus libre. Le jumeau le plus actif peut être vu comme plus « intelligent ». La plupart des mères ne cherchent pas simplement les différences comportementales, mais tendent souvent à se concentrer sur elles. La mère attribue un sens à toutes ses perceptions alimentées par les images échographiques. Ceci se reflète occasionnellement dans le choix des prénoms.

« Michael est déjà très réservé. À l'échographie, on avait remarqué qu'il y en avait un toujours replié sur lui-même. Lorsqu'ils sont nés, Michael était plutôt renfermé, alors que Ludovic était plus communicant. Maintenant, Michael est beaucoup plus ouvert avec nous, beaucoup plus souriant, mais lorsqu'il y a du monde, il retrouve sa timidité. Dans mon ventre, il bougeait beaucoup moins, il était coincé, le pauvre. C'était le plus gros à la naissance et il n'avait pas beaucoup de place. »

Les anticipations sur la personnalité du futur bébé sont accentuées par un phénomène de comparaison qui semble être important chez vous, les mères de jumeaux, pour la construction du lien mère/enfant : percevoir précocement les différences entre vos bébés vous permettra de les traiter et de les investir comme deux individus séparés. D'autres parents semblent au contraire vouloir effacer toutes différences entre leurs jumeaux, les « gémellisant » de façon frappante avant la naissance, alors que la tentation de « gémelliser » est un phénomène particulièrement postnatal.

Cela aussi se reflète dans le choix des prénoms, qui dans ces cas peuvent être confusément similaires. Vous êtes libres de fixer sur eux vos pensées, inquiétudes, fantasmes et désirs comme s'ils étaient une page blanche attendant d'être écrite.

Les jumeaux sont toujours différents

L'étude des comportements intra-utérins des fœtus jumeaux nous enseigne que les jumeaux MZ ne sont jamais identiques au niveau comportemental, ce qui est confirmé par l'embryologie et la génétique moléculaire[1].

Cette nouvelle perspective, moins déterministe, sur les vies des soi-disant jumeaux « identiques » permet un espace pour la diversité, même génétique, dans une apparence homogène et identique. Bien que nous soyons encore loin d'être capables de trouver un lien entre le comportement manifeste et les événements moléculaires, une chaîne de circonstances complexes et largement imprédictibles a déjà été mise en mouvement pour faire de chaque jumeau un individu unique bien avant qu'il commence à bouger.

Après la naissance, et tout au long de leur vie, les jumeaux monozygotes paraissent semblables sur le plan comportemental, mais après un examen minutieux, ils ne peuvent pas être considérés comme identiques. Des dissemblances sont clairement observées pendant la vie prénatale. Tous les fœtus peuvent exécuter certaines activités seulement à des âges gestationnels donnés. Toutefois, même les jumeaux MZ ne les exécutent pas exactement de la même façon. Dès le moment où les jumeaux commencent à se mouvoir, ils montrent déjà d'importantes différences au niveau de leurs activités. De telles différences augmentent rapidement et progressivement.

Les études des comportements des jumeaux dès leurs premières manifestations montrent clairement comment les différences individuelles créées *in utero* se répercuteront dans la vie postnatale. Aucun individu n'émerge de cette période comme une copie identique de l'autre. Étudier les jumeaux dès leurs premières manifestations de la vie intra-utérine s'avère certainement une étape dans la compréhension de la diversité de tous les êtres humains. En plus des innombrables facteurs de l'environnement intra-utérin affectant n'importe quel fœtus, le fœtus jumeau est influencé par les interactions avec son cojumeau. Les contacts physiques contribuent à leur développement neurologique et psychologique et à leur qualité de la vie. Le langage du corps commence beaucoup plus tôt que la communication vocale. Les jumeaux sont naturellement exposés aux stimulations sensorielles à partir du cojumeau et peuvent être pris comme des modèles idéaux dans l'étude *in vivo* des premières réactions du toucher. Plus l'âge gestationnel avance, plus les contacts deviennent complexes.

Confucius proclamait que l'éducation commence dans la vie prénatale et contribue à la formation des caractères sociaux. Les études des comportements chez les jumeaux, de la période fœtale jusqu'à l'âge adulte, pourraient aider à confirmer cette idée.

---

1. O. Bomsel-Helmreich, W. Al-Mufti, « Mécanismes des grossesses gémellaires et multiples », *in* J.-C. Pons, C. Charlemaine et É. Papiernik, *Les Grossesses multiples*, Paris, Flammarion, « Médecine-Sciences », 2000, p. 3-9.

Comment vivez-vous votre grossesse ?

Les anticipations et les émotions parentales sont tout à fait différentes pour les enfants nés uniques et les jumeaux. Une toile particulière d'attentes, de sentiments, de souhaits et de fantasmes commence à être tissée à partir du moment où les jumeaux sont diagnostiqués. Les enfants nés uniques sont également sujets à des attentes et des émotions avant qu'ils naissent mais ici s'ajoute toujours cette donnée incontournable, omniprésente : la gémellité. Un environnement différent des enfants nés uniques est déjà en préparation pour les recevoir dès leur naissance.

Vos émotions varient au cours des mois

Vos émotions varient selon les différentes étapes de la grossesse. Elles vont de la simple acceptation à la pure allégresse. L'exaltation prévaut chez les couples sans enfants, qu'ils aient eu ou non des problèmes de fertilité. L'anxiété pour le bien-être des jumeaux est présente aussi au début chez tous les parents, mais particulièrement chez ceux qui ont subi des traitements pour parvenir à cette grossesse. Vous avez souvent bénéficié d'un soutien psychologique et vous savez que votre succès initial peut ne pas être définitif. Vous êtes soulagés lorsque les premiers mois sont passés, mais parfois vous pouvez rester soucieux. Autour des vingt-quatrième et vingt-cinquième semaines, votre ventre commence à être de plus en plus gros. La gêne peut être importante et, à l'approche du terme, vous souhaitez que les jumeaux naissent le plus tôt possible. Quand on vous rappelle la maturité pulmonaire, certaines mères se résignent, quelque peu à contrecœur. L'accouchement aussi peut vous inquiéter. De manière surprenante, beaucoup affirment vouloir une césarienne. Aucune explication ne semble vous convaincre qu'un double accouchement ne signifie pas une double souffrance ou un travail prolongé, mais ce sont les jumeaux qui font eux-mêmes le « choix ».

Les jeunes mères sont plus concernées par les aspects financiers et les implications pratiques d'avoir des jumeaux, tandis que les mères plus âgées s'inquiètent davantage de leur propre santé et du bien-être des enfants à venir, du risque de prématurité et d'avoir des bébés petits.

« Je n'ai gardé que les souvenirs des bons moments. Ma grossesse est venue après quatre années d'attente et de traitements, et avec mon mari nous savions qu'elle pouvait être multiple. Dans les jours qui ont suivi le diagnostic de grossesse, nous avons été très heureux, avec la conviction que ce seraient des jumeaux. Aujourd'hui, la présence de Fanny et Michael auprès de moi efface tous les mauvais souvenirs et ne laisse dans ma mémoire que les bons moments, le succès de la FIV, ma grande fierté d'avoir été enceinte et la première vision des bébés. »

Les pères sont très attentifs

Les pères de jumeaux sont, généralement, engagés dans la paternité plus vite et de manière plus approfondie que les pères d'enfants nés uniques. Une fois l'exaltation ou la consternation passée, beaucoup de pères suivent attentivement leur compagne pendant les fréquents examens. Ceci aurait été inhabituel il y a seulement quelques années, mais c'est maintenant quasiment la norme. La dimension visuelle des échographies permet aux pères de participer davantage à la grossesse. Pour les jumeaux, les échographies sont fréquentes. Certains pères se tiennent à l'écart ou tiennent la main de leur compagne, regardent l'écran et posent quelques questions, sans trop intervenir. D'autres, au contraire, se tiennent à côté de l'échographiste pendant les examens et ne quittent pas l'écran des yeux, ils veulent des statistiques précises et des explications impossibles. Certains vont même jusqu'à parler de leurs propres douleurs, de leurs maux. Avec l'avancée de la grossesse, ils s'inquiètent des nouvelles formes de leur compagne et s'il y a des complications, la plupart se sentent coupables, fatigués, confus ou perturbés. La béatitude initiale et les sentiments intenses de fierté cessent, et ils réalisent qu'une série de changements va modifier leur vie.

La surprise des vrais jumeaux

Les faux jumeaux proviennent fréquemment d'une famille de jumeaux, les parents ont moins d'effet de surprise que pour les jumeaux monozygotes qui en sont toujours une. L'annonce produit une forte exaltation chez beaucoup d'entre eux, ils semblent déjà ressentir qu'ils sont sensationnels bien avant qu'aucune reconnaissance sociale de leur nature « phénoménale » n'ait commencé. Certaines d'entre vous, cependant, craignent d'avoir de vrais jumeaux, sans doute par peur de les confondre, de ne pas pouvoir les reconnaître. Des termes révélateurs sont évoqués à cette occasion, « copie conforme », « photocopie », « duplicata », ils renvoient au vertige de la perte d'identité. Ce sentiment peut d'ailleurs quelquefois faire écho à l'impression d'étrangeté que vous ressentez pour vous-même pendant votre grossesse.

Beaucoup d'histoires extraordinaires sont diffusées à propos des vrais jumeaux : l'un se fait passer pour l'autre pour réussir un examen ou conquérir une femme ; une jumelle porte l'enfant de sa sœur au nom de leur patrimoine génétique commun ; des jumeaux souffrent au même moment, à des centaines de kilomètres de distance, des mêmes douleurs ou des mêmes blessures. Le livre de Frédéric Lepage[1] recense un grand nombre d'histoires plus ou moins extraordinaires, à travers lesquelles s'expriment deux thèmes principaux.

- *Le thème du couple* : la mystérieuse communication intragémellaire est-elle plus prononcée chez les vrais jumeaux ? Le lien qui les unit est-il dû à la communauté de leur héritage génétique ou bien à l'étroite communauté de vie pendant l'enfance, comme c'est le cas pour n'importe quel autre jumeau ?

1. F. Lepage, *Les Jumeaux*, Paris, Robert Laffont, « Réponses », 1980.

- *Le thème du double* : l'individu en double exemplaire est difficile à admettre car son existence met en cause notre propre sentiment d'identité. Chaque être est unique et la vraie gémellité apporte un contredit à cette règle.

Votre préférence : garçon ou fille ?

La réaction au sexe des jumeaux peut aussi être très différente. Bien que, pour la plupart, vous préfériez un couple garçon-fille, ceci étant vu comme la solution « une fois pour toutes », certains peuvent souhaiter n'avoir que des garçons ou que des filles pour équilibrer l'idée qu'ils ont de leur famille. Une fois le sexe connu (normalement pas avant 15-20 semaines), la plupart s'adaptent très vite à la réalité. Vous maintenez fréquemment ouvertement que, tant que les jumeaux sont en bonne santé, leur sexe n'a pas d'importance. Toutefois, quand vous venez pour la soi-disant échographie morphologique, autour de la vingtième semaine, souvent, la première chose que vous demandez est s'il est possible de connaître le sexe de vos jumeaux. Votre déception est généralement très grande quand l'observation est rendue impossible par la position des fœtus. Que vous attendiez deux garçons, deux filles ou un garçon et une fille semble souvent plus important que d'entendre que leurs cœurs ou leurs colonnes vertébrales paraissent en bonne condition. Seuls quelques-uns veulent avoir la surprise à l'accouchement.

LA GROSSESSE PEUT SE COMPLIQUER

Le risque de la prématurité

La prématurité a deux visages : le risque et la menace. Le risque de donner naissance à des enfants prématurés concerne toutes les femmes qui attendent des jumeaux, et c'est le risque principal de ces grossesses. La menace est différente, c'est lorsque l'accouchement se précise, et heureusement elle ne concerne qu'une partie des futures mères de jumeaux.

Il est plus important pour les jumeaux

La part de la grande prématurité (avant 33 SA) liée aux grossesses multiples est proche de 20 % alors que les grossesses gémellaires ne représentent seulement que 1 % de l'ensemble des grossesses. Soixante-dix pour cent des accouchements prématurés de grossesses multiples sont « spontanés ». Les 30 % qui ne sont pas spontanés sont des accouchements décidés par le médecin en raison de l'existence d'une pathologie rendant dangereuse la poursuite de la grossesse.

On nous montre régulièrement dans la grande presse des photographies de jumeaux dodus et joufflus. On a du mal, en contemplant ces images, à imaginer que 45 à 50 % des jumeaux naissent prématurément. Pourtant, la durée moyenne des grossesses gémellaires est de 8 mois. Les naissances aux alentours de 6 mois sont dix fois plus fréquentes qu'en cas de naissance unique, les naissances à 7 mois sont sept fois plus élevées. La prématurité est le principal motif de transfert d'un nouveau-né en réanimation néonatale et, malgré tous les efforts des pédiatres, certains enfants risquent de mourir ou de présenter des lésions graves et d'en garder des handicaps. À terme égal et à poids de naissance égal, un enfant jumeau ne court pas plus de risques qu'un enfant unique.

Le taux de prématurité varie avec la zygosité, c'est-à-dire le fait d'être un vrai jumeau ou un faux jumeau, et avec la placentation. Les naissances monozygotes monochoriales ont la prématurité la plus élevée (51 %), les monozygotes bichoriales un taux intermédiaire de 42 %, et les dizygotes bichoriales le taux de prématurité le plus bas (34,2 %).

Comment prévenir la prématurité ?

Malgré les progrès récents des techniques de réanimation néonatale, la grande prématurité (< 33 semaines) est encore responsable d'environ 50 % de la mortalité périnatale et de 50 % des infirmités motrices cérébrales observées dans la petite enfance. Le risque de décès est d'autant plus important que le terme est prématuré.

TABLEAU 10 : TAUX DE MORTALITÉ NÉONATALE EN FONCTION DU TERME DE L'ACCOUCHEMENT

Mortalité néonatale	%
Avant 24 SA	100 %
À 24 SA	50 à 80 %
Avant 33 SA	15 %
Entre 33 et 36 SA	1,2 %
À 36 SA	< 1 ‰

La morbidité néonatale est élevée chez les enfants prématurés [1]. Près de la moitié d'entre eux souffrent de la maladie des membranes hyalines liée à une immaturité de leurs poumons.

De nombreuses méthodes ont été proposées ayant pour objectif de réduire la prématurité. Nous allons les passer en revue et surtout essayer de déterminer leur efficacité réelle. Pour cela, il existe une méthode bien connue des médecins, la méthode des essais contrôlés. Lorsqu'on étudie les effets d'une technique médicale, on utilise un tirage au sort qui répartit les patientes en deux groupes : le premier bénéficie de la technique que l'on cherche à évaluer, le second d'un traitement de référence. Bien sûr, rassurez-vous, on ne fait ce genre d'étude aujourd'hui qu'après accord d'un comité d'éthique et chez des patientes volontaires pour participer à l'étude.

Le repos au lit

L'idée que le repos au lit peut éviter la prématurité est largement répandue dans le grand public. Beaucoup de médecins également y ont pensé. C'est, de toutes les techniques proposées, la plus ancienne, et certaines équipes médicales n'ont pas hésité à imposer un repos strict au lit à l'hôpital à partir de 28 semaines (6 mois) ou 26 semaines, parfois encore plus tôt. D'autres équipes proposent le repos au lit sans l'imposer, elles se trouvent alors devant deux groupes de patientes, les femmes ayant accepté le repos, les autres l'ayant refusé. Les auteurs concluent, un peu vite, que le repos au lit permet d'allonger la durée des grossesses. La conclusion nous semble un peu hâtive car, en réalité, elle ne mesure que la différence de deux populations sélectionnées sur la possibilité ou non de s'arrêter de travailler : les femmes ayant accepté le repos strict au lit n'ont pas du tout la même vie et ne connaissent pas les mêmes conditions socio-économiques que celles qui continuent à travailler et ne peuvent en aucun cas s'arrêter pour se reposer. En un mot, ces études ne sont pas sérieuses et on ne peut rien en conclure. Pour répondre à la question : « Le repos au lit systématique est-il utile ? », il a été nécessaire de faire un essai thérapeutique contrôlé. Une telle

1. P. Y. Ancel, « Menace d'accouchement prématuré et travail prématuré à membranes intactes : physiopathologie, facteurs de risque et conséquences », *J. Gynecol. Obstet. Biol. Reprod.*, 2002, 31 (supplément au n° 7), p. 5S10-5S21.

étude a été réalisée en 1985 par le docteur Saunders. Il a proposé à ses patientes attendant des jumeaux de participer à un essai thérapeutique dans lequel elles seraient tirées au sort. Les unes, du groupe 1, devaient observer un repos strict au lit à l'hôpital à partir de 28 semaines, les autres, dans le groupe 2, pouvaient rester à la maison sans garder obligatoirement le lit, sauf bien sûr en cas de menace d'accouchement prématuré authentique. Les résultats sont tout à fait étonnants. Les patientes du groupe 1, assignées au « repos au lit », n'ont pas accouché plus tard que les autres, mais au contraire un peu plus tôt. Ainsi, la seule étude vraiment scientifique permet de conclure que le repos au lit à l'hôpital ne diminue pas la prématurité, mais l'augmente. Dans ce résultat en apparence paradoxal, nous pensons qu'intervient un facteur négatif qui est l'épreuve incontestable que représente un long séjour à l'hôpital et la séparation qu'elle entraîne.

Le cerclage

Le cerclage est une intervention très facilement réalisable en début de grossesse, vers 14 semaines d'absence de règles. Il s'agit du faufilage autour du col d'un fil non résorbable (Figure 3 : Le cerclage), qui a pour but d'empêcher l'ouverture du col. La vraie question est de savoir si le cerclage peut être proposé comme une technique de prévention de la prématurité valable pour toutes les femmes attendant des jumeaux. De nombreuses études ont été réalisées qui ont comparé les résultats passés, c'est-à-dire critiquables pour leur méthode. Elles concluent pour la moitié d'entre elles que le cerclage est utile et pour l'autre moitié inutile. Heureusement, un essai contrôlé portant sur 50 patientes a été effectué sur des femmes attendant des jumeaux par le docteur Dor en 1982. La moitié des patientes ont été cerclées, les autres non. Il y a eu autant d'avortements du deuxième trimestre et autant d'accouchements prématurés dans les deux groupes. On peut en conclure qu'il n'y a pas d'avantage particulier à réaliser un cerclage en cas de grossesse gémellaire. Il convient donc d'appliquer aux femmes enceintes de jumeaux les mêmes mesures que si elles attendaient un enfant unique.

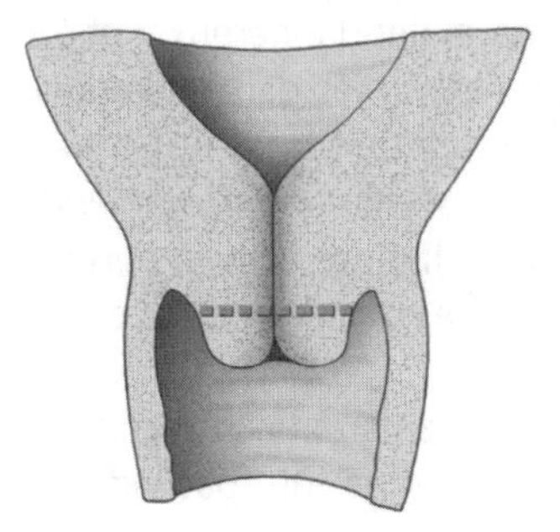

Figure 3 : Le cerclage.

En cas de grossesse unique, trois essais contrôlés ont été réalisés, les deux premiers en 1984. Notre équipe a participé à l'un d'entre eux. Ces deux essais montrent qu'en cas de grossesse unique, il n'y a pas de bénéfice particulier à réaliser un cerclage en début de grossesse. La logique serait donc de ne plus jamais pratiquer cette intervention. Toutefois, le dernier essai contrôlé, dont les résultats nous sont parvenus en 1988, considère que pour une toute petite population de patientes, il y a avantage à pratiquer un cerclage du col utérin en début de grossesse. Il s'agit de femmes ayant dans leur histoire soit deux avortements spontanés du deuxième trimestre, soit deux accouchements prématurés, soit un accouchement prématuré plus un avortement du deuxième trimestre. C'est dans ces cas-là qu'on peut proposer un cerclage. Il faut respecter les indications du cerclage car cette intervention, si simple soit-elle, comporte, comme toute intervention médicale, des risques : difficultés de l'accouchement du fait de la cicatrice du col de l'utérus et risque que le fil ne devienne le support d'une infection microbienne.

Au début du XXIe siècle, ces indications de cerclage restent valables ; cependant, l'échographie du col peut faire naître de nouvelles indications de cerclage plus tard dans la grossesse, en cas d'ouverture intempestive du col.

Y a-t-il des médicaments efficaces ?

On a pensé que les médicaments permettant d'éviter les contractions utérines pendant la grossesse pourraient aussi diminuer le risque de prématurité.

- *Les bêtamimétiques* ont bénéficié de quatre publications rapportant des essais thérapeutiques contrôlés de leur utilisation à titre préventif durant le troisième trimestre de la grossesse. Les résultats de ces essais sont tous négatifs. La prescription de médicaments tels le salbutamol (Ventoline®, Salbumol®) ou la ritodrine (Prépar®) ne permet ni d'allonger la durée de la grossesse, ni d'éviter un accouchement prématuré. Guérir ou prévenir est une chose, mais ne pas nuire en est une autre tout aussi importante. La prescription de bêtamimétiques n'est pas sans inconvénient et des complications rares mais très graves peuvent survenir (infarctus du myocarde, œdème aigu du poumon, décès maternel) et, pour cette raison, on doit aujourd'hui éviter leur usage durant les grossesses gémellaires. Il est contre-indiqué de donner ce type de médicament à titre systématique lorsqu'une femme attend des jumeaux.
- *Les progestatifs, a priori* moins dangereux, ont été testés dans une quinzaine d'essais thérapeutiques contrôlés de grossesses uniques ou multiples. Tous ont conclu à leur inutilité à titre préventif.
- *La prescription de médicaments antiprostaglandines*, tel l'indométhacine, a également été proposée. Ils sont aussi à l'origine de complications cardiaques, comme la fermeture prématurée du canal artériel du fœtus. Ils sont contre-indiqués.
- *Les tocolytiques* (médicaments anticontractions) plus récents (anticalciques et inhibiteurs de l'ocytocine) ne sont pas indiqués non plus en prophylaxie.

La nécessité d'un suivi très rigoureux

Parallèlement à la publication de ces essais contrôlés qui rapportent des résultats négatifs, d'autres études ont été publiées montrant une réduction de la mortalité périnatale des jumeaux en suivant les grossesses gémellaires de façon spécifique selon des protocoles très rigoureux. En 1972, G. Sholtes a été le premier

médecin à introduire une telle politique, il en a mesuré les effets en 1977. Voici les éléments du suivi :
- diagnostic précoce de la gémellité : l'échographie en 1972 était moins développée qu'aujourd'hui. Les grossesses gémellaires étaient dépistées précocement sur des signes cliniques ;
- consultations spéciales pour les femmes attendant des jumeaux ;
- arrêt de travail très précoce ;
- traitement actif des toxémies gravidiques, maladie associant une hypertension artérielle et la présence d'albumine dans les urines ;
- repos au lit à l'hôpital de 28 à 33 semaines ;
- cerclage parfois ;
- prescription de bêtamimétiques en thérapeutique ou en prophylaxie ;
- accouchement rapide du second jumeau ;
- présence du pédiatre à l'accouchement.

On voit que G. Sholtes utilise, pour son protocole de suivi des patientes attendant des jumeaux, des mesures dont les essais contrôlés ont montré l'inefficacité. Toutefois, sa méthode étant prise de façon globale a un effet positif. L'amélioration des résultats de mortalité périnatale a été indiscutable : entre 1959 et 1972, il a observé dans son service une mortalité périnatale chez les jumeaux de 119 pour 1 000, entre 1972 et 1976, elle est tombée à 47 pour 1 000. Il existe d'autres études du même type que nous appelons les comparaisons historiques, et qui comparent des études effectuées avant et après celle de Sholtes ; elles montrent qu'une politique de prise en charge spécifique des grossesses gémellaires aboutit à une réduction très importante de la mortalité périnatale des jumeaux. Nous avons fait la même démonstration dans notre équipe. Toutefois, la méthode des comparaisons historiques est critiquable car, entre deux dates, beaucoup de choses peuvent changer ; notamment, on a du mal à faire la part des progrès de la prise en charge pédiatrique.

Osbourne et Patel ont montré que l'établissement d'une politique nouvelle en 1975 a permis d'obtenir une réduction de la prématurité avant 28 semaines et de la mortalité néonatale par prématurité. Ainsi, c'est bien en agissant sur un facteur obstétrical, la modification de la répartition des termes de naissance, que les résultats favorables ont été obtenus. Il y a eu, bien évidemment, dans le même temps, des progrès dans les soins des nouveau-nés et nous nous en réjouissons.

La prise en charge très particulière des grossesses gémellaires nous permet d'obtenir de bons résultats, alors que chacune des techniques de prévention étudiées de façon scientifique ne montre pas d'efficacité ; cela constitue le paradoxe des grossesses gémellaires. Il est important finalement que nous disposions de techniques de prévention. Ce qui est tout à fait frappant, c'est que les différents protocoles proposés par les différentes équipes s'intéressant aux grossesses gémellaires dans le monde présentent très peu de points communs ; on a l'impression que le point important est de s'intéresser aux grossesses gémellaires et qu'à partir de là, les résultats s'améliorent. Un autre point commun est la réduction des activités physiques dans la vie quotidienne.

La politique de prise en charge des grossesses multiples introduite en 1982 d'après notre expérience (encadré ci-dessous) a permis de réduire une fraction notable de la prématurité et d'améliorer les résultats en termes de mortalité périnatale et de morbidité.

Prise en charge des grossesses multiples

- **Diagnostic précoce.**
- **Réduction d'activité maternelle mais pas d'hospitalisation systématique.**
- **Pas de cerclage systématique.**
- **Suivi clinique et échographique au moins mensuel.**
- **Suivi par une sage-femme à domicile.**
- **Hospitalisation si menace d'accouchement prématuré ou autre complication (hypertension artérielle).**
- **Médicaments utilisés : supplémentation en fer et vitamine D et prescription de corticoïdes et tocolytiques en cas de menace d'accouchement prématuré.**

Cette politique comprend trois principaux éléments qui, curieusement, n'ont pas été testés par des essais contrôlés. Il s'agit :
— du dépistage précoce de la gémellité ;
— de la réduction des efforts physiques ;
— de l'examen régulier du col utérin.

Nous avons détaillé ces différentes mesures précédemment. Elles constituent la solution au paradoxe apparent posé par les grossesses gémellaires. Il n'y a pas d'intérêt à la réalisation d'un enregistrement des contractions utérines à domicile pour le dépistage des contractions en cas de grossesse multiple.

La menace d'accouchement prématuré

La menace d'accouchement prématuré (MAP) survient entre 22 et 36 SA révolues et se caractérise par l'association de modifications du col de l'utérus et de contractions utérines qui conduisent à l'accouchement prématuré, en l'absence d'intervention médicale. La MAP est la première cause d'hospitalisation pendant la grossesse. En cas de MAP, le risque réel d'accouchement prématuré est très variable selon les études, et compris entre 15 à 50 %.

Les principales causes

Les grossesses multiples sont considérées comme des causes de prématurité bien que les mécanismes précis ne soient pas clairement identifiés. Les autres causes des MAP sont nombreuses et souvent associées entre elles : infections, anomalies placentaires, béance du col... Des facteurs socio-économiques, psychologiques, environnementaux sont souvent corrélés à l'accouchement prématuré. Cependant, ils ne sont en règle générale pas retrouvés comme cause unique, ce qui n'exclut pas leur rôle. L'existence d'une MAP précédant la naissance prématurée n'augmente pas les risques pour les nouveau-nés, exception faite de l'infection intra-utérine très souvent liée à la MAP qui entraîne plus de lésions cérébrales chez l'enfant.

Parmi les techniques récentes ayant apporté une amélioration de la prise en charge des grands prématurés, la mise en œuvre d'une politique de transfert *in utero* des fœtus de moins de 33 SA vers des structures appropriées dotées à la fois d'une maternité et de services de réanimation néonatale et adulte est un facteur essentiel. Cela signifie que les prématurés ne doivent pas naître dans n'importe quelle maternité, mais dans une maternité adaptée à leur niveau de risque, c'est tout l'intérêt des réseaux de périnatalité.

Le transfert de la mère dans une maternité spécialisée

Les maternités sont, comme nous l'avons vu (page 38), classées en trois niveaux en fonction des soins à apporter aux nouveau-nés et à leur mère. Vous serez donc transférée d'une maternité de niveau I à une maternité de niveau II, qui associe une unité d'obstétrique à une unité de néonatologie permettant d'assurer vingt-quatre heures sur vingt-quatre la surveillance et les soins spécialisés des nouveau-nés à risque. Si besoin, le transfert se fait dans une maternité de niveau III, qui dispose en plus d'une unité de réanimation néonatale.

Il existe deux possibilités pour transférer un enfant en réanimation : soit après sa naissance dans une couveuse, soit avant sa naissance dans l'utérus maternel. C'est une façon un peu barbare, je vous l'accorde, de dire qu'on transfère la femme enceinte. Les jumeaux « grands prématurés » peuvent parvenir en réanimation néonatale, soit en naissant sur place en maternité de niveau III (on les dit *inborn*), soit en naissant dans une maternité de niveau I et II et en étant transférés après leur naissance (on les dit *outborn*).

Les réseaux de périnatalité

L'initiateur de l'organisation des systèmes de transport médicalisé des nouveau-nés est le néonatologiste américain Joe Butterfield. Dès 1976, le docteur Butterfield a souligné les difficultés et les limites du transport des enfants après la naissance (enfants *outborn*) et a proposé de transférer la mère avant l'accouchement (enfants *inborn*). Cette mesure a permis de limiter les risques de décès et de handicap des enfants issus de grossesses à haut risque d'accouchement prématuré. Cette politique a été appliquée dans de nombreux pays d'Europe et aux États-Unis, et ses effets rapportés dans la littérature médicale dès les années 1980.

L'expérience française est plus tardive. Elle débute en 1985 et s'installe lentement.

En 1994, le plan périnatalité paraît avec pour objectifs de diminuer de 30 % la mortalité maternelle et d'abaisser de 20 % la mortalité périnatale. Les décrets n° 98-899 et 98-900 du 9 octobre 1998 relatifs aux établissements de santé publics et privés pratiquant l'obstétrique, la néonatologie et la réanimation néonatale réorganisent les maternités et les conditions de prise en charge des nouveau-nés.

Ils précisent :

— le principe d'une organisation régionale des structures d'obstétrique et de néonatologie, notamment par le développement des réseaux ;
— le développement du transfert prénatal des femmes vers les maternités adaptées aux risques décelés pour elles-mêmes ou leurs enfants.

Dans le cadre de cette politique de régionalisation des soins périnatals, une évolution notable des pratiques de transfert *in utero* a pu, d'ores et déjà, être observée. Ainsi, pour les nouveau-nés de poids < 1 500 g ou de terme < 33 SA, le taux de transfert *in utero* est passé de 15 % en 1991 à 54 % en 1996. L'objectif pratiquement atteint aujourd'hui est de plus de 80 % [1]. L'application relativement récente d'une politique de transfert *in utero* a permis une diminution significative de la morbidité et de la mortalité périnatales, confirmant le caractère déterminant d'une prise en charge néonatale adaptée.

Les réseaux de périnatalité existent partout en France. Renseignez-vous dans votre maternité ou auprès de votre médecin. Les médecins des spécialités concernées apprennent à travailler ensemble. Le transfert *in utero* d'une menace d'accouchement prématuré (MAP) fait appel à l'action coordonnée d'équipes multidisciplinaires (obstétriciens, réanimateurs, pédiatres, anesthésistes, sages-femmes) qui doivent s'adapter aux spécificités de leur région.

Cette méthode peut vous éviter un transfert et un changement de maternité. Toutefois, elle n'est pas réalisable si vous habitez loin de la maternité de niveau III. Il faut dédramatiser... La naissance des jumeaux avant 33 SA survient dans 8 % des grossesses gémellaires. Naître en niveau III n'est donc pas indispensable dans 92 % des cas. Vous avez une chance sur deux d'accoucher après 37 SA et alors une maternité de niveau I, si elle correspond aux critères développés (voir « Les trois niveaux de soins des maternités » pages 38 et 307), convient tout à fait. Dans les autres cas, entre 33 et 37 SA, une maternité de niveau II est une bonne solution. L'important est que les maternités travaillent en réseaux.

La prise en charge médicale

En dehors des transferts *in utero*, différents traitements peuvent être effectués en cas de MAP.

L'infection intra-utérine est souvent liée à la MAP et à la survenue d'un accouchement prématuré. Son diagnostic n'est pas facile. Certains éléments peuvent orienter (fièvre maternelle, tachycardie fœtale...).

L'administration systématique d'une antibiothérapie n'est pas recommandée, sauf s'il existe une rupture prématurée des membranes. Les traitements locaux vaginaux systématiques n'ont pas fait la preuve de leur efficacité pour réduire la prématurité et les risques infectieux materno-fœtaux.

---

1. F. Audibert, M. Vial, S. Taylor *et al.*, « Régionalisation des soins périnatals et transfert *in utero* », *Presse Med.*, 1999, 38, 28, p. 2109-2112.

La plupart des tocolytiques, médicaments anticontractions, prolongent la grossesse en diminuant le pourcentage d'accouchement quarante-huit heures après le début du traitement. Ce traitement peut être commencé dès la 24 SA et même en cas de dilatation avancée : jusqu'à 5 ou 6 cm. Il n'y a pas de bénéfice à le poursuivre au-delà de quarante-huit heures. Il permet d'utiliser la corticothérapie pour accélérer la maturation pulmonaire fœtale.

Les médicaments contre les contractions

Ce sont les bêtamimétiques, les antagonistes de l'ocytocine, les anti-inflammatoires non stéroïdiens, les inhibiteurs calciques, mais certains de ces médicaments ont des effets secondaires :

— les anti-inflammatoires non stéroïdiens sont efficaces mais leurs effets secondaires fœtaux et néonatals sont trop graves pour qu'on les utilise (en dehors de situations très exceptionnelles) ;

— les bêtamimétiques exposent à un risque accru de complications cardiovasculaires, notamment d'œdème aigu du poumon, en cas de grossesse multiple ;

— les antagonistes de l'ocytocine et les inhibiteurs calciques ont une tolérance maternelle supérieure à celle des bêtamimétiques, mais du fait de complications apparues récemment avec ces derniers, le choix du traitement de première intention en cas de grossesse gémellaire ou plus oriente de nombreuses équipes vers les antagonistes de l'ocytocine.

La corticothérapie

Un des principaux risques de la prématurité est une maladie des poumons appelée maladie des membranes hyalines. Un médicament corticoïde a une efficacité prouvée pour diminuer le risque de survenue de cette maladie : la bêtaméthasone (Célestène®).

Les bénéfices d'une cure unique de bêtaméthasone, pour l'ensemble des grossesses, sont considérables :

— réduction de 40 % de la mortalité néonatale ;

— réduction de 50 % des maladies des membranes hyalines.

L'efficacité de la bêtaméthasone par voie intramusculaire est démontrée à partir de vingt-quatre heures après le début du traitement et persiste au moins jusqu'à sept jours, mais elle peut exister avant vingt-quatre heures et après sept jours. Le traitement doit être débuté dès le diagnostic de MAP, éventuellement avant le transfert *in utero*.

Une cure comporte deux injections à vingt-quatre heures d'intervalle. L'habitude ancienne était de renouveler les cures chaque semaine. La tendance actuelle est de n'utiliser qu'une cure de corticoïdes, deux au grand maximum.

Le plus souvent, la naissance de jumeaux, triplés ou plus est un phénomène heureux. Toutefois, il existe des circonstances tragiques autour des naissances multiples. Cet ouvrage s'adresse à un large public non spécialisé et il n'est pas traditionnel dans les guides de la grossesse de mettre le doigt sur les événements tragiques. La lecture des ouvrages destinés aux femmes enceintes peut vous en persuader. Nous ne partageons pas ce parti pris malhonnête et nous avons décidé d'aborder ici des sujets tristes : le retard de croissance intra-utérin, le syndrome transfuseur-transfusé, le diagnostic d'une malformation chez un jumeau pendant la grossesse, la naissance des siamois, la mort d'un jumeau.

Le retard de croissance

Après la prématurité, le deuxième grand problème des grossesses gémellaires est le retard de croissance intra-utérin (RCIU) d'un ou des deux jumeaux. Tout d'abord nous devons expliquer ce que nous entendons par retard de croissance intra-utérin. Le RCIU aboutit à un poids de naissance trop faible, inférieur au dixième percentile, en se basant sur des tables réalisées à partir de grossesses uniques.

Un jumeau sur deux a un petit poids de naissance

Vous avez dit percentile ?

Pour un terme de naissance donné, le poids des enfants est variable. La répartition des différents poids de naissance des enfants se fait selon une courbe de Gauss. Les enfants les plus menus ont le plus de problèmes et on a décidé de façon conventionnelle que si l'enfant appartenait au groupe des 10 % des plus petits, il était hypotrophe, et s'il était dans le groupe de 10 % des enfants les plus gros, il était macrosome.

Des courbes de poids en fonction de l'âge gestationnel ont été établies pour des grossesses uniques. Ainsi, 10 % des enfants uniques sont hypotrophes. Il n'en va pas de même pour les jumeaux. Environ un jumeau sur deux est hypotrophe car son poids de naissance est situé au-dessous du dixième percentile. Ceci nous amène à nous poser une question : l'hypotrophie a-t-elle la même signification pour un jumeau que pour un enfant unique ? Ce point est largement discuté parmi les obstétriciens. Il est prouvé que le risque de maladie liée à ce faible poids de naissance est moindre pour un jumeau que pour un enfant unique de même poids. Il semble aussi que les jumeaux souffrent moins du retard de croissance que ne le ferait un enfant unique. Par contre, pour les pédiatres, une fois que l'enfant est né, il est considéré comme un enfant unique ; il est donc logique de comparer son poids par rapport aux courbes établies pour les enfants uniques.

Dans les grossesses gémellaires, il faut également faire intervenir la notion d'hypotrophie relative. En effet, même si les deux jumeaux sont situés au-dessus du dixième percentile, on peut observer entre eux une grande disparité : il existe un petit jumeau et un gros jumeau. On considère que cette hypotrophie relative est grave lorsque le plus petit des deux a un poids de naissance inférieur à 15 %

de celui du plus gros. Habituellement, en cas de grossesse gémellaire, le retard de croissance apparaît au troisième trimestre de la grossesse. La cause de ce retard de croissance intra-utérin des jumeaux est mal connue. On peut se demander si elle est liée à la limitation des apports venant de la mère ; malgré tous ses efforts, elle n'arrive pas à apporter deux fois ce qu'elle apporte en cas de grossesse unique. Lorsqu'un des deux jumeaux meurt précocement *in utero*, le potentiel de croissance du jumeau survivant est alors identique à celui des enfants uniques.

Le retard de croissance intra-utérin représente la deuxième cause de mortalité périnatale des jumeaux. Parallèlement, il est responsable d'une morbidité accrue.

Les conséquences en termes de morbidité et de mortalité périnatales pour un jumeau hypotrophe semblent comparables à celles d'un singleton de même poids et de même terme.

Le diagnostic est fait à l'échographie

Le diagnostic du retard de croissance se fait à la naissance au moyen d'une balance. Toutefois, il est essentiel de diagnostiquer précocement, pendant la grossesse, l'hypotrophie fœtale. Pour cela, nous disposons d'un outil fabuleux : l'échographie. L'échographiste sera très attentif précocement, afin de diagnostiquer le terme de la grossesse par la mesure de la longueur craniocaudale des deux embryons, puis régulièrement, chaque mois, il mesurera le diamètre bipariétal (BIP), le périmètre abdominal (PA), le diamètre abdominal transverse (DAT) et la longueur du fémur des deux jumeaux.

Le meilleur reflet de la croissance fœtale est donné par la mesure du périmètre abdominal. Il existe aussi des formules d'estimation du poids fœtal qui combinent les principales mesures échographiques.

Le diagnostic d'un retard de croissance intra-utérin chez l'un des jumeaux ou chez les deux jumeaux entraîne des mesures obstétricales précises et tout d'abord la surveillance rapprochée : l'hospitalisation avec un repos allongé semble ici la meilleure méthode. La patiente doit se reposer, couchée sur le côté gauche le plus souvent possible, ce qui permet de mieux oxygéner ses deux bébés. Après une analyse diététique soigneuse, on lui prescrit un régime supplémenté en fer. On recherche une cause à l'hypotrophie fœtale et surtout on surveille la santé des deux bébés.

Les principales causes

Tout dépend de la chorionicité. On note que devant une grossesse monochoriale, il s'agit avant tout de rechercher un syndrome transfuseur-transfusé ; en cas de grossesse bichoriale, les étiologies sont les mêmes que lors d'une grossesse unique (tabagisme, primiparité, ethnie, poids maternel avant la grossesse et prise de poids au cours de celle-ci, toxémies gravidiques, anomalies chromosomiques fœtales, embryofœtopathies infectieuses).

La nécessité d'une surveillance rapprochée

Les principaux moyens de surveillance des grossesses uniques sont appliqués aux jumeaux.

La mesure des index de résistance des artères utérines (ou Doppler utérin) est effectuée à 22-24 SA pour prédire le risque de survenue d'une hypotrophie.

Les courbes de croissance sont utilisées pour surveiller la croissance fœtale :
— par le même opérateur ;
— avec des intervalles d'au moins dix jours entre deux échographies.

L'étude hémodynamique des artères ombilicales et cérébrales a la même signification qu'au cours des grossesses uniques, aussi bien en termes de prédiction de survenue d'une hypotrophie que d'évaluation d'une souffrance fœtale par hypoxie.

Le bien-être fœtal est apprécié par :

- Les quantités de liquide amniotique à l'échographie.
- Le profil biophysique de Manning, qui attribue 2 ou 0 points à chacun des cinq paramètres échographiques suivants :

— accélération de la fréquence cardiaque lors de mouvements,
— mouvements fœtaux,
— tonus musculaire,
— mouvements thoraciques,
— quantité de liquide amniotique,
— un score à 10 signifie « fœtus en bonne santé ».

- L'enregistrement du rythme cardiaque fœtal des deux jumeaux.

Leurs interprétations sont comparables à celles effectuées pour les singletons.

Quel est le traitement ?

On a tout essayé. On connaît une seule situation où la croissance fœtale peut redémarrer, c'est lorsqu'une femme enceinte s'arrête de fumer... En cas de souffrance de l'un des enfants, à condition que l'on ait pu atteindre un terme correct et un poids estimé suffisant, on prend la décision de faire naître les bébés, le plus souvent par césarienne.

Le problème essentiel est alors celui de la prématurité, et donc du risque de maladie grave, du fait de l'absence de maturité, en particulier des poumons. De notre expérience, dans un premier temps, nous avons extrait des enfants précocement dès que le risque de poursuivre la grossesse nous semblait trop important pour l'enfant le plus petit. Cependant, les problèmes d'immaturité pulmonaire graves sont survenus chez le plus gros des deux bébés. Nous avons alors dû réviser nos conduites. Actuellement, les décisions sont prises en collaboration avec les pédiatres et au cas par cas, en estimant le bénéfice attendu de la poursuite de la grossesse comparée aux risques encourus pour les deux fœtus si une décision d'extraction est prise.

Il apparaît évident qu'une hypotrophie sévère entraînant une souffrance fœtale aiguë avec un deuxième jumeau parfaitement eutrophique ne sera pas traitée à 27 SA comme à 34 SA. Il n'existe pas à l'heure actuelle d'étude comparant les différents critères d'extraction et encore moins recherchant à évaluer leur pertinence sur le pronostic périnatal. En règle générale et avant 34 SA, en dehors d'une urgence maternelle, le délai de quarante-huit heures nécessaire à l'efficacité de la corticothérapie prophylactique doit être respecté.

L'hypertension artérielle de la mère

L'hypertension artérielle est trois fois plus fréquente au cours des grossesses gémellaires qu'au cours des grossesses uniques. Toutefois, la conduite à tenir nous semble identique à celle que nous proposons en cas de grossesse unique : il faut en faire le diagnostic précoce, c'est-à-dire qu'il est indispensable de mesurer la pression artérielle de toutes les femmes enceintes. Le premier traitement est le repos sous surveillance médicale : on contrôle les chiffres tensionnels, la fonction rénale de la patiente et la croissance des deux bébés. En cas de besoin, on peut utiliser les médicaments antihypertenseurs. Si cette hypertension résiste au traitement médical ou si elle s'accompagne d'un retard de croissance intra-utérin important des deux bébés, une extraction prématurée peut être décidée.

Ainsi, la prématurité avant tout, mais aussi le retard de croissance intra-utérin et l'hypertension artérielle nous semblent être les principales complications non spécifiques, mais fréquentes et préoccupantes, au cours des grossesses gémellaires.

Le jumeau transfuseur et le jumeau transfusé

Le témoignage de Magali

« Janvier 2000 débute pour notre famille dans la joie et le bonheur. Déjà parents d'Émeline, 7 ans et demi, et d'Anthony, 4 ans, un troisième enfant devrait voir le jour fin août. Pour le gynécologue, pas de doute possible, il s'agit d'une grossesse gémellaire monozygote monochoriale. La stupeur des premiers instants passée, nous nous réjouissons à l'idée de l'arrivée prochaine de ces deux bouts de chou, même si cela va bouleverser un tant soit peu notre vie familiale. Les jours suivants, nous commençons à nous projeter dans l'avenir et à l'envisager avec deux enfants de plus. Pour moi, tout se passe bien. À partir de 14 semaines, quelques petites contractions se font sentir en fin de journée mais dans l'ensemble tout va bien.

Les choses vont commencer à se compliquer vers 15 semaines de grossesse. Je prends subitement 3 kg en quelques jours et mon ventre devient très volumineux.

Refusant de céder à la panique, je me dis que c'est peut-être normal dans le cadre d'une grossesse gémellaire. Les contractions persistent et deviennent même plus fréquentes. Mon obstétricien me recommande beaucoup de repos, associé à des antispasmodiques.

À 16 semaines de grossesse, visite chez le gynécologue qui me fait une nouvelle échographie. Les bébés vont bien, ils profitent bien, mais un des deux présente un excès de liquide amniotique, tandis que son jumeau semble en manquer. La hauteur utérine est de 29 cm. Ce chiffre m'interpelle à ce stade de la grossesse. Le gynécologue paraît préoccupé et me conseille un maximum de repos. Les jours suivants vont être extrêmement difficiles, aussi bien sur le plan physique que psychologique. Ma prise de poids s'accentue, la hauteur utérine continue d'augmenter. La semaine suivante, des douleurs aux côtes apparaissent, m'empêchant même de dormir la nuit, je suis très essoufflée et les contractions deviennent de plus en plus fréquentes et même régulièrement douloureuses. Je prends alors conscience que quelque chose ne "tourne pas rond" et décide d'appeler le CHU de Grenoble où, après avoir expliqué ma situation, j'obtiens un rendez-vous le surlendemain pour une échographie et une consultation.

23 mars : échographie au CHU et là, le verdict tombe, tel un couperet : syndrome transfuseur-transfusé. L'obstétricien veut m'hospitaliser sur-le-champ. Je lui demande de m'accorder quelques heures pour organiser la prise en charge de mes deux grands. C'est donc le lendemain à 8 h que je me présente, accompagnée de mon mari, dans le service de médecine materno-fœtale du CHU où nous sommes très bien pris en charge par l'ensemble de l'équipe soignante. Les médecins sont très disponibles et répondent à toutes nos questions. Nous apprenons que notre situation n'est pas forcément irrémédiable.

Deux possibilités s'offrent à nous : soit une ponction du liquide amniotique en excès chez le transfusé (en sachant que cette opération sera à renouveler régulièrement, car elle ne soigne pas la pathologie), soit une intervention chirurgicale au laser sur le placenta. En accord avec l'équipe médicale du CHU et le professeur Ville (le seul médecin en France à pratiquer cette intervention), je peux bénéficier de la fœtoscopie avec coagulation des anastomoses placentaires, en ayant conscience qu'à l'issue de l'intervention, nous n'avons qu'une chance sur trois de sauver nos deux bébés, et deux chances sur trois d'en sauver un.

Le 26 mars, mon mari et moi prenons la direction de Paris en train (le seul moyen de locomotion qui m'est autorisé) pour nous rendre dans le service du professeur Ville, au centre hospitalier intercommunal de Poissy.

Le 27 mars, en fin de matinée, l'intervention a lieu sous anesthésie locale. Deux incisions sont pratiquées au niveau du bas-ventre : une pour y introduire l'endoscope et une autre pour le laser. Dans mon cas, dix anastomoses artério-veineuses et deux anastomoses artério-artérielles sont coagulées, suivies d'un drainage de 2,5 l d'excès de liquide amniotique chez le transfusé.

À l'issue de cette opération, soulagement ! Nos bébés ont parfaitement bien supporté l'intervention et mes douleurs aux côtes, devenues insupportables, ont disparu : la première étape est franchie avec succès. Le lendemain, après une nouvelle échographie satisfaisante, nous quittons Poissy, direction Grenoble, où nous retrouvons nos deux grands enfants.

Et là débute une longue attente d'une semaine. Le 4 avril, une échographie de contrôle nous confirme la réussite de l'intervention, les deux bébés sont en pleine forme, leurs vessies sont normales et bien visibles, et la quantité de liquide amniotique est normale pour les deux. Nos deux petits garçons se sont battus comme des chefs et, ce jour-là, je suis convaincue que, coûte que coûte, quels que soient les efforts à fournir, je mènerai cette grossesse le plus près possible de son terme.

Depuis quelques jours, je me sens beaucoup mieux, moins oppressée, moins lourde, je me déplace plus aisément, même si mon utérus contracte toujours plus ou moins.

Durant les trois mois et demi qui suivent, deux menaces d'accouchement prématuré sont stoppées à temps par des hospitalisations avec repos complet.

Et puis, le 21 juillet à 3 h 30, je "perds les eaux" et c'est avec sérénité que nous prenons le chemin de l'hôpital car, aujourd'hui, je suis à 35 semaines et demie de grossesse et je suis prête à accueillir mes deux petits garçons. L'accouchement se déroule sans problème sous péridurale.

À 13 h 13, Baptiste pointe son nez et crie très fort du haut de ses 46,5 cm pour 2 320 g et sept minutes plus tard, c'est au tour d'Aurélien de nous montrer sa frimousse. Il pèse 2 220 g pour 45,5 cm. Après un transfert de trente-six heures en néonatalogie, pour s'assurer que tout va bien, Baptiste et Aurélien me rejoignent et, là, c'est une page qui se tourne, et une nouvelle vie qui commence pour nous six.

Aujourd'hui, quatre ans et demi après, Baptiste et Aurélien vont parfaitement bien et ne souffrent d'aucune séquelle. »

Une anomalie dans la communication des vaisseaux

Du fait de communications des vaisseaux sanguins entre les deux placentas, le jumeau dit « transfuseur » donne son sang au jumeau dit « transfusé ». On aboutit à la naissance de deux jumeaux de poids différents : l'un gros, l'autre maigre. Le jumeau transfuseur est anémié, il est maigre et pâle. Le jumeau transfusé est rouge et plus gros que son frère. Il présente des œdèmes. Cette inégalité se retrouve au niveau des organes : le cœur, le foie et les reins du jumeau transfusé sont plus volumineux que ceux du jumeau transfuseur.

Ce syndrome est une complication spécifique qui survient dans sa forme typique dans 15 % des grossesses monochoriales. Il apparaît le plus souvent au deuxième trimestre de la grossesse (âge gestationnel moyen au moment du diagnostic : 20 SA) et est diagnostiqué à l'échographie par une discordance de croissance des jumeaux. Le jumeau transfuseur présente un retard de croissance associé en général à un oligoamnios et une vessie non visible. Le jumeau transfusé présente en général une biométrie supérieure au quatre-vingt-dixième percentile, des œdèmes diffus, une hypertrophie des organes.

L'origine de ce syndrome est complexe et mal connue, elle ne sera pas détaillée ici. Elle repose sur un nombre diminué d'anastomoses artério-artérielles entre les circulations placentaires des deux jumeaux, des perturbations vasculaires et volémiques ainsi que des troubles de la diurèse fœtale jouant un rôle essentiel dans l'installation et l'aggravation du syndrome.

Le risque majeur est la mort *in utero* du jumeau transfuseur, qui peut s'accompagner de complications chez le jumeau survivant (nous y reviendrons). L'hydramnios parfois important chez le jumeau transfusé peut lui aussi avoir des conséquences graves sur le pronostic obstétrical (rupture prématurée des membranes, avortement du deuxième trimestre, accouchement prématuré).

Lors de STT sévères (apparaissant avant 26 SA), deux traitements ont amélioré le pronostic fœtal :

— l'amnioréduction (il s'agit de prélèvements répétés de liquide amniotique chez le jumeau présentant un hydramnios) ;
— la coagulation endoscopique au laser des vaisseaux placentaires communicants.

En 2004, le premier essai contrôlé multicentrique comparant ces deux techniques (étude Eurofœtus) conclut à une efficacité supérieure en terme de mortalité périnatale de la coagulation au laser sur l'amnioréduction. Les cas sont rares et une seule équipe par pays prend en charge ce type de traitement hyperspécialisé. En France, ce traitement par laser a été mis en place à Poissy par le professeur Yves Ville. Le traitement par laser permet de sauver 50 % des jumeaux alors que les pertes fœtales sont de 90 % en l'absence de traitement.

La nécessité du diagnostic précoce

Au début de la grossesse, il importe de dépister les grossesses gémellaires et de définir le type chorial. Cela revient à dépister précocement les grossesses monochoriales. Parmi ces grossesses, il faut alors dépister les syndromes transfuseur-transfusé débutants, devant une discordance de croissance, un petit excès de liquide. À 12 SA, un signe a été proposé : la mesure de la nuque fœtale. Une différence de mesure supérieure à 0,7 mm est en faveur de la survenue d'un syndrome transfuseur-transfusé. Il est important de faire un dépistage précoce de ce syndrome afin d'avoir le temps d'organiser le traitement.

Une anomalie chez un jumeau

La découverte d'une anomalie grave chez un jumeau pose aux médecins et aux futurs parents des questions difficiles à résoudre sur le plan médical, mais aussi psychologique et éthique.

Le diagnostic prénatal est organisé en France par les Centres pluridisciplinaires de diagnostic prénatal (CPDPN), centres agréés regroupant des médecins spécialisés d'origines diverses : gynécologues-obstétriciens, échographistes, généticiens et pédiatres. C'est une commission consultative dont l'avis est indispensable en cas de demande d'interruption médicale de grossesse dans le cadre de la loi française, mais aussi dans des situations plus favorables où une prise en charge médicale ou chirurgicale du ou des enfants est possible.

Le conseil génétique

Il doit être proposé à tous les couples désireux de connaître les possibilités de diagnostic anténatal et en particulier :
— aux femmes âgées de 38 ans ou plus ;
— s'il y a un antécédent familial ou personnel d'enfant malformé ;
— s'il y a dans la famille un enfant ou un parent porteur d'une anomalie chromosomique ;
— en cas d'antécédent d'affection congénitale héréditaire ou à risque de récurrence.

Le recueil des informations concernant les personnes atteintes dans la famille est primordial et nécessite souvent une enquête familiale longue et poussée, car le conseil génétique vise à porter un diagnostic précis sur l'affection. Il doit être idéalement réalisé avant la mise en route d'une grossesse.

Le conseil génétique a pour but d'expliquer au couple les risques de survenue de l'affection, ses possibilités de diagnostic anténatal avec ses difficultés et ses risques, les mesures préventives éventuelles et les conséquences du diagnostic.

Le choix du mode de diagnostic prénatal est fait après le conseil génétique. L'échographie est une étape préalable indispensable avant la réalisation de prélèvements, afin de préciser le terme exact de grossesse et de visualiser le fœtus et d'éventuelles malformations. L'amniocentèse reste l'examen de référence du fait du risque peu élevé de complications.

L'échographie

Elle apporte de multiples renseignements sur le déroulement de la grossesse et représente un outil indispensable du dépistage des malformations et anomalies chromosomiques.

À partir de 12 SA, l'étude morphologique du fœtus est précise et permet de dépister la grande majorité des anomalies. Toutefois, c'est vers 22 SA que l'analyse morphologique est la plus fine. Elle peut être répétée en cas de malformation familiale récurrente, d'antécédents de syndromes polymalformatifs, ou d'anomalie clinique (hauteur utérine insuffisante ou excessive, anomalie des mouvements actifs fœtaux, pathologies maternelles comme le diabète ou le lupus, infection maternelle de type rubéole, toxoplasmose ou cytomégalovirus).

Elle est également indispensable à la réalisation des différents prélèvements fœtaux puisque tous sont réalisés sous contrôle échographique afin de diriger le geste et de s'assurer de l'absence de complications. Les risques inhérents dépendent du type de prélèvement mais aussi de l'expérience de l'opérateur.

Quel que soit l'examen pratiqué, il est impératif d'assurer une prévention de l'iso-immunisation rhésus, si vous êtes rhésus négatif, par injection de gammaglobulines anti-D.

L'amniocentèse

Elle est réalisée de manière optimale à 14-15 SA et consiste à prélever une petite quantité de liquide amniotique (1 ml par semaine d'aménorrhée) où flottent des cellules fœtales desquamées qui sont mises en culture. Il faut deux semaines pour connaître le caryotype obtenu après étude de ces cellules.

Les complications de ce geste sont faibles. Elles peuvent être maternelles (infection, hématome) ou fœtales (1 à 2 %) : blessures, mort fœtale, fissuration des membranes, avortement.

En cas de grossesse bichoriale-biamniotique, il faut prélever les deux poches en les repérant soigneusement. Les grossesses monochoriales-biamniotiques sont toujours MZ : il est donc possible d'envisager une seule ponction.

La biopsie de villosités choriales

Ce prélèvement concerne le trophoblaste, structure qui donnera le placenta. Sa réalisation est plus précoce, vers 11-13 SA. Elle peut se faire par voie abdominale (quantité prélevée moindre) ou par voie vaginale : 5 mg de villosités choriales doivent être prélevés. Les premiers résultats par examen direct sont obtenus en deux heures, mais les cellules sont également mises en culture dans un milieu spécifique à 37 °C pour une confirmation du résultat donné par l'examen direct.

Le risque de pertes fœtales en cas de grossesse gémellaire serait plus faible que celui de l'amniocentèse.

La ponction de sang fœtal

La ponction du cordon ombilical sous contrôle échographique afin de prélever du sang fœtal n'a pratiquement plus d'indication aujourd'hui.

Le caryotype

Il consiste à étudier le nombre et la morphologie des chromosomes et il permet de déterminer le sexe du fœtus.

Le résultat est plus ou moins rapide selon le type de prélèvement effectué :

— les cellules fœtales vivantes en suspension dans le liquide amniotique sont rares et la culture est nécessaire pour obtenir un caryotype en sept à vingt et un jours ;

— l'examen direct des villosités choriales permet d'avoir un résultat dans la journée ; il est systématiquement vérifié par une étude sur cultures cellulaires, pour éviter le risque d'erreur et dépister les anomalies minimes.

Il existe d'autres examens très spécialisés permettant le diagnostic de maladies spécifiques :

— le diagnostic de maladie métabolique est effectué seulement dans quelques laboratoires spécialisés en France et en Europe ; ils pratiquent la recherche de déficits enzymatiques à partir de villosités choriales ;
— le diagnostic génique nécessite une étude familiale préalable afin d'identifier l'anomalie qui est ensuite recherchée sur l'ADN fœtal obtenu à partir de villosités choriales ou de liquide amniotique ;
— les dosages biochimiques permettent le dosage de nombreuses substances dans le liquide amniotique. Leur taux varie en fonction du terme de grossesse, et leurs anomalies font suspecter une pathologie fœtale, le dosage de l'acétylcholinestérase en cas de défaut de fermeture du tube neural et celui de la 17-hydroxyprogestérone dans l'hyperplasie congénitale des surrénales ; certaines anomalies des enzymes digestives sont associées à des pathologies abdominales fœtales, comme l'occlusion intestinale.

L'interruption sélective de grossesse

La fréquence des malformations congénitales est multipliée par trois lors d'une grossesse gémellaire monozygote par rapport à une grossesse unique (elle est non modifiée en cas de grossesse dizygote). Le diagnostic de la malformation repose sur le dépistage échographique qui est proposé à toutes les femmes enceintes. La découverte d'une malformation grave qui justifierait le recours à l'interruption médicale de grossesse, si la grossesse était unique, pose en cas de grossesse gémellaire des problèmes pratiques, éthiques et psychologiques complexes. La réalisation d'une interruption médicale de grossesse aboutirait dans ce cas à la suppression du jumeau mal formé, mais aussi du jumeau normal. Elle est donc inenvisageable. Il existe une autre possibilité : nous sommes en mesure de réaliser des interruptions sélectives de grossesse du jumeau malformé. La technique de réalisation dépend de la chorionicité. Cette décision est prise avec les parents dont l'accompagnement et l'information sont essentiels et ne se conçoit que dans le cadre d'un Centre pluridisciplinaire de diagnostic prénatal (CPDPN).

Karine a 39 ans, elle attend des jumeaux. Elle désire toutefois réaliser une amniocentèse à cause de son âge. À 17 semaines d'absence de règles, l'amniocentèse sur la première poche, puis l'amniocentèse sur la deuxième poche sont réalisées. Trois semaines plus tard, le résultat parvient. Le jumeau A présente un caryotype normal. Le jumeau B présente une trisomie 21 (mongolisme). Il est dans ce cas envisageable, lorsque les parents le réclament, de réaliser une interruption sélective de la grossesse. La technique consiste en réalité à interrompre la vie du fœtus atteint, par ponction sous contrôle échographique. Le point essentiel est évidemment d'être capable de reconnaître sans aucun doute possible le fœtus atteint. Cela est facile en cas de malformation évidente à l'échographie ou lorsque les sexes des bébés sont différents. S'il s'agit d'anomalie chromosomique ou génétique, il faut être capable de repérer parfaitement la position des deux fœtus.

Après interruption sélective de grossesse, il faut suivre avec attention la croissance du fœtus survivant, le risque d'infection ou de rupture des membranes n'est pas nul, et le risque est alors l'avortement. Il faut préciser que ce type d'intervention est réalisé uniquement en cas de grossesse bichoriale car, comme nous l'avons vu, en cas de grossesse monochoriale, des communications vasculaires peuvent exister au niveau des placentas entre les deux fœtus et il n'est pas envisageable d'injecter un produit toxique dans la circulation de l'un puisque ce produit atteindrait inévitablement le second jumeau.

L'un des jumeaux peut être atteint d'une malformation pour laquelle un traitement à la naissance est possible. Nous avons suivi récemment une patiente dont l'un des jumeaux présentait une transposition des gros vaisseaux. Il s'agit d'une malformation cardiaque curable chirurgicalement. La grossesse a donc continué sous surveillance attentive. La patiente a accouché à 37 semaines d'absence de règles. Elle est restée à la maternité avec le bébé normal alors que le jumeau porteur de la cardiopathie était transféré dans un centre de chirurgie cardiologique. Il a été opéré et se porte bien.

Les siamois

Les siamois sont des frères jumeaux monozygotes soudés l'un à l'autre.

Le Siam est l'ancien nom de la Thaïlande. Les frères Chang et Eng sont nés au Siam en 1811, liés par le thorax par une sorte de bande de peau. On les a appelés les « frères siamois ». Ils ont depuis donné leur nom à l'ensemble des jumeaux conjoints. Chang et Eng signifient en langue thaïe gauche et droite. Tout petits, ils ont été achetés par un marchand anglais nommé Henter, de passage au Siam, qui les a emmenés à Boston. Henter les a exhibés dans les cirques, en particulier chez Barnum. Frédéric Lepage, dans son livre *Les Jumeaux*, précise : « Contrairement à une croyance largement répandue au XIXe siècle et au début du XXe, les célèbres frères siamois étaient doués d'une autonomie neurologique et psychologique. Ils pouvaient donc se différencier comme le font les vrais jumeaux, dans leurs attitudes et comportements. » Le numéro burlesque de Chang et Eng au cirque Barnum était bien codifié. Ils marchaient, Chang faisait semblant de trébucher entraînant son frère dans sa chute. Le comble du comique était réalisé lorsque Chang et Eng se disputaient, se battaient, faisaient mine de vouloir se séparer. Chang et Eng se sont mariés à deux sœurs, Adélaïde et Sarah Hake, filles de pasteur. Sarah et Chang eurent cinq enfants, Adélaïde et Eng six enfants. Ils s'établirent avec leurs épouses comme fermiers en Caroline du Nord. À la suite de problèmes financiers, ils durent malheureusement reprendre leurs tournées dans les cirques. Chang devint alcoolique. Le 17 janvier 1874, il mourut d'une embolie pulmonaire. Son frère dormait et ne s'aperçut de rien. Au réveil, le chagrin de Eng fut terrible, il pleura son frère pendant des heures avant de mourir à son tour.

Aujourd'hui encore, on assiste, çà et là dans le monde, à des naissances de siamois. Des interventions d'une grande complexité sont tentées, visant à séparer les deux frères ou les deux sœurs. Ces opérations ont un retentissement extraordinaire dans les médias et dans la presse populaire. La survenue d'enfants doubles est une éventualité exceptionnelle estimée à 1 naissance pour 75 000. Elle est rencontrée dans 1 % des cas de jumeaux monozygotes. Le plus souvent il s'agit de filles (70 %).

Depuis Ambroise Paré, plusieurs classifications et descriptions de siamois ont été réalisées. Généralement, les deux individus paraissent complets et réunis par une zone précise. On distingue les thoracopages réunis par la région thoracique (70 %), les pygopages réunis par la région sacrée (18 %), les ischiopages réunis par la région pelvienne (6 %), les craniopages réunis par la tête (2 %).

Dans ces formes, on pourrait imaginer une séparation chirurgicale, toutefois celle-ci est le plus souvent impossible car les jumeaux ont en commun des organes essentiels à la vie, par exemple le cœur ou le foie.

Dans d'autres cas, la séparation chirurgicale n'est même pas envisageable car les deux individus distincts ne sont pas individualisables. C'est le cas des jumeaux dicéphales qui possèdent un seul tronc ou monocéphales, avec une seule tête à deux faces (comme Janus), un seul tronc et quatre membres.

Actuellement, grâce à l'échographie, on est en mesure de diagnostiquer très précocement ce type de malformation. Une interruption médicale de grossesse peut être réalisée.

La mort d'un jumeau

La mort *in utero* d'un fœtus n'est pas exceptionnelle au cours des grossesses multiples. Les causes sont nombreuses et souvent superposables à celles de la mort *in utero* en cas de grossesse unique : maladie vasculaire de la mère (hypertension artérielle) responsable d'une insuffisance d'apports par le placenta. Dans d'autres cas, il existe des causes particulières aux grossesses multiples : syndrome transfuseur-transfusé, enroulement des cordons lors d'une grossesse monoamniotique. Nous ne disposons évidemment d'aucun moyen pour prévenir la mort d'un jumeau pendant la grossesse en dehors des cas où, au troisième trimestre, un grand retard de croissance d'un des jumeaux peut être dépisté. Nous décidons alors de faire naître prématurément les deux bébés afin de protéger celui qui est en danger. On est alors confronté à des difficultés pour apprécier le risque pour le jumeau survivant. En cas de grossesse dizygote, le jumeau survivant est exposé aux mêmes risques qui ont entraîné la mort de son frère, il est donc également en danger. En cas de grossesse monozygote, c'est la communication entre les deux circulations qui fait courir au survivant un risque tout à fait particulier.

La fréquence de la mort *in utero* d'un fœtus au cours d'une grossesse multiple semble comprise, d'après les différentes études réalisées, entre 2 et 7 %. Rappelons qu'elle est très supérieure aux risques de mort *in utero* en cas de grossesse unique, qui est de l'ordre de 6 pour 1 000 grossesses.

Quels sont les risques pour le jumeau survivant ?

Le risque est celui de la prématurité car la naissance survient avant 37 SA dans 80 % des cas et avant 33 SA (prématurité grave) dans 40 % des cas.

Ce que l'on craint le plus, c'est la survenue de lésions graves chez le survivant, en particulier du cerveau et du rein en cas de grossesse gémellaire monochoriale, en raison des anastomoses qui permettent la communication entre les circulations sanguines des deux jumeaux. Les lésions observées sont surtout neurologiques, mais aussi digestives, rénales et plus rarement cutanées ou pulmonaires. Il s'agit d'un véritable infarctus cérébral résultant d'une chute importante du débit des artères du cerveau. Cette destruction de certaines zones du cerveau est appelée « porencéphalie » et est visible à l'échographie ou à l'IRM (imagerie par résonance magnétique).

Pour éviter tout risque chez le jumeau survivant, il est important tout d'abord de préciser la chorionicité. En cas de grossesse bichoriale, la précaution fondamentale est la prévention de la prématurité. En cas de grossesse monochoriale, la prise en charge du jumeau survivant est particulièrement délicate.

Actuellement, le mécanisme exact des troubles circulatoires observés chez le jumeau survivant reste incertain : l'hypothèse la plus couramment admise est celle d'une hémorragie aiguë du jumeau survivant vers l'organisme du jumeau décédé. Ce qui provoque hypovolémie et anémie chez le cojumeau survivant, lesquelles sont responsables des lésions viscérales dans les heures qui suivent le décès d'un des jumeaux. Dans cette conception, il est bien sûr vain d'espérer prévenir ces lésions par une intervention postérieure au décès !

L'attitude la plus largement adoptée consiste dans la surveillance ultérieure du cojumeau survivant par échographie et IRM pratiquée trois semaines après le décès du cojumeau. La découverte d'une anomalie cérébrale fait alors discuter une interruption médicale de la grossesse.

Comment la mère peut-elle supporter une telle situation ?

Sur le plan physique, les mères se portent bien. Cependant, il faut signaler que de très exceptionnels cas d'anomalie de la coagulation sanguine chez la mère ont été décrits. Il est donc indispensable que le médecin propose une prise de sang chaque semaine afin de rechercher une anomalie de la coagulation.

Il existe bien évidemment des répercussions psychiques terribles lors de la mort *in utero* d'un jumeau. La mère est généralement extrêmement perturbée de devoir poursuivre une grossesse avec un fœtus mort coexistant avec un fœtus vivant dans son utérus. Elle est par ailleurs très anxieuse pour la santé du jumeau survivant. Il est essentiel qu'elle soit prise en charge par une équipe soignante formée à ce type de problème. Cette équipe doit se composer d'obstétriciens, de sages-femmes, de pédiatres et de psychologues. La mère a besoin de temps avant d'être capable de parler de l'enfant mort. Il ne faut rien brusquer. Elle est soumise aux remarques et aux réflexions de son mari, de sa famille ; des paroles qui se veulent consolatrices sont souvent maladroites : « Vous avez de la chance, il vous en reste encore un » ; ce type de réflexion augmente la souffrance alors qu'elle voulait l'atténuer ou banaliser la situation. La mort *in utero* d'un jumeau est une situation particulièrement difficile à vivre et qui peut être à l'origine d'une véritable dépression. La patiente peut éprouver de grandes difficultés à expliquer la situation à un enfant aîné. Beaucoup de patientes ont un réflexe qui consiste à tenter de gommer l'existence de l'enfant mort. L'équipe qui les entoure doit les aider à lutter contre cette tentation. La possibilité de faire le deuil d'un enfant mort ne commence qu'avec celle d'évoquer l'enfant. Lorsqu'un enfant meurt après sa naissance, la mère peut le voir, en vrai ou en photographie, ce qui l'aide parfois dans sa démarche de deuil. Lorsqu'un enfant meurt *in utero*, il n'est pas possible de le voir. On peut alors se raccrocher aux photographies faites lors des examens échographiques. L'enfant mort ne doit pas être pudiquement éliminé des comptes rendus et des photographies. Il est important que sa présence soit mentionnée pour que la femme se sente toujours enceinte de jumeaux. Le vécu de l'accouchement par la patiente est lui aussi très difficile. Elle est partagée entre la joie d'avoir un enfant vivant et la peine. Ainsi, la place de l'enfant mort doit être respectée. Il peut être montré à la patiente si elle le désire. Le rôle de l'équipe soignante est aussi de déculpabiliser la femme, car celle-ci ne manquera pas de se sentir responsable de la mort de l'enfant.

Cette culpabilité peut aussi être projetée sur l'enfant survivant. C'est pourquoi il est tellement nécessaire de bien discuter cette situation et de disposer pour la mère et le père des accompagnants techniquement compétents, attentifs aux personnes et disponibles.

En conclusion

Les grossesses gémellaires sont des grossesses à haut risque, nécessitant une surveillance accrue qui vise à dépister la survenue d'éventuelles complications. Autant il peut sembler simple, naturel et physiologique d'avoir un seul enfant, autant il nous semble important que la grossesse gémellaire soit médicalisée. C'est pour cela que nous insistons sur la nécessité :

— d'un diagnostic précoce fait par échographie à 12 semaines d'aménorrhée, ce qui permet de reconnaître avec certitude les grossesses gémellaires. Le diagnostic sera fait plus tôt si la patiente est traitée pour infertilité ;
— d'une surveillance médicale et échographique au moins mensuelle, à l'hôpital ou en clinique, avec contrôle de la croissance des bébés et, si nécessaire, une visite hebdomadaire à domicile par une sage-femme. L'échographie permet le diagnostic précoce du type chorial, le dépistage et le traitement des syndromes transfuseur-transfusé et l'évaluation du col utérin en cas de menace d'accouchement prématuré ;
— d'une réduction importante des activités, dès le diagnostic posé, avec si besoin arrêt de travail venant compléter le congé de maternité prénatal

souvent encore insuffisant. L'hospitalisation est envisagée à la moindre complication ;
— d'un accouchement optimal au terme de 36 à 39 SA avec la présence d'une équipe complète en salle d'accouchement et l'accouchement actif du second jumeau ;
— d'une sensibilisation de la spécificité de la grossesse gémellaire auprès de l'entourage de la mère et, en particulier, de son conjoint. Il est nécessaire de prendre en compte les dimensions sociales, culturelles et psychologiques de ces grossesses ;
— des réunions d'information pour les mères à l'hôpital et avec les associations « Jumeaux et plus ».

Ces mesures permettent de dépister précocement l'apparition d'une complication, voire de l'éviter.

Deuxième partie

La naissance et le retour à la maison

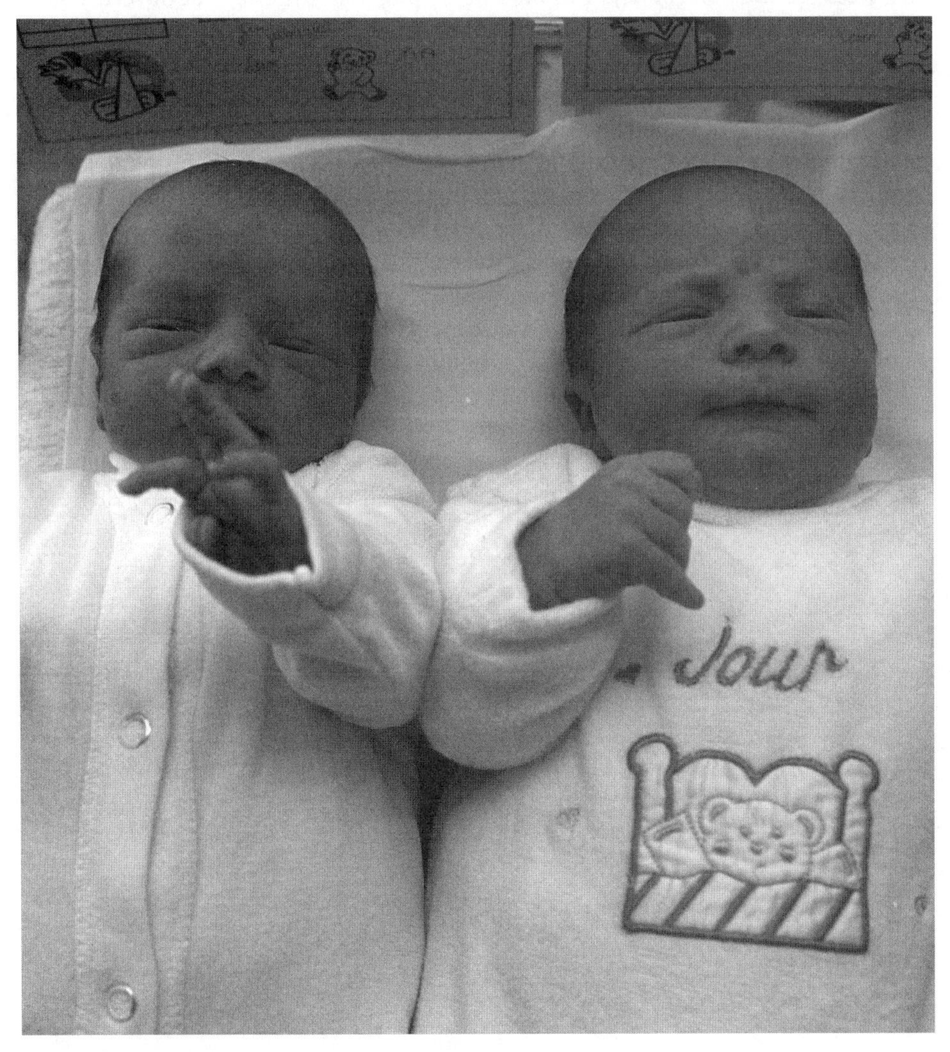

La tradition des guides s'adressant aux futures mères est d'être rassurants. Pour cela, leurs auteurs n'hésitent pas à gommer ou à censurer tout ce qui risque d'inquiéter leurs lectrices et leurs lecteurs. Ne les blâmons pas, ils font probablement une œuvre très utile. Bien que nous suivions, vous vous en êtes aperçue, une voie très différente, qui est celle de répondre avec honnêteté aux questions que vous vous posez, nous avons envie de commencer ici par quelques remarques rassurantes. À certains égards l'accouchement gémellaire peut sembler plus facile que l'accouchement unique. En effet, vous arrivez en fin de grossesse avec un col déjà très modifié, le plus souvent effacé et ouvert. Vous ne connaîtrez donc pas les affres du faux travail, et les heures interminables de douleur qu'accompagnent les premières modifications du col utérin pour les futures mères d'enfants uniques. L'imprégnation hormonale et la distension utérine, en cas de grossesse gémellaire, sont responsables de ce bienfait. Toutefois, notre parti étant de ne rien cacher, nous allons vous signaler dans ce chapitre quelques embûches que vous ne rencontrerez pas, puisque vous êtes suivie par une équipe compétente dans un lieu adapté.

L'accouchement gémellaire doit être considéré comme un accouchement à haut risque. Il est donc essentiel que cet accouchement ait lieu dans une maternité correctement équipée. L'accouchement gémellaire, quelles que soient ses modalités – césarienne ou voie naturelle –, impose la présence d'une équipe au complet : obstétricien, anesthésiste, pédiatre, sage-femme, infirmière. Un matériel adéquat doit être mis à la disposition de cette équipe et il est souhaitable que le lieu d'accouchement comprenne à proximité des lits de réanimation néonatale, compte tenu de la fréquence de la prématurité en cas de grossesse gémellaire.

L'ACCOUCHEMENT

La préparation à l'accouchement

La description détaillée des méthodes de préparation à l'accouchement sort du cadre de ce guide. Aucune méthode n'est spécialement conçue pour les grossesses multiples. Notre souhait est de vous donner quelques repères. Par ailleurs, nous ne pouvons pas vous conseiller une méthode plutôt qu'une autre. Aucune n'a d'ailleurs montré de supériorité par rapport aux autres. C'est à vous de trouver celle qui vous convient et qui convient à votre couple. Sur le plan pratique, vous pouvez obtenir des adresses et des informations auprès de votre obstétricien et auprès de votre association départementale « Jumeaux et plus ». Les préparations à la naissance peuvent être organisées par la maternité dans laquelle vous avez prévu d'accoucher. Elles intègrent en général la visite de la maternité et des réunions d'informations faites par les anesthésistes, et parfois par les obstétriciens et les sages-femmes, sur les dépistages, le déroulement de l'accouchement et l'allaitement. Les réunions « Info-jumeaux » ne sont pas encore généralisées et sont seulement proposées dans quelques villes.

La préparation peut aussi être faite en dehors de la maternité par une sage-femme libérale. Plusieurs formules peuvent se discuter : en petit groupe (l'idéal serait un petit groupe de futures mères de jumeaux), en individuel, en couple...

Ces préparations doivent être débutées assez tôt dans votre cas, car il est possible que la nécessité de vous reposer en fin de grossesse, ou une hospitalisation, vous empêche de suivre la préparation. Vous pouvez commencer les séances vers le cinquième ou le sixième mois, alors que les femmes enceintes d'un seul bébé commenceront plus tard au septième mois.

Nous tenons à souligner l'importance de la préparation à l'accouchement.

L'accouchement sans douleur

Cette méthode appelée psychoprophylaxie obstétricale (PPO) a été développée en Union soviétique et présentée aux Occidentaux par Velvovsky. Elle découle des travaux de Pavlov sur le réflexe conditionné. En 1951, Fernand Lamaze introduit cette méthode en France. Selon lui, l'accouchement ne serait pas une expérience intrinsèquement douloureuse, mais « un réflexe conditionné de douleur du travail ». Actuellement, cette méthode inclut trois composantes : l'information sur la physiologie de l'accouchement, une formation aux techniques de relaxation et l'apprentissage des techniques de respiration. Plusieurs études montrent que les femmes ayant bénéficié d'une telle préparation ont moins souvent recours aux méthodes médicamenteuses de prise en charge de la douleur de l'accouchement. Le docteur Lamaze est injustement oublié en France alors qu'il a été l'un des premiers médecins attentifs à la douleur des femmes. Les Américains, en revanche, ne parlent pas d'accouchement sans douleur, mais de « Lamaze method ». Jean Gabin défend fort bien la PPO dans le film *Le Cas du docteur Laurent.*

La sophrologie

Cette méthode utilise des techniques de relaxation associées à une prise de conscience de l'unité globale de l'individu. Vous apprendrez à vous détendre, ce qui peut s'avérer utile même après la naissance de vos bébés, dans différentes circonstances stressantes de la vie.

L'hypnose

Cette méthode est employée depuis plusieurs années par un petit nombre d'obstétriciens. Elle a des effets mesurés dans plusieurs études lorsqu'elle s'applique à des patientes particulièrement réceptives. Il faut savoir que l'hypnose ne peut pas être proposée à l'ensemble des femmes enceintes. Dans un groupe de personnes choisies au hasard, seulement 25 % se laissent facilement hypnotiser. Par ailleurs, la méthode n'est pas sans risque : des complications allant de l'anxiété à une véritable psychose ont été décrites.

Les autres méthodes

Nous ne ferons que les citer. Il s'agit de l'haptonomie, du yoga, de la préparation en piscine, du chant prénatal, de la naissance sans violence. Certaines d'entre elles, comme l'haptonomie et la naissance sans violence, ont plus pour objectif de mieux accueillir l'enfant que de soulager la douleur pendant le travail.

L'haptonomie a été développée par Franz Veldman qui la définit comme la « science du toucher ». Il s'agit d'entrer en contact avec le fœtus par le toucher. C'est une méthode destinée au couple et envisageable en cas de grossesse multiple. Les futurs papas très investis dans la grossesse apprécient généralement beaucoup cette méthode.

Les réunions d'information à la maternité

La prise en charge des naissances de jumeaux est une activité médicale multidisciplinaire impliquant : obstétriciens, pédiatres, anesthésistes, sages-femmes, échographistes, psychologues, infirmières, assistantes sociales. Dans l'idéal, un représentant de chaque spécialité est souhaitable.

Nous organisons depuis 1991, tous les deux ou trois mois, des réunions d'information destinées aux femmes enceintes de jumeaux (ou plus).

Le groupe multidisciplinaire de la maternité anime ces réunions avec des participants extérieurs à l'hôpital, parents de jumeaux et jumeaux adultes venant du monde associatif. Le fonctionnement est simple. Après une brève présentation des intervenants et de l'association « Jumeaux et plus », le public est invité à poser des questions.

Les questions recouvrent tous les thèmes et toutes les craintes. Vous en trouverez quelques échantillons dans l'encadré suivant et toutes les réponses dans le livre.

Les questions des futurs parents

– Peut-on allaiter des jumeaux ?
– Faut-il les laisser dormir dans la même chambre ? dans le même lit ?
– Comment savoir si j'attends des vrais ou des faux jumeaux ?
– Comment élever des jumeaux quand on est au chômage ?
– Est-ce que j'aurai une sage-femme à domicile ?
– Comment se passe l'accouchement ?
– Devrons-nous les mettre dans des classes différentes lorsqu'ils iront à l'école ?
– Quelle est la durée des congés de maternité ?
– Le premier est en siège, est-ce que j'aurai une césarienne ?
– Comment faire pour les installer à l'arrière de ma Twingo ?
– Que faites-vous si un des fœtus présente une grave malformation ?
– Est-ce que je pourrai avoir une péridurale ?
– C'est quoi, le syndrome transfuseur-transfusé ?
– Quelle marque de landau nous conseillez-vous ?
– Ça veut dire quoi : « se reposer » ?
– ...

Certains thèmes reviennent toujours : la zygosité (vrais ou faux ?), la prématurité et sa prévention, l'accouchement des jumeaux, mais aussi leur éducation future. Une large place est faite aux renseignements pratiques : aides à domicile, allocations diverses, matériels, etc.

Chaque participant pourrait apporter sa réponse à chacune des questions posées.

L'intérêt de ces réunions provient surtout de la multiplication des points de vue, et surtout du rapprochement du point de vue du spécialiste et de celui des représentants des associations.

À titre d'exemple, la première question sur l'allaitement peut entraîner un long développement de la sage-femme qui démontre qu'il est possible d'allaiter des jumeaux, suivi d'une parenthèse de l'obstétricien qui indique une référence bibliographique, puis d'un complément d'information pédiatrique sur l'allaitement en cas de naissances prématurées. Vient alors l'expérience d'une mère de jumeaux qui relate ses difficultés, ses joies et sa fierté d'avoir allaité ses jumeaux, enfin une jumelle adulte exprime son opinion.

Les réunions sont aussi pour les soignants le moment de faire passer des messages préventifs, en particulier sur l'importance de la réduction de l'activité maternelle, et des informations concernant le suivi de la grossesse, le déroulement de l'accouchement, le séjour en suite de couches et le suivi ultérieur, maternel et pédiatrique.

L'un des éléments essentiels du suivi de votre grossesse gémellaire est votre information et celle de votre conjoint. Dès le diagnostic de grossesse gémellaire posé, les différents points du programme de suivi doivent vous être expliqués en consultation.

Les rencontres avec d'autres femmes enceintes de jumeaux et de parents d'enfants multiples seront bénéfiques, dans le service ou dans le cadre de la Fédération nationale « Jumeaux et plus ». Les journaux des associations départementales sont des mines de renseignements pratiques.

En cas d'hospitalisation pour menace d'accouchement prématuré, la patiente peut bénéficier d'entretiens avec le pédiatre de la maternité, qui lui expliquera comment les jumeaux seront pris en charge en cas de naissance prématurée et quelles sont les conséquences de cette prématurité. Une rencontre avec un psychologue de la maternité peut être très utile dans certains cas.

Ainsi, spécialistes, membres des associations et patients peuvent s'associer dans une perspective d'amélioration de la qualité des soins.

La date optimale pour accoucher

La naissance est plus précoce pour les enfants jumeaux que pour les enfants uniques.

La moitié des patientes présentant une grossesse gémellaire accouchent avant 37 SA. Pour elles, la problématique posée est la prévention de la prématurité. Toutefois, à partir de 35 SA, la plupart des obstétriciens considèrent qu'un terme correct est atteint et ne cherchent pas à lutter contre les contractions de l'utérus avec des médicaments.

Pour l'autre moitié des patientes, une question se pose : la grossesse doit-elle durer neuf mois ? Plusieurs équipes ont comparé la mortalité des enfants jumeaux et des enfants uniques en fonction du terme et leurs conclusions vont toujours dans le même sens. Avant 35 SA, les jumeaux présentent un risque lié à la prématurité, avec conséquences respiratoires et neurologiques. Après 38 SA, le risque est différent, il s'agit de la souffrance fœtale ou même du risque de mort *in utero* ou *per partum*. Les risques semblent liés à la diminution de la capacité du placenta d'échanger de l'oxygène et du gaz carbonique du fait de son vieillissement.

Le poids de naissance des jumeaux est inférieur en moyenne de 600 g à celui des enfants uniques. Cette hypotrophie apparaît vers 32 SA et devient très nette vers 36 SA. Ce retard de croissance intra-utérin des jumeaux est corrélé à un retard du poids moyen des placentas. Le poids moyen des placentas des jumeaux est inférieur à celui des enfants uniques. Cette différence apparaît précocement vers

21 SA. Pour certains auteurs, la cause de retard de croissance *in utero* des enfants est liée au retard de croissance placentaire.

La mort *in utero* inexpliquée des jumeaux qu'on observe après 38 SA est comparable à celle des enfants uniques après 41 SA. Il semble donc exister un déplacement du minimal de mortalité périnatale de deux semaines plus tôt en cas de grossesse gémellaire.

Toutes les équipes admettent que le risque de mort fœtale *in utero* des jumeaux après 38 SA pourrait être expliqué par une apparition des troubles comparables à ceux du terme dépassé en cas de grossesse unique. L'attitude pratique développée est le déclenchement aux alentours de 38 SA. D'autres équipes considèrent que le déclenchement systématique à 38 SA n'est pas une pratique toujours facile car le col n'est pas toujours déclenchable à ce terme. Une surveillance particulièrement attentive de la fin de la grossesse reposant sur l'échographie et les monitorages cardiaques des deux fœtus est alors proposée, comme on le fait en cas de grossesse unique après 41 SA.

Une césarienne a-t-elle été programmée ?

En réalité, il existe deux modes de décision pour les césariennes : programmées ou décidées au cours de l'accouchement.

La césarienne préventive

On l'appelle préventive car elle est prévue à l'avance. On peut donc la programmer (parfois dès le début de la grossesse) et vous préciser quels seront le jour et l'heure auxquels la césarienne sera effectuée.

Les raisons de ces césariennes peuvent être un peu différentes selon les équipes et les pays. Il n'y a pas de discussion et tous les obstétriciens sont d'accord pour une césarienne lorsque, par exemple, le premier jumeau est en position transversale ou lorsqu'il existe un retard de croissance sévère de l'un des deux jumeaux.

On prévoit également une césarienne lorsqu'il existe un *placenta praevia*, c'est-à-dire que le placenta est bas inséré, affleurant l'orifice du col ou le recouvrant complètement. Certaines maladies maternelles, comme une hypertension grave, peuvent également faire prendre une décision de césarienne.

Dans d'autres circonstances, les décisions sont plus difficiles à prendre et peuvent varier d'une maternité à l'autre. Nous pensons particulièrement à trois circonstances :
— utérus cicatriciel : c'est-à-dire que vous avez déjà eu une césarienne antérieure ;
— présentation en siège du premier jumeau ;
— prématurité grave (avant 32 SA).

Il nous est difficile d'aller plus loin dans les explications. Vous devez aborder ces problèmes avec votre accoucheur pour en savoir plus.

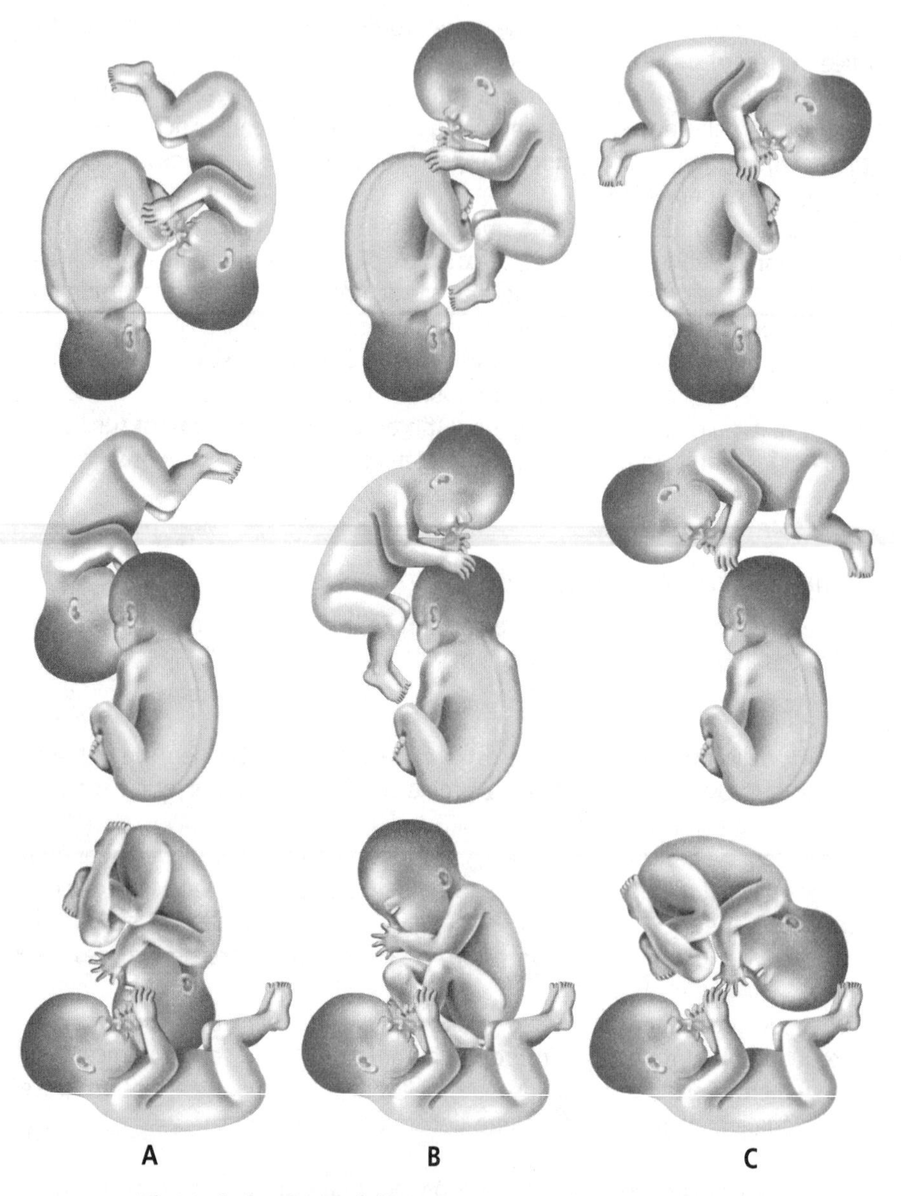

Figure 4 : Les 9 possibilités de présentation des jumeaux.
(A : 82 %, B : 17 %, C : < 1 %.)

La décision pendant l'accouchement

Le deuxième mode de décision pour une césarienne est celui où la décision vous est proposée au cours de l'accouchement. L'indication est alors liée :

— soit à la survenue d'une anomalie du rythme cardiaque de l'un des jumeaux laissant soupçonner que celui-ci souffre d'un défaut d'apport d'oxygène depuis le placenta, pendant le travail ;

— soit à l'arrêt de la dilatation du col, qui peut traduire une difficulté de type mécanique.

Globalement, le taux de césariennes est de l'ordre de 40 % en cas de grossesse gémellaire, alors qu'il n'est que de 15 % pour les grossesses uniques.

Quand partir à la maternité ?

Il y a trois possibilités

Première situation

Vous êtes hospitalisée pour menace d'accouchement prématuré ou pour surveillance de votre grossesse. Donc vous n'avez aucun problème puisque vous êtes sur place.

Deuxième situation

Votre accouchement est programmé par voie naturelle (c'est un déclenchement) ou par césarienne. Vous connaissez donc le jour et l'heure auxquels vous devez vous présenter à la maternité.

Troisième situation

Elle peut vous inquiéter plus ! C'est celle où vous êtes prise au dépourvu à domicile. Les recommandations classiques sont les suivantes pour un départ à la maternité :
— si vous avez des contractions régulières toutes les dix minutes pendant plus de deux heures ; elles deviennent douloureuses et n'ont aucune tendance à se calmer ;
— si vous perdez les eaux ou si vous le suspectez ; mais pas de panique, vous avez le temps !
— si un saignement survient, même peu abondant, il est plus prudent de vous rendre à la maternité.
N'oubliez pas votre valise !

Vous venez d'arriver à la maternité, imaginez le scénario le plus favorable et le plus fréquent. C'est votre première grossesse, vous êtes enceinte de trente-sept semaines et demie, vous avez présenté des contractions régulières depuis trois heures. La sage-femme vous examine. L'élément important est l'examen du col de l'utérus. Si votre col n'est pas modifié, la sage-femme se demandera s'il s'agit vraiment du début du travail : elle cherchera à savoir si les contractions que vous ressentez ont un effet sur le col ou bien, au contraire, si celui-ci ne s'est pas modifié depuis le dernier examen.

L'attitude raisonnable est de faire un monitorage des deux bébés et de vous inviter à rentrer chez vous si l'accouchement n'a pas vraiment commencé, sauf si les contractions sont très douloureuses.

Le plus souvent, la sage-femme va constater une modification du col ; elle vous dit alors : « Vous êtes en travail, le col a changé, il s'est effacé et s'est ouvert à

2 cm ! » Pendant que votre mari remplit les formalités administratives de l'admission, on vous conduit dans une salle proche de la salle de naissance ou directement en salle d'accouchement. Un prélèvement sanguin est fait et l'appareil permettant de suivre le rythme cardiaque des bébés est mis en place.

Le travail peut être spontané ou déclenché artificiellement en raison d'une pathologie de la grossesse (hypertension artérielle, retard de croissance intra-utérin modéré de l'un des jumeaux). Enfin, le déclenchement peut être systématique entre 38 et 39 SA.

Votre compagnon sera-t-il présent ?

C'est une dimension essentielle de l'accouchement sur laquelle nous devons insister. Le soutien psychologique pendant toute la durée du travail améliore clairement le déroulement de l'accouchement. Ce soutien est apporté, d'une part par la sage-femme, d'autre part par la présence du père ou d'une autre personne proche de la patiente.

Il ne faut en aucun cas obliger le père à être présent s'il n'en pas profondément envie.

Deux études ont été réalisées par tirage au sort de deux groupes de patientes (volontaires) avec ou sans accompagnement au cours du travail. Les femmes accompagnées présentaient une incidence moins élevée d'accouchements compliqués, notamment de césariennes. Chez elles, la durée du travail était significativement plus courte que dans le groupe « non accompagné ». Cet accompagnement permanent pendant l'accouchement est un complément indispensable à la préparation à la naissance. Il permet de diminuer l'angoisse de la future maman et, dans certains cas, de mieux supporter la douleur sans avoir recours aux méthodes pharmacologiques. Ainsi, l'accompagnement par l'obstétricien, même s'il ne peut pas être permanent, a une grande valeur pour sa patiente.

L'anesthésie péridurale

Quelle que soit la voie d'accouchement – voie naturelle ou césarienne – la préparation à la naissance, si possible adaptée à la grossesse gémellaire, vous aura informée sur tout ce qui va se passer.

En pratique, dès votre arrivée en début de travail, la sage-femme vous demande si vous désirez une péridurale. L'infirmière pose une perfusion.

Un nouveau personnage entre en scène, l'anesthésiste. Parfois vous l'attendez avec une certaine impatience. Il vous examine pour bien vérifier qu'il peut vous proposer une péridurale. Il revoit les résultats de vos examens de laboratoire pour vérifier qu'il n'y a pas d'éventuelles contre-indications. Dans notre jargon, « bilan de péridurale » signifie que nous regardons, à travers les examens sanguins, si vous n'avez pas d'anomalie de la coagulation du sang ou d'infection en cours, qui pourraient rendre une péridurale dangereuse.

L'anesthésiste fait partie intégrante de l'équipe médicale pendant la grossesse et surtout pendant l'accouchement. En cas de grossesse gémellaire, l'anesthésie péridurale constitue une méthode de choix car elle procure une analgésie de bonne qualité pendant le travail. Elle peut être réalisée très tôt si la patiente est déclenchée ou à n'importe quel moment de la dilatation. Il est licite de réaliser une péridurale même à dilatation complète, du fait du taux élevé de manœuvres en particulier sur le second jumeau. L'anesthésiste vous fait alors une demande qui vous surprendra probablement beaucoup, compte tenu de votre gros ventre : « Pourriez-vous faire le dos rond, s'il vous plaît, madame ? » Après cela, vous vous étonnerez vous-même en faisant le dos le plus rond possible. Après une anesthésie locale, la péridurale est mise en place (Figure 5 : Mise en place de l'anesthésie péridurale). L'anesthésiste va placer une aiguille à travers votre peau, dans l'espace qui sépare deux vertèbres, jusqu'à l'espace épidural qui entoure les nerfs dans le canal du rachis. Il injecte dans cet espace un produit anesthésique qui entoure les racines nerveuses partant de la moelle épinière.

Le produit anesthésique bloque les voies de la douleur. L'anesthésiste ne laisse pas l'aiguille en place. Il la remplace par un petit tube en plastique, un cathéter, passé à l'intérieur de l'aiguille, dans lequel on peut injecter de façon continue le produit anesthésique au moyen d'une seringue à poussoir électrique.

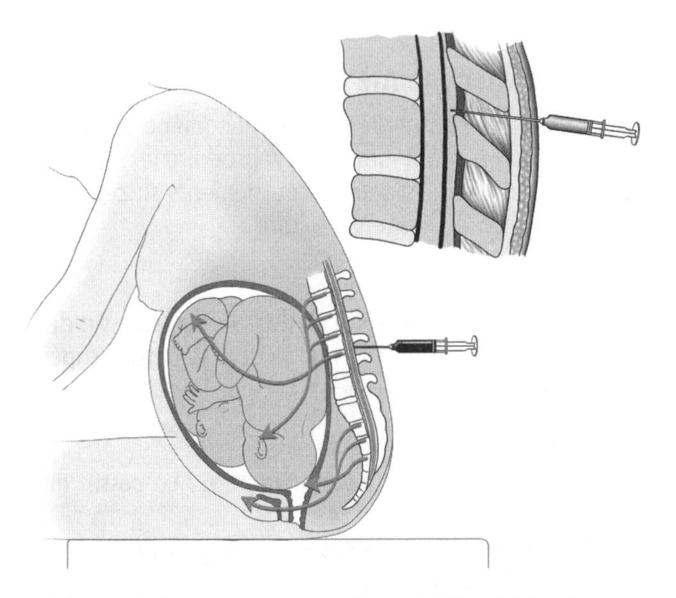

Figure 5 : Mise en place de l'anesthésie péridurale.

La ponction dans le dos est réalisée alors que votre tension artérielle est enregistrée automatiquement. Les anesthésiques locaux utilisés sont la Bupivacaïne® à 0,25 % ou 0,125 % et la Lidocaïne® à 1 %. L'administration est réalisée à débit constant. Lors de l'accouchement par voie naturelle, l'intervalle libre entre les deux naissances et la fréquence des manœuvres pour extraire les jumeaux sont très augmentés par l'analgésie péridurale. Les scores d'Apgar du second jumeau à la naissance sont identiques à ceux du premier sous anesthésie parce que l'accouchement par voie naturelle a lieu sous anesthésie péridurale. En cas de césarienne, la méthode de choix est également l'analgésie péridurale.

Nous pensons qu'il est très indiqué de faire une péridurale pour un accouchement de jumeaux. En effet, en cas de problèmes (et il faut bien accepter le fait qu'il y a plus de problèmes à résoudre pour l'accouchement de jumeaux que pour l'accouchement d'un enfant unique), l'anesthésie est déjà en place. Si on décide de faire une césarienne, tout est prêt en complétant l'anesthésie péridurale, mais avec un temps de préparation plus court. Par ailleurs, la naissance du second jumeau peut être un peu plus compliquée que celle du premier enfant et nécessiter plus souvent l'application d'un forceps ou la réalisation d'une manœuvre. Ces interventions médicales sur le second jumeau, si elles s'avèrent nécessaires, seront bien mieux supportées si elles sont indolores. Si la péridurale n'est pas en place, on n'a alors pas le temps de la faire.

La naissance

Comprendre le mécanisme

L'accouchement par voie naturelle est un phénomène un peu compliqué sur le plan mécanique. Chaque enfant jumeau va reproduire le mécanisme de l'accouchement d'un enfant unique. Les deux accouchements successifs seront séparés par un temps de repos appelé « intervalle libre ».

Côté maman

Au cours de l'accouchement, le fœtus doit traverser le bassin de sa mère, c'est ce qu'on appelle la filière génitale. Il s'engage dans le détroit supérieur, poursuit son chemin dans l'excavation pelvienne et sort par le détroit inférieur.

Le détroit supérieur

C'est l'orifice supérieur du petit bassin (Figure 6 : Le bassin maternel). Il est formé :

— en avant par le bord supérieur de la symphyse pubienne ;
— latéralement par les lignes innominées ;
— en arrière par l'articulation sacro-lombaire, appelée promontoire.

Ces structures anatomiques permettent de définir les trois types de diamètres du détroit supérieur : antéro-postérieurs (2), transverses (3), et obliques (1). L'engagement se fait dans un diamètre oblique car c'est le plus grand.

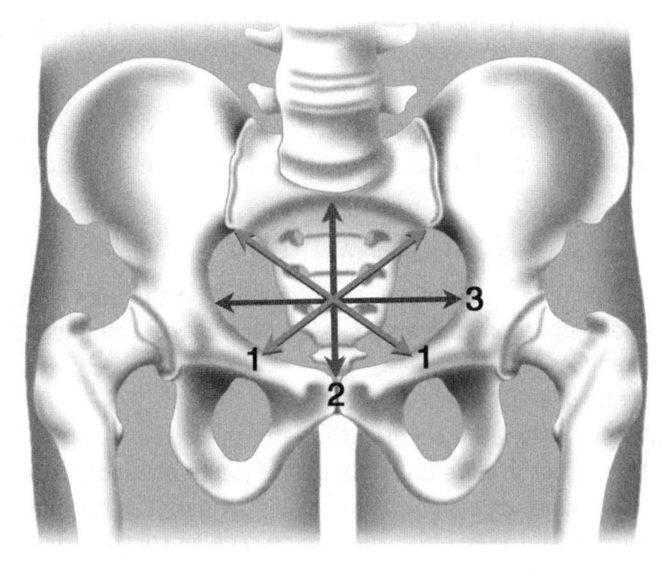

Figure 6 : Le bassin maternel.

L'excavation pelvienne

Il s'agit d'un cylindre courbe dans lequel le fœtus effectue sa descente et sa rotation (Figure 7 : La descente du bébé dans le bassin maternel). L'excavation pelvienne est marquée par un rétrécissement au niveau des épines sciatiques. Ce rétrécissement s'appelle le détroit moyen.

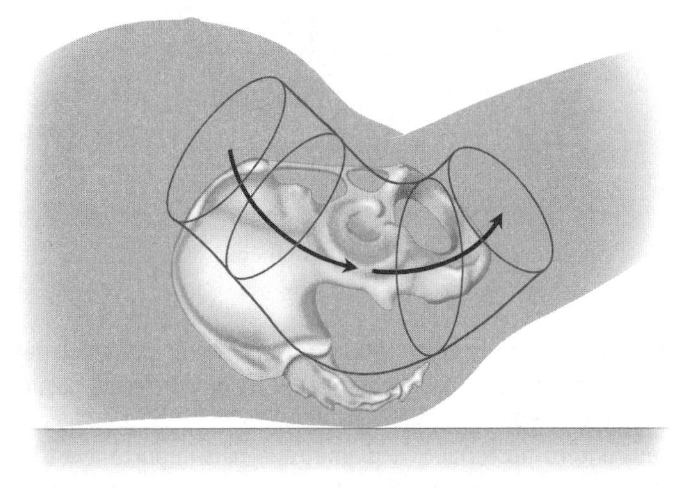

Figure 7 : La descente du bébé dans le bassin maternel.

Le détroit inférieur

Il correspond à la partie inférieure du petit bassin par laquelle sort le fœtus.

Côté jumeaux

Chaque fœtus jumeau à terme pèse environ 2 000 à 2 500 g et a le corps protégé par un enduit parfois épais, le vernix. Le dos peut être recouvert d'un duvet, le lanugo.

Les sutures et fontanelles de la tête

À la naissance, le crâne n'est pas entièrement ossifié. Les différents os sont séparés par des espaces membraneux, les sutures. Le croisement des sutures constitue les fontanelles.

Deux fontanelles sont importantes :
— la fontanelle antérieure ou *bregma*, de forme losangique ;
— la fontanelle postérieure ou *lambda*, plus petite et triangulaire.

La reconnaissance de ces deux fontanelles pendant l'accouchement est fondamentale pour l'obstétricien et la sage-femme car elles constituent les repères principaux des présentations céphaliques.

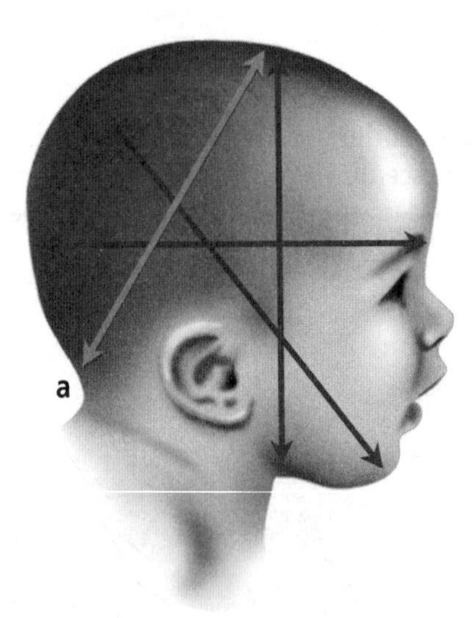

Figure 8 : La tête du bébé.

Différents diamètres de la tête fœtale ont un intérêt pour l'obstétricien car ils sont confrontés pendant l'accouchement avec les diamètres du bassin maternel (Figure 8 : La tête du bébé).

Dans le sens antéro-postérieur, le diamètre le plus important est le diamètre « sous-occipito-bregmatique » (a) qui part de la base de l'occiput jusqu'à la fontanelle antérieure. Il mesure 9,5 cm. C'est le plus petit diamètre de la présentation correspondant à une tête bien fléchie. Habituellement, et c'est la situation la plus favorable, la tête fœtale est bien fléchie pendant l'accouchement.

Le cou du fœtus permet la mobilité de la tête fœtale par rapport au tronc. La position fœtale est bien connue et les membres sont fléchis sur l'abdomen du fœtus.

La surveillance de la mère

La surveillance habituelle porte sur le pouls, la tension artérielle, la température, ainsi que sur l'état général de la patiente et sa tolérance aux contractions.

Le travail

La perte du *bouchon muqueux* est l'émission de glaires épaisses et sanglantes quelques jours ou quelques heures avant le début du travail. Ce signe est inconstant.

Le début du travail peut être marqué par la rupture prématurée des membranes ou par leur fissuration. En cas de perte de liquide, nous vous conseillons de vous rendre assez rapidement à la maternité.

Le signe le plus constant et le plus fiable du début du travail est l'apparition de contractions utérines. Ces contractions sont d'abord peu intenses et irrégulières, puis elles deviennent régulières, plus fréquentes et douloureuses.

L'entrée en travail peut être précédée d'une période dite de « faux travail » caractérisée par des contractions irrégulières, douloureuses et ne modifiant pas le col utérin.

À l'arrivée à la maternité, la palpation de l'utérus par le médecin ou la sage-femme confirme l'existence des contractions régulières. Le toucher vaginal permet d'apprécier les modifications du col qui se raccourcit, se centre, devient perméable et mou.

Les examens cliniques sont répétés toutes les heures, et plus souvent en cas d'accouchement rapide. Les résultats sont consignés sur le partogramme et sur le dossier médical. Le partogramme est un diagramme qui relate tout ce que la sage-femme observe pendant l'accouchement, et en particulier deux courbes : l'une pour la dilatation du col et l'autre pour la descente de la tête du premier jumeau que nous appelerons J1 (Figure 9 : La dilatation du col).

La palpation de l'abdomen permet d'apprécier l'intensité des contractions ainsi que leur durée et leur fréquence. Elle permet de faire le diagnostic de présentation de J1. En cas de doute, un contrôle échographique peut être rapidement réalisé.

Le toucher vaginal permet d'apprécier l'effacement et la dilatation du col. L'effacement est apprécié par la mesure en centimètres de la portion intravaginale du col restant. Le toucher vaginal permet également d'apprécier la position du col (postérieur ou centré dans l'axe de la présentation), sa consistance et la dilatation mesurée en centimètres.

La rupture de la poche des eaux

La poche des eaux est la portion du pôle inférieur de l'œuf laissée découverte par la dilatation du col. Elle peut se rompre spontanément pendant le travail. On parle alors de rupture spontanée des membranes. Elle peut être rompue par l'accoucheur pour accélérer le déroulement du travail. On parle de rupture artificielle des membranes. Après la rupture des membranes, spontanée ou artificielle, il faut vérifier l'absence de procidence du cordon (chute du cordon ombilical en avant de la présentation) et l'absence de modification du rythme cardiaque fœtal, ainsi que la couleur du liquide, qui normalement est clair.

Le toucher vaginal permet également le diagnostic de variétés de présentations. L'index et le majeur repèrent l'axe de la suture sagittale de la tête fœtale. Le repère de la représentation du sommet est la petite fontanelle ou lambda. Cette petite fontanelle se situe alors en avant et à gauche.

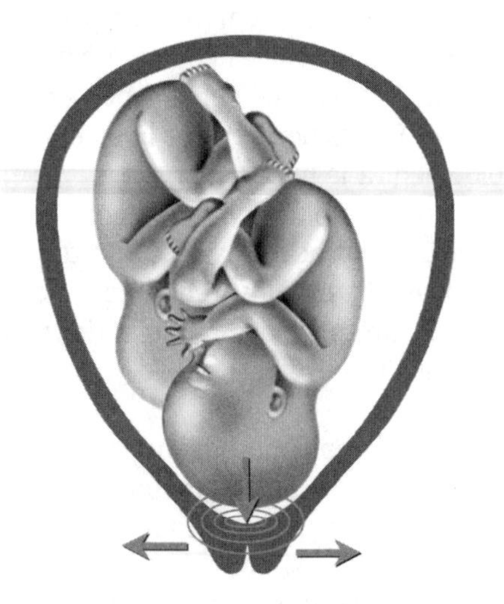

Figure 9 : La dilatation du col.

La descente du premier jumeau

L'examen permet également de diagnostiquer la hauteur de la présentation, c'est-à-dire du premier bébé, qui au début est haute et mobile, puis fixée, enfin engagée. Le diagnostic clinique de l'engagement est permis par le signe de Farabeuf. Lorsque les deux doigts intra-vaginaux de l'examinateur atteignent la deuxième vertèbre sacrée sans être gênés par la tête fœtale, la présentation n'est pas engagée. Inversement, lorsque les deux doigts ne peuvent pas atteindre la deuxième pièce sacrée, parce qu'ils sont arrêtés par la présentation, la présentation est engagée.

La surveillance des bébés

Pendant que l'on surveille la mère, on est aussi, bien évidemment, très attentifs aux bébés. C'est ce qu'on appelle le monitorage fœtal. L'auscultation des bruits du cœur au début du travail peut être faite au stéthoscope obstétrical. La surveillance de la couleur du liquide amniotique est importante ; il doit rester clair pendant tout le travail. En cas de souffrance fœtale, le fœtus peut émettre son méconium, c'est-à-dire ses premières selles, dans le liquide amniotique, du fait de l'anoxie intestinale. Le liquide alors se teinte.

Les contractions utérines

Elles peuvent être enregistrées par un capteur de contractions externe. La sonde d'enregistrement est posée sur votre abdomen et est sensible au durcissement de l'utérus lors des contractions. Ce système est maintenu au moyen d'une sangle entourant votre taille. Cet appareil permet d'enregistrer la fréquence des contractions, mais pas leur intensité.

Le rythme cardiaque des jumeaux

Son enregistrement doit être couplé à celui des contractions utérines. La surveillance de l'accouchement repose sur l'enregistrement simultané des cœurs des deux jumeaux sur le même graphique. Ce système permet d'éviter de superposer les deux tracés en décalant vers le haut l'un des tracés.

On utilise deux capteurs externes posés sur l'abdomen de la mère. L'enregistrement continu s'inscrit sur un papier défilant à la vitesse de 1 cm par heure. Il indique le rythme cardiaque de base du bébé qui doit être compris entre 120 et 160 battements par minute. Il permet d'apprécier le bien-être fœtal (oscillations et accélérations lors des mouvements) et de dépister des anomalies du rythme cardiaque fœtal pendant le travail (ralentissements) et le rapport de ces ralentissements avec les contractions utérines.

L'oxygénation du bébé

On peut, en cas d'anomalie du rythme cardiaque fœtal du premier jumeau, réaliser un prélèvement d'une goutte de son sang après une mini-incision du cuir chevelu. On mesure ainsi la bonne oxygénation du fœtus par le pH du sang capillaire fœtal. Il doit être supérieur à 7,25. On peut également, à la naissance, faire un prélèvement de sang fœtal au cordon des deux jumeaux et étudier leur pH ainsi que leurs gaz du sang.

La mesure de la saturation en oxygène peut se faire pendant le travail uniquement sur J1. Elle ne nécessite pas de mini-incision. Elle est en cours d'évaluation.

La naissance du premier jumeau

La force motrice de vos contractions utérines renforcée par vos efforts de poussée vont permettre l'expulsion[1] des fœtus.

1. Pardon pour ce terme peut délicat.

La période d'expulsion comporte deux temps : d'une part la fixation de la tête fœtale sous la symphyse pubienne maternelle, puis la déflexion de la tête fœtale.

Le moment est arrivé. On vous installe pour pousser. L'obstétricien et la sage-femme vous y invitent pendant la contraction.

Le rôle de l'accoucheur est de vous aider, de vous guider et de vous sécuriser. Vous devez pousser pendant les contractions et vous détendre en respirant calmement entre les contractions.

Il ne faut pas pousser trop tôt. Sinon vous risquez de vous épuiser. Le médecin, sauf en cas d'urgence à faire naître vos bébés, vous fera pousser lorsque la tête de J1 écartera les petites lèvres.

Dans la technique traditionnelle de poussée, lorsque la contraction commence à s'installer, la patiente expire et chasse complètement l'air de ses poumons, puis inspire profondément. Elle bloque sa respiration et contracte sa ceinture abdominale. Deux ou trois efforts expulsifs peuvent être réalisés au cours d'une même contraction. Il existe une autre méthode de poussée que vous pourrez apprendre lors des séances de préparation. Il s'agit de la poussée diaphragmatique qui est beaucoup plus physiologique.

Dans le même temps, un aide ou une sage-femme se place à votre droite et commence à maintenir le second jumeau comme sur la figure ci-dessous (Figure 10 : La naissance du premier jumeau) afin d'éviter qu'il se place ou qu'il reste en présentation transversale après la sortie de J1.

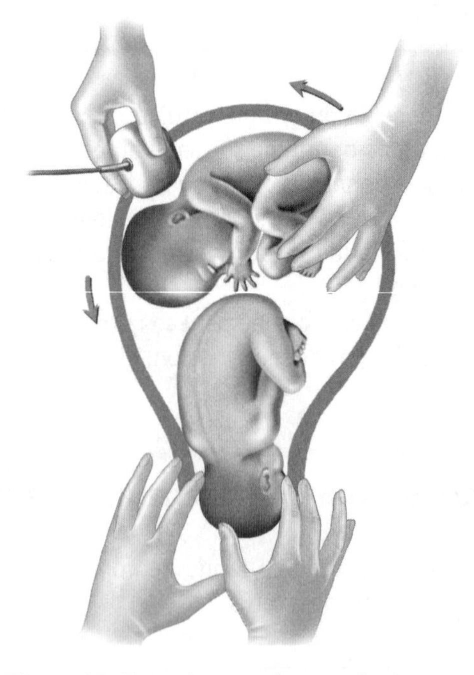

Figure 10 : La naissance du premier jumeau.

Grâce aux efforts expulsifs, la tête de J1 se fixe sous la symphyse, puis commence sa déflexion, laissant apparaître successivement son crâne, puis le front, les yeux, le nez, la bouche, et le menton. Le rôle de l'accoucheur est d'éviter une déchirure périnéale. Il doit surveiller et contrôler la déflexion de la tête et son dégagement, millimètre par millimètre, tout en retenant la tête fœtale et en guidant de façon précise les efforts expulsifs de la patiente.

Lorsqu'une déchirure est inéluctable, une épisiotomie est réalisée (voir page 134). La tête de J1 est dégagée, l'accoucheur amène avec douceur le menton de J1 sous la symphyse pubienne, ce qui facilite l'engagement et la descente de l'épaule antérieure sous la symphyse. La traction douce de la tête fœtale vers le bas permet le dégagement de l'épaule antérieure puis une traction vers le haut permet de dégager l'épaule postérieure.

Au cours de l'accouchement normal en présentation céphalique, l'accouchement des épaules et du siège se fait sans difficulté. Une fois ses bras sortis, vous pouvez vous-même le prendre et l'amener doucement sur votre ventre et votre poitrine. Pendant ce temps, l'équipe médicale n'est pas inactive.

La naissance du second jumeau

L'obstétricien ou la sage-femme maintient le second jumeau en bonne position verticale pendant la naissance du premier. En effet, le second jumeau se retrouve soudain dans un utérus très vaste pour lui et peut avoir tendance à se mettre dans une mauvaise position, par exemple dans une position transversale qui rendrait sa naissance difficile. Il s'agit donc de le maintenir en position verticale, tête en bas ou siège en bas, ou s'il est en transverse, de transformer sa position transversale en une position verticale. Généralement, cela se fait sans aucune difficulté. Le temps moyen entre les deux naissances est variable. Il est compris entre environ une et trente minutes. Le second jumeau reste sous surveillance du rythme cardiaque en permanence.

Au bout d'un moment, les contractions reprennent et votre accoucheur vous encourage de nouveau à pousser. La sortie du second bébé est généralement bien plus facile et la descente beaucoup plus rapide que celle du premier car le passage a été préparé. Les mécanismes de l'accouchement de J2 sont les mêmes que ceux de J1. Certaines équipes sont plus interventionnistes et préfèrent extraire le second jumeau le plus tôt possible après la sortie du premier.

Deux attitudes sont possibles :

- Certaines équipes respectent la physiologie de l'accouchement gémellaire et attendent la reprise des contractions. Le capteur externe du rythme cardiaque fœtal du second jumeau est remis en place, la présentation du second jumeau est vérifiée, en s'aidant parfois de l'échographie. S'il est en présentation verticale (céphalique ou siège), il est maintenu dans cette position.

S'il est en position transversale, une version par manœuvre externe généralement facile permet de le placer en position longitudinale. Les membranes sont rompues artificiellement lorsque le retour des contractions permet l'engagement de la présentation. La perfusion d'ocytociques qui a été arrêtée après la naissance de J1 est reprise. L'accouchement du second jumeau est un accouchement à risque car la fréquence des manœuvres en cas de difficulté n'est pas négligeable. La césarienne sur le second jumeau doit rester exceptionnelle. Elle est de l'ordre de 5 %, si on utilise cette méthode.

- D'autres équipes sont plus interventionnistes et ne respectent pas l'intervalle libre, préférant réaliser une manœuvre (voi « Les interventions possibles de l'obstétricien », page 133) si l'engagement et la descente de la présentation ne se font pas rapidement. Cette méthode ne semble pas plus dangereuse que la précédente pour les bébés, et permettrait de diminuer le risque de césarienne sur le second jumeau.

La délivrance

L'expulsion du placenta

La troisième – et dernière, rassurez-vous – période du travail est la délivrance, c'est-à-dire le décollement et l'expulsion du placenta et des membranes.

La patiente doit être surveillée attentivement après l'accouchement gémellaire car des hémorragies graves peuvent survenir. La période de repos physiologique qui fait suite à l'accouchement doit être respectée. L'utérus ne se contracte pas immédiatement. Après cette phase de repos physiologique, les contractions reprennent. Le clivage du placenta se produit et un hématome entre le placenta et la paroi utérine se forme. Le décollement du placenta s'accompagne d'une élévation du fond utérin. L'absence d'ascension du cordon, lorsqu'on fait remonter l'utérus en le repoussant doucement avec la main posée au-dessus de la symphyse pubienne, traduit le décollement du placenta. L'expulsion de celui-ci peut se faire spontanément ou être aidée par une légère pression du fond utérin, qui est poussé vers le bas par la main de l'opérateur.

Après la naissance du second jumeau, du fait de la surdistension utérine, il existe un risque accru d'hémorragie de la délivrance. Cette étape doit donc être particulièrement surveillée.

Le risque d'anémie au décours de l'accouchement est important. Il doit être réduit au maximum, d'une part, par la prise de fer pendant la grossesse pour que vous ne soyez pas anémiée le jour de l'accouchement, et, d'autre part, par une prise en charge rapide et efficace en cas d'hémorragie.

« J'ai lu qu'on pouvait donner son sang et le récupérer en cas d'hémorragie. Est-ce exact ? »

Cette technique a pour nom « autotransfusion » et elle était très en vogue dans les années 1980. En fin de grossesse, la patiente donnait à une semaine d'intervalle deux flacons de sang qui pouvaient lui être retransfusés après l'accouchement en cas d'anémie. On a abandonné cette méthode pour plusieurs raisons :
– le risque infectieux si un microbe se multipliait dans le flacon prélevé ;
– le risque d'accident transfusionnel en cas d'erreur d'étiquetage d'un flacon ;
– mais surtout, l'inefficacité de la méthode. Deux flacons ne suffisent pas en cas d'hémorragie de la délivrance. Il en faut parfois dix ou vingt.
Cette méthode est donc abandonnée sauf dans de très rares cas.

L'examen du placenta

« Et après, c'est fini ? » Non... ça commence...

Soyons sérieux. Un acte important est l'examen du placenta par la sage-femme ou le médecin. N'hésitez pas à demander des explications et à voir la (ou les) poche(s) où vos bébés ont séjourné, ainsi que la cloison. L'examen du placenta est un temps essentiel de l'accouchement. L'accoucheur examine les membranes, la face fœtale, puis la face maternelle du placenta. Cet examen doit permettre d'affirmer que le placenta a bien été expulsé en totalité. On compte les vaisseaux des cordons qui comportent normalement deux artères et une veine. Le temps d'examen de la cloison est essentiel car il permet de confirmer le type placentaire de la grossesse, établi à l'échographie de 12 SA.

Souvenez-vous : deux feuillets = grossesse MCBA, quatre feuillets = grossesse BCBA.

Dès leur naissance, les nouveau-nés sont pris en charge par deux sages-femmes avec, en cas de prématurité, réanimation par deux équipes pédiatriques. S'ils vont bien, ils restent près de vous.

La surveillance de la jeune maman est poursuivie en salle de naissance pendant deux heures au cours desquelles la tension artérielle, le pouls et les saignements sont surveillés, ainsi que l'état de l'utérus, qui doit rester bien contracté, c'est ce qu'on appelle le globe de sécurité.

L'examen des bébés

La naissance se déroule le plus souvent sans problème, suivant le schéma indiqué plus haut. Toutefois, c'est au moment de leur naissance que des dangers graves peuvent mettre en péril la vie et la santé de vos enfants. La salle de naissance doit donc être équipée de telle sorte que soient respectés, d'une part, l'intimité et le bonheur d'avoir un enfant et, d'autre part, la sécurité de la mère et des enfants. Le personnel de la salle de naissance doit être opérationnel à chaque instant. Le matériel indispensable en cas de problème doit être disponible en permanence.

Après la naissance, si le terme et leur état de santé le permet, les enfants sont posés sur le ventre de leur mère. Il est important de sécher leur corps et leur tête afin d'éviter leur refroidissement. La séparation de la mère et des enfants en l'absence de pathologie est inutile et préjudiciable. La désobstruction du nez et de la gorge peut être effectuée sur le ventre maternel ou sur une table de réanimation placée près de la mère.

L'état de santé de chaque enfant est apprécié par le score d'Apgar (indices de vitalité du nouveau-né). Si l'enfant va bien (Apgar 9 ou 10), il peut être laissé couché sur le ventre de sa mère. La mise au sein peut être très précoce. Toutefois, il est essentiel de surveiller la mère et les enfants en permanence et d'éviter le refroidissement des nouveau-nés. Si l'Apgar est inférieur à 9, on ne différera pas l'examen de l'enfant. La sage-femme ou le pédiatre vérifie la perméabilité des voies respiratoires, de l'œsophage, de l'anus. Les mensurations sont faites : taille, périmètre crânien, périmètre thoracique, diamètre bipariétal. Une désinfection oculaire est réalisée par un collyre antiseptique. Une injection intramusculaire de vitamine K est effectuée au niveau de la cuisse. Le cordon est désinfecté, puis coupé. Un pansement stérile est mis en place à ce niveau. Des bracelets d'identification ont été mis en place dès la naissance sous le regard des parents.

Un cahier de surveillance de chacun des nouveau-nés est ouvert et sera tenu au cours du séjour à la maternité. Les différents éléments de la surveillance initiale sont les scores d'Apgar à une, cinq et dix minutes, les différents soins effectués, les mensurations, les émissions d'urine et de méconium, la température de chaque enfant. Les paramètres concernant le début de l'alimentation sont également notés.

Les accouchements particuliers

Certaines interventions ou manœuvres sont relativement fréquentes en cas d'accouchement de jumeaux et vous devez être rassurée par deux éléments : votre obstétricien a l'habitude de les réaliser et vous n'aurez pas mal grâce à la péridurale.

Les forceps, spatules et ventouses

Ces instruments sont utilisés pour aider l'expulsion du premier ou du second jumeau ou des deux.

Les forceps

La peur ancestrale du forceps n'a plus de raison d'être aujourd'hui. Les « fers » de vos grands-mères ou arrière-grands-mères posés sans anesthésie dans des conditions dramatiques n'ont rien à voir avec l'utilisation actuelle des forceps. L'application de forceps se fait dans le calme et avec la plus grande douceur possible.

C'est un instrument destiné à saisir la tête du fœtus et à l'extraire des voies génitales maternelles, en l'aidant à bien fléchir sa tête, ou à la tourner dans le bon sens, ou en le tirant dans la bonne direction.

Les conditions d'application des forceps sont très strictes et garantissent la sécurité pour la mère et l'enfant. Ces conditions sont les suivantes :
— le bébé doit avoir la tête en bas ;
— la tête fœtale doit être engagée ;
— les membranes ovulaires doivent être rompues ;
— le col doit être à dilatation complète.

Les indications pour utiliser les forceps sont les suivantes :
— les modifications du rythme cardiaque du fœtus peuvent être la conséquence d'un manque passager d'oxygénation d'un des bébés, à la suite par exemple d'une compression du cordon ;
— l'arrêt de progression de la tête fœtale ;
— vous avez une maladie, comme une cardiopathie, une myopie sévère (du fait de la possibilité d'un décollement de rétine)... qui contre-indique vos efforts expulsifs.

Les spatules

Les spatules de Thierry sont un instrument radicalement différent du forceps dans sa conception et son utilisation. Le forceps, une fois mis en place, constitue un élément indissociable de la tête fœtale. Il agit par traction. À l'inverse, les spatules sont des instruments de flexion de la tête fœtale et de rotation, mais pas de traction. Il existe deux spatules : une droite et une gauche. Elles ne sont pas traumatisantes pour la tête fœtale. La pose des spatules est identique à celle des deux branches du forceps. Chaque spatule doit être mise en place avec beaucoup de lenteur et de douceur. Les indications sont identiques à celles du forceps.

Les ventouses

La ventouse est un instrument de flexion de la tête fœtale.

La cupule est mise en place sur la tête fœtale. La flexion ou la traction exercée sur la tête doit accompagner les efforts expulsifs de la patiente au cours des contractions utérines.

Les conditions d'application et les indications sont identiques à celles du forceps.

Les interventions possibles de l'obstétricien

Ces manœuvres sont effectuées sur le second jumeau après la naissance du premier.

La version par manœuvre externe

La version par manœuvre externe (VME) consiste, après la naissance de J1 et en cas de présentation transverse de J2, à obtenir une présentation verticale, soit céphalique, soit en siège, en mobilisant le fœtus par l'intermédiaire de la paroi abdominale de la patiente.

En cas de grossesse unique, cette manœuvre peut être faite en fin de grossesse pour transformer une présentation transverse ou en siège en présentation céphalique.

La position de la tête et du dos de J2 doit être parfaitement connue. La manœuvre se fait pendant la descente de J1.

En cas d'échec, l'obstétricien n'insistera pas et aura recours à une version par manœuvre interne.

La version par manœuvre interne

La version par manœuvre interne (VMI) est une manœuvre obstétricale pendant laquelle la main de l'opérateur introduite dans l'utérus transforme une présentation primitive (soit céphalique en cas d'absence de descente et d'engagement, soit transverse) en présentation du siège, en tirant sur l'un des pieds ou les deux pieds du fœtus. La VMI est suivie de l'extraction du fœtus.

La seule indication qui persiste actuellement est celle de l'extraction d'un second jumeau.

Les VMI qui portaient autrefois sur des enfants uniques sont devenues aujourd'hui des indications de césarienne.

Les manœuvres sur les présentations en siège

L'accouchement d'un bébé en siège peut être décrit comme la succession de trois accouchements, celui du siège, des épaules et de la tête. Plusieurs manœuvres peuvent être effectuées soit sur la tête qui reste coincée, soit si le fœtus se présente par les épaules, et dans les situations où il faut extraire rapidement le bébé qui est en siège.

Ces manœuvres ne concernent que le second jumeau et elles sont assez faciles à réaliser au début de l'intervalle libre, avant la reprise des contractions. Par ailleurs, la péridurale permet de les effectuer dans de bonnes conditions.

L'épisiotomie

L'épisiotomie est une intervention simple qui consiste à pratiquer une section du périnée. Tous les obstétriciens et toutes les sages-femmes en connaissent la technique.

L'épisiotomie est réalisée au moment de l'expulsion, lorsque la présentation distend le périnée. La patiente est installée en position gynécologique. On réalise généralement une épisiotomie médio-latérale droite, partant de la commissure postérieure de la vulve selon un trajet oblique en bas et en dehors sur environ 4 cm. Lorsque l'opérateur est gaucher, l'incision peut être faite à gauche.

La réparation doit être faite avec le plus grand soin après la délivrance. Elle est réalisée sur trois plans : vaginal, musculaire et cutané. En l'absence d'analgésie péridurale – éventualité rare lors d'une naissance de jumeaux –, la réalisation d'une anesthésie du périnée (bloc honteux) ou d'une anesthésie locale des berges de la péridurale est nécessaire. La suture doit rapprocher avec exactitude les deux berges de la plaie. En particulier, la jonction entre la peau et la muqueuse doit être reconstituée de façon précise. Il est classique d'utiliser des fils à résorption rapide qui présentent une excellente tolérance cutanée (Vicryl rapide®). L'épisiotomie peut donc être suturée avec un seul fil pour les trois plans. Ces modes de suture ont pour avantage une cicatrisation de bonne qualité et l'inutilité de retirer les fils, qui se résorbent spontanément en une dizaine de jours.

Les indications de l'épisiotomie sont les suivantes. On distingue :

- Les indications fœtales :

— accélérer la venue au monde d'un ou des enfants en cas de modification du rythme cardiaque fœtal ;
— protéger la tête fœtale en cas de prématurité.

- Les indications maternelles :

— prévenir une déchirure du périnée ;
— protéger le périnée en cas de dégagement d'une présentation difficile - en cas de présentation du siège ou lors d'une extraction instrumentale.

Les complications sont rares mais elles existent, et beaucoup d'obstétriciens cherchent à éviter cette intervention. Lorsqu'elle est faite trop précocement sur un périnée, l'épisiotomie peut être à l'origine d'un saignement important. La douleur ressentie par la patiente dans les premiers jours peut être très gênante et perturber les relations mère-enfant.

En cas de réparation défectueuse ou de mauvaise cicatrisation, la cicatrice peut devenir inesthétique ou douloureuse, en particulier lors des rapports sexuels, parfois à long terme. Ces complications sont heureusement rares.

Est-ce que ce sont des vrais ou des faux jumeaux ?

Pourquoi faire ce diagnostic dès la naissance ?

Déterminer la zygosité à la naissance peut être réalisé dans plusieurs buts.

- Satisfaire une curiosité bien légitime, de la part des parents.
- Intérêt psychologique pour les jumeaux, comme l'indique le docteur Derom : « Chaque individu doit pouvoir s'identifier, ce qui signifie en particulier se situer par rapport à son entourage [1]. » Ainsi, vis-à-vis de son jumeau, de ses parents, de l'entourage et surtout vis-à-vis de lui-même, il semble essentiel qu'un jumeau connaisse sur le plan génétique la nature du lien gémellaire.

1. R. Derom, R. Vlietinck, C. Derom, M. Thiery, « Comment différencier les jumeaux mono- et dizygotes ? », *Prog. Néonat.*, 1988, 8, p. 245-256.

Certains auteurs insistent sur l'intérêt éducatif de la reconnaissance précoce du type de gémellité.

- Intérêt scientifique : l'étude de jumeaux est une branche de la génétique. La connaissance de la zygosité pourrait permettre des études beaucoup plus précises en médecine et en anthropologie.
- L'un des intérêts médicaux est bien connu : les premières transplantations d'organes se sont faites entre jumeaux monozygotes. La susceptibilité à certaines maladies présente un déterminisme héréditaire et devant la maladie d'un jumeau le risque de l'autre dépend de sa zygosité.

Quels sont les éléments dont on dispose ?

La méthode pour déterminer la zygosité comporte l'étude du sexe, de l'examen des membranes ovulaires et des marqueurs génétiques (voir page 309.)

Les jumeaux de sexes différents sont évidemment dizygotes. Les membranes ovulaires, la placentation et sa relation avec la zygosité sont décrites page 14 et suivantes. Les membranes ovulaires sont analysables pendant la grossesse par l'échographie et après la naissance lors de l'examen du placenta. On distingue :

— le placenta monochorial, soit biamniotique soit monoamniotique : les jumeaux sont toujours monozygotes ;

— le placenta bichorial : les jumeaux sont soit dizygotes soit monozygotes.

Deux tiers des jumeaux monozygotes ont un placenta monochorial.

LE SÉJOUR À LA MATERNITÉ

Après les deux heures de surveillance habituelle passées en salle d'accouchement après la naissance de vos bébés (pour être certain que vous n'avez pas de saignement excessif), vous vous retrouvez dans votre chambre. Étant donné que vous avez des jumeaux, les maternités, même les plus défavorisées en hôtellerie, feront l'impossible pour vous trouver une chambre particulière. La durée de l'hospitalisation après la naissance de jumeaux est variable. Elle tient compte bien sûr de l'état de santé de vos enfants. S'ils sont prématurés et hospitalisés pour longtemps en réanimation, il est bien évident qu'il n'est pas utile de rester très longtemps à la maternité dès que vous vous sentirez bien.

Vous faites connaissance avec vos bébés

Si vos bébés sont en parfaite forme et confortablement installés dans des berceaux à côté de votre lit, vous serez beaucoup moins pressée de partir.

Vous donnez les premiers soins

Vous pourrez rester selon vos désirs et les habitudes de chaque service entre quatre et dix jours. Si vous avez eu une césarienne, vous aurez beaucoup de mal à vous occuper de vos bébés dès les premiers jours. L'intérêt de l'hospitalisation en suite de couches est d'apprendre à se familiariser avec les soins à donner aux bébés : change, toilette, allaitement, surtout si les jumeaux sont vos premiers enfants. Vous bénéficierez des conseils et de l'aide des puéricultrices et des sages-femmes.

Alors que durant la grossesse gémellaire vous avez été l'objet de soins médicaux très spécialisés, après l'accouchement, c'est vous qui êtes en position d'action et l'attention portée par le milieu médical va vous paraître nettement moins présente. C'est dès cette période que vous avez à faire un formidable effort pour assumer l'après-naissance. En effet, vous courez le risque de vous sentir débordée à ce moment où, encore mal remise des suites fatigantes de la grossesse et de l'accouchement, vous devez mobiliser toute votre énergie pour faire face à la réalité des deux bébés. C'est là que vous avez le plus grand besoin du soutien de vos proches, du père des enfants, de votre mère, éventuellement de vos sœurs ou belles-sœurs.

Pour la mère d'un enfant né unique, le moment du séjour à la maternité constitue une sorte de « pause » avant le retour à la maison. Pendant cette période de transition, où elle se trouve encore protégée et soignée, elle peut prendre son temps pour faire connaissance avec son bébé, apprendre les premiers gestes de puériculture et les techniques de l'allaitement. Ainsi commence à se former le lien mère-enfant qui devient réalité après les rêveries de la grossesse.

Pour vous, mère de jumeaux, cette pause de l'après-naissance est très différente. Vous êtes d'emblée confrontée à une réalité plus complexe. Sur un plan matériel, vous mesurez l'importante activité des soins qu'exige la venue au monde de deux enfants (seize repas par vingt-quatre heures en moyenne). Sur un plan relationnel, vous rencontrez la difficulté d'ajustement à deux enfants : par exemple, comment distinguer les deux enfants l'un de l'autre, surtout s'ils se ressemblent beaucoup, et comment établir avec chacun des bébés un attachement unique ? Ces questions sont encore plus compliquées si l'un des jumeaux, ou les deux, sont séparés de vous pour des raisons médicales. Leur hospitalisation, soit dans un centre de néonatologie situé dans la même enceinte que la maternité, soit dans un centre situé à l'extérieur, pose encore d'autres problèmes que nous aborderons plus loin.

Profitez-en pour vous reposer

La venue au monde de deux bébés entraîne obligatoirement une fatigue importante. Aussi, la plupart des demandes vont dans le sens de faciliter le repos de la mère (chambre seule, prise en charge des jumeaux la nuit). Mais on est frappé par le fait que peu de femmes réclament plus d'aide effective de la part du personnel de la maternité. Elles ne souhaitent pas qu'on s'occupe des bébés à leur place, mais demandent des conseils pour s'organiser et gagner du temps. Le souci principal des mères de jumeaux est de trouver le plus rapidement possible l'efficacité ou même la « rentabilité » maximale. Même lorsqu'elles sont mères pour la première fois, elles ne ressentent pas ces sentiments de maladresse ou d'incompétence, fréquents quand il s'agit d'un premier-né. Très vite, malgré la fatigue de l'accouchement, les mères de jumeaux désirent s'occuper elles-mêmes totalement des enfants, pour s'assurer qu'elles pourront le faire à leur sortie de la maternité.

En effet, la préparation du retour à la maison est une nécessité sur laquelle nous reviendrons (voir page 152) ; toutefois, il nous faut déjà insister sur l'importance de se faire aider à la sortie de la maternité. Ce conseil devrait faire partie des prescriptions des obstétriciens pour l'après-naissance. Les parents doivent être encouragés à explorer toutes les possibilités d'aide dans leur entourage, à se renseigner sur les travailleuses à domicile et à organiser au maximum la vie quotidienne (courses, ménage, lessives). En effet, bien des jeunes mères ont tendance à surestimer leurs forces. Plutôt que de chercher à être efficaces immédiatement, ne vaudrait-il pas mieux qu'elles mettent à profit leur séjour à la maternité pour se reposer au maximum ? Faire appel à l'aide du personnel n'est pas un déshonneur et peut-être vaut-il mieux s'habituer tout de suite à déléguer à une autre personne une partie des soins des bébés.

L'allaitement

D'une façon générale, la France est très en retard par rapport aux autres pays en matière d'allaitement maternel. À peine plus de 50 % des femmes allaitent à la sortie des maternités et 10 % pratiquent l'allaitement mixte. La plupart d'entre elles cesseront d'allaiter dans le premier mois. Ce taux est très inférieur aux taux des autres pays occidentaux. Il semble toutefois, depuis quelques années, qu'un regain d'intérêt pour l'allaitement maternel se manifeste dans notre pays comme en témoigne l'apparition en France du label « Hôpital Ami des Bébés », les recommandations de l'Anaes[1], l'engouement des médecins généralistes qui, de plus en plus, prennent l'allaitement maternel comme sujet de thèse.

Le sein ou le biberon ?

Il est possible d'allaiter des jumeaux

« Oui, c'est possible d'allaiter des jumeaux... mais quelle aventure ! » Le fait qu'il y ait deux bébés, cela prend évidemment deux fois plus de temps et est plus difficile ; de même, la prématurité pour certains de ces bébés ne facilite pas l'allaitement. Tout semble contre vous si vous souhaitez allaiter. Tout d'abord, l'entourage avec ses petites phrases assassines : « Évidemment, avec des jumeaux, tu ne risques pas de pouvoir allaiter cette fois-ci... » Ainsi, on a vu des femmes ayant allaité un premier enfant renoncer à l'allaitement en apprenant qu'elles attendaient des jumeaux.

Au siècle dernier et au cours de tous les siècles qui ont précédé, allaiter les jumeaux au sein était une évidence. Aujourd'hui, le courant s'est inversé et l'évidence est à l'allaitement artificiel, aussi bien au niveau de la population qu'au niveau des professionnels. En effet, les publications médicales sont rares concernant le sujet. Sur la base des données Medline, il y a chaque année à peu près quatre cents publications concernant les jumeaux et moins de 1 % concerne l'allaitement. Si vous lisez les guides et les livres écrits sur les jumeaux, vous trouverez peu de renseignements concernant l'allaitement. Il existe un site Internet en langue française, www.allaitement-jumeaux.com, que nous vous recommandons chaleureusement. À partir de ce site, vous pourrez obtenir des renseignements et télécharger une publication, *L'Allaitement des jumeaux dans ses premières heures, dans ses premiers jours*.

Nous faisions référence au début de ce chapitre aux publications et recommandations de l'ex-Anaes. Ces recommandations, qui datent de mai 2002, s'intitulent : « Allaitement maternel, mise en œuvre et poursuite dans les six premiers mois de vie de l'enfant ». Ce document est remarquable et sa lecture vivement conseillée. Toutefois, l'allaitement des jumeaux n'est pas abordé et nous ne

1. Anaes : Agence nationale d'accréditation et d'évaluation en santé, ancien nom de la Haute Autorité en santé (HAS). Les recommandations de l'Anaes sur l'allaitement maternel sont téléchargeables sur Internet.

doutons pas que cette phrase ira droit au cœur des parents de jumeaux : « Le comité d'organisation a décidé de limiter le thème à l'enfant sain né à terme. L'allaitement des jumeaux a été exclu ainsi que l'allaitement par les mères toxicomanes. »

Comme nous l'indiquions, l'allaitement des jumeaux est difficile ; difficile car il intègre toute une série de difficultés à toutes les étapes : l'obtention de la grossesse (nombreux cas de stérilité), le déroulement de la grossesse (hospitalisation, fatigue), la difficulté de l'accouchement, les suites de couches particulièrement fatigantes, le retour à la maison parfois difficile, les problèmes éducatifs.

Les difficultés sont de tous ordres : médicales, psychologiques, esthétiques, éthiques, socio-économiques...

D'après une enquête faite auprès de deux cents familles[1], sur les 47 % des mères de jumeaux ayant tenté l'allaitement au sein, les deux tiers ont arrêté au cours des deux premiers mois, ce qui montre que l'allaitement est un peu moins facile et gratifiant que pour un enfant unique.

Les différences entre le lait maternel et le lait artificiel

Le lait artificiel est du lait de vache ayant subi des modifications en laboratoire afin de tenter de reproduire ou de s'approcher le plus possible de la composition du lait de femme. En fait, compte tenu de la transformation au cours d'une tétée et au cours du temps de la composition (voir « Qu'est-ce que le colostrum ? », page 143 et « L'allaitement simultané », page 145), la contrefaçon est impossible et le terme de lait « maternisé » est tout à fait impropre. Le lait « maternisé » n'existe pas.

Le lait est une substance spécifique à chaque espèce. Comme le dit Camille Schelstraete : « À chacun son lait ! Le petit veau a besoin de fabriquer du muscle, le lait de vache qui est très riche en protéine est adapté à ses besoins. Le petit d'homme a besoin de fabriquer du cerveau, le lait maternel apporte des acides gras essentiels à sa construction. » Les amis des animaux s'offusqueraient certainement s'ils voyaient qu'on nourrit un petit kangourou avec du lait de girafe, alors pourquoi donner du lait de vache à un petit d'homme ?

En résumé, aucune des préparations pour nourrisson aujourd'hui disponibles ne peut se comparer au mélange unique que constitue le lait maternel, aucune technologie ne permet d'envisager de modifier la composition des laits infantiles d'une manière aussi dynamique que le fait la glande mammaire pour le lait des mammifères...

Choisissez la méthode qui vous convient le mieux

Les militants fanatiques de l'allaitement maternel nous irritent autant que vous. Nous ne jetons pas la pierre aux femmes qui allaitent au biberon. Il vaut mieux don-

1. Enquête de la Caisse nationale d'allocations familiales (CNAF), *Incidences économique, sociale et psychologique d'une naissance de jumeaux sur la vie familiale*, de Monique Robin, Denise Josse et Catherine Tourrette, 1988.

ner le biberon avec plaisir que le sein à contrecœur. De toute façon, si le sein est donné à contrecœur, le risque d'échec de l'allaitement est très important.

Il faut savoir faire la part des choses et reconnaître qu'allaiter est parfois difficile et que tout n'est pas rose dans l'allaitement maternel.

Pour aller plus loin, il existe même un inconvénient biologique, c'est la pauvreté du lait maternel en vitamine D ; la quantité de vitamine D dans le lait maternel est insuffisante pour prévenir le rachitisme. Il est donc important d'offrir au nouveau-né une supplémentation en vitamine D.

Les avantages de l'allaitement maternel

Nous pouvons repérer trois intérêts à l'allaitement maternel :

- *Intérêt médical* : la plupart des éléments immunologiques n'existent pas dans le lait artificiel et si l'allaitement artificiel a de bonnes fonctions nutritives, il n'a pas la fonction immunitaire, c'est-à-dire qu'il ne protège pas des infections. C'est bien démontré pour la gastro-entérite, les otites et les infections respiratoires.
- *Intérêt psychologique* : l'intérêt de la relation entre la mère et le bébé est évident.
- *Intérêt économique* : le coût de l'allaitement maternel est évidemment beaucoup moins élevé que celui de l'allaitement artificiel.

On peut remarquer que ces avantages démontrés en cas de grossesse unique sont amplifiés en cas de grossesse gémellaire.

Ajoutons deux intérêts dans les pays du tiers-monde : l'allaitement maternel prolongé a l'avantage de diminuer la mortalité infantile et de participer à la régulation des naissances car, lorsqu'il est exclusif, il présente un effet contraceptif.

Les contre-indications à l'allaitement maternel

Elles sont relativement rares. Deux sont indiscutables.

- Il s'agit avant tout de la séropositivité pour le virus du sida (VIH). Allaiter entraîne un risque de transmission à l'enfant du virus VIH augmenté de 10 %. Toutefois, dans les pays du tiers-monde, le rapport risque/bénéfice reste en faveur de l'allaitement maternel.
- La seconde contre-indication est une maladie exceptionnelle appelée galactosémie congénitale ; il s'agit d'un déficit en lactase, enzyme permettant la digestion du lactose.

D'autres contre-indications sont plus discutables, en particulier les psychoses ou la prise de médicaments toxiques. Si vous prenez des médicaments et désirez allaiter, vous devez en parler à votre obstétricien et au pédiatre qui s'occupera de vos enfants. Les seins de petite taille, les mamelons ombiliqués, les antécédents de chirurgie au niveau des seins ne sont pas des contre-indications absolues à l'allaitement.

Beaucoup de mères choisissent l'allaitement artificiel car elles croient que l'allaitement maternel prend beaucoup plus de temps. Il s'agit là d'un défaut d'information car la durée des deux types d'allaitement est comparable. Il a été calculé que l'allaitement des jumeaux prend cinq à sept heures par jour, la durée est la même pour les biberons. Il faut compter une heure de plus pour laver, chauffer, stériliser et préparer les biberons.

Aurez-vous assez de lait pour deux enfants ?

C'est effectivement une crainte de mères de jumeaux de produire le lait de façon insuffisante pour deux enfants. Il faut savoir que la nature a bien fait les choses car la quantité de lait produite lorsqu'on a deux enfants est multipliée par deux. Une étude australienne a montré que les mères de jumeaux donnaient en moyenne 11,4 tétées par vingt-quatre heures et produisaient 1,5 l de lait par jour. Pour les mères de triplés, deux mois et demi après la naissance, la production est supérieure à 3 l de lait par jour et les mères donnent en moyenne vingt-sept tétées par vingt-quatre heures.

Comment fonctionne l'allaitement au sein ?

La préparation du sein pendant la grossesse

À la fin de la puberté, le sein est un organe encore incomplet constitué d'un réseau de canaux qui drainent des bourgeons encore non fonctionnels. On assiste ensuite à trois phénomènes :

— le développement mammaire pendant la grossesse ;
— la montée de lait après l'accouchement ;
— l'entretien de la lactation pendant l'allaitement.

Pendant la grossesse, on assiste à deux phénomènes. Le premier est la constitution d'une glande mammaire fonctionnelle par la multiplication des cellules, permettant le développement des canaux qui s'allongent et se ramifient avant de drainer les bourgeons qui deviennent fonctionnels. Le second est un processus de différenciation des cellules glandulaires au troisième trimestre de la grossesse, avec la mise en place des éléments nécessaires à la synthèse des constituants du lait.

Tous ces phénomènes dépendent d'un contrôle hormonal extrêmement subtil. Plusieurs hormones sont impliquées, mais la principale est la progestérone. C'est l'hormone qui maintient la grossesse, et sa sécrétion en fin de grossesse est exclusivement placentaire.

Après l'accouchement, la chute brutale de la progestérone stimule la sécrétion de prolactine. La lactation s'installe alors en vingt-quatre à quarante-huit heures. C'est la montée laiteuse. Les seins gonflent, deviennent tendus et sensibles, vous pouvez alors présenter une petite fièvre passagère à 38 °C.

Pendant l'allaitement, l'entretien de la lactation est assuré lors des tétées grâce à la stimulation des terminaisons nerveuses du mamelon par la bouche du bébé, ce qui entraîne par un réflexe la production de lait. La stimulation du mamelon par la tétée provoque une double sécrétion hormonale :

— de prolactine qui commande la synthèse du lait ;
— de l'ocytocine qui favorise les actions du lait entraînant la contraction des cellules qui entourent les alvéoles. Un effet secondaire extrêmement bénéfique

de cette production d'ocytocine est le renforcement des contractions utérines, d'où une diminution des saignements chez les femmes qui allaitent.

Que contient le lait maternel ?

Tout d'abord le lait maternel contient des éléments nutritifs, de l'eau, des oligoéléments, des glucides, des protéines, des lipides.

Les éléments les plus caractéristiques sont le lactose et les caséines. Le lactose est un sucre spécifique du lait. Le nouveau-né le digère grâce à une enzyme appelée lactase présente dans son tube digestif. Les caséines sont des protéines nutritives qui comportent la plupart des acides aminés.

À côté de ces éléments nutritifs, on trouve dans le lait maternel des éléments non nutritifs, en particulier de type immunologique (qui interviennent dans la défense de l'organisme). Il s'agit de protéines, en particulier les anticorps et le lyzozyme, et de cellules, en particulier les lymphocytes et les macrophages.

Un point très important est que les cellules immunitaires, les anticorps et le lyzozyme transmettent au nouveau-né une immunité passive contre certaines infections. Ainsi, l'enfant sera protégé dès sa naissance contre ces infections. Par exemple, si la mère a eu la varicelle, ce qui est extrêmement fréquent, elle transmet à l'enfant ses anticorps antivaricelle et celui-ci, pendant les six premiers mois de sa vie, ne pourra pas attraper cette maladie.

Qu'est-ce que le colostrum ?

Ce qui est tout à fait extraordinaire, c'est que la composition des éléments constitutifs du lait présente des variations dans le temps.

Pendant les quarante-huit premières heures, la sécrétion lactée est peu abondante. Le premier lait ne contient pas beaucoup d'éléments nutritifs, mais est très riche en anticorps. Ce premier lait s'appelle « colostrum ». Le lait qui vient ensuite est très différent et beaucoup plus nutritif. On assiste à une double variation :

- au cours d'une même tétée, la composition varie ;
- en fonction du terme de la naissance, la composition du lait varie également et sera adaptée aux besoins de l'enfant.

Comment allaiter en pratique ?

Installez-vous confortablement

Le plus important est la bonne installation de la mère. Il faut qu'elle se sente à l'aise, soit en position assise, soit en position couchée. Les bébés doivent être installés de façon confortable sans qu'aucun effort, en particulier au niveau des épaules et des bras, soit nécessaire. Il est plus confortable d'utiliser un édredon ou des oreillers pour caler les bébés. Il y a cinq positions (Figure 11 : Les bonnes positions pour allaiter).

La première position est sportive. Elle est dite en « ballon de rugby », ce qui se traduit dans les livres américains par *football hold* (Figure a).

La deuxième position est dite en « berceuse-rugby » (Figure b).

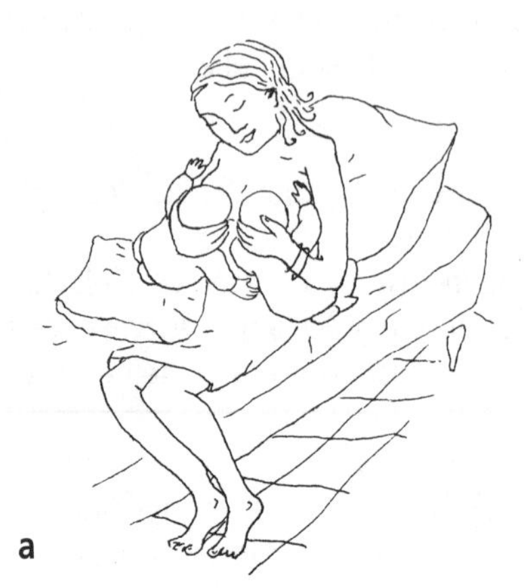

a

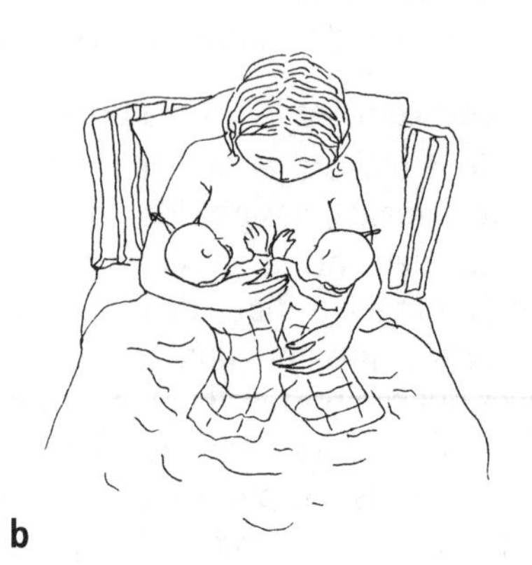

b

c

d

e

f

Figure 11 : Les bonnes positions pour allaiter. **a** : position en « ballon de rugby » ; **b** : position « berceuse-rugby » ; **c** : position en « croix » ; **d** : position en « parallèle » ; **e** : position que vous choisissez ; **f** : l'allaitement par le père.

Les trois autres positions sont géométriques : en « croix » (Figure c)., en « V », en « parallèle » (Figure d).

Rien ne vous empêche d'en imaginer une sixième (Figure e). Et le père peut aussi donner les biberons (Figure f).

L'allaitement simultané

La composition du lait évolue au cours de la tétée, le second jumeau allaité ne reçoit pas le même lait que le premier, et c'est un argument en faveur de l'allaitement simultané des deux jumeaux. Il y a un autre avantage à l'allaitement simultané en cas de discordance de poids des deux bébés : le jumeau le plus vigoureux stimule par sa succion la montée de lait qui est bilatérale et dont profitera l'enfant plus fragile.

Autre avantage, le doublement de stimulus de succion stimule beaucoup plus la sécrétion de prolactine, d'où l'entretien d'une production de lait abondante.

En résumé, allaiter les jumeaux ensemble a pour avantage de gagner du temps, d'avoir plus de lait, d'aider l'enfant le moins vigoureux. Évidemment, ce n'est pas facile, surtout au début, et vous pourrez ressentir le besoin d'une relation individuelle avec chaque enfant ; dans ce cas, il est préférable de pratiquer un allaitement successif. Par ailleurs, si cette méthode d'allaitement simultané ne vous convient pas, c'est à vous de décider quelle est la bonne méthode.

Le facteur principal de succès est l'expérience de la mère. Vous aurez beaucoup moins de difficultés si vous avez déjà allaité un enfant singulier. L'un des inconvénients principaux est que le jumeau le plus affamé va imposer à l'autre son rythme d'alimentation. Toutefois, il est bien difficile avec des jumeaux de respecter complètement le rythme de chaque enfant, même si c'est souhaitable et possible dans certains cas. L'allaitement simultané est difficile dans un lieu public, vous en conviendrez.

Sur le plan psychologique, la relation privilégiée entre la mère et chacun des enfants n'est pas optimale si l'allaitement est simultané.

À l'inverse, l'allaitement alternatif est plus commode. Il permet une relation individualisée, mais il est plus fatigant. Les intervalles entre les tétées sont deux fois plus courts et c'est une véritable « mission impossible » si les bébés sont de petit poids avec un nombre de tétées élevé.

L'allaitement alternatif et à la demande

L'allaitement à la demande est souvent recommandé et pratiqué pour un seul bébé ; il permet sans doute de consacrer à l'enfant une attention plus individualisée, mais pour des jumeaux, cette disponibilité permanente risque de dépasser vos capacités physiques et devenir une source majeure de fatigue, car vous aurez très peu de répit entre les tétées. Il existe d'autres possibilités qui ne plairont pas aux puristes défenseurs de l'allaitement, mais qui sont pratiquées avec succès par de nombreux parents de jumeaux. Il s'agit d'allaiter le jumeau qui se manifeste le premier et de réveiller le cojumeau pour le nourrir à son tour. On ne respecte certes pas la sacro-sainte règle de l'allaitement libre, mais on préserve quelques minutes de sommeil supplémentaires pour les parents.

L'allaitement mixte simultané

Cette solution consiste à allaiter en même temps les deux jumeaux, l'un au sein, par la mère, et l'autre au biberon, par le père ou une autre personne. À la tétée suivante, on permute les deux bébés. En utilisant cette méthode, on prend le risque que les jumeaux refusent le biberon car ils préfèrent le sein, ou qu'ils ne sachent plus téter le sein car la technique de tétée du biberon est extrêmement différente. Avec un enfant unique, cette méthode d'alternance entre le sein et le biberon est fortement contre-indiquée car elle met en péril la poursuite de l'allaitement maternel ; avec des jumeaux, on peut être pragmatique et c'est parfois une bonne solution. Elle suppose que le père soit disponible, ce qui est rarement le cas, ou qu'une autre personne soit susceptible de donner le biberon pendant que la mère allaite l'un des jumeaux au sein.

Faut-il donner toujours le même sein au même jumeau ?

Certaines mères proposent toujours le même sein au même jumeau lors de tétées successives ; de la même façon, on peut remarquer que certains jumeaux ont une préférence pour un côté, du fait d'une forme de mamelon ou d'une vitesse d'éjection qui leur convient. Il faut lutter si possible contre ces phénomènes car l'intérêt d'alterner est d'offrir une stimulation équilibrée aux deux seins.

Faut-il peser les bébés avant et après ?

Si vous nourrissez au sein, il est inutile, sauf avis médical très motivé, de peser les enfants avant et après les tétées.

Si vous les nourrissez au biberon, il faut tout écrire. Vous devrez inscrire les quantités que chaque bébé aura bues si l'enfant est au biberon, avec une page différente pour chaque enfant, ou sinon vous ferez des confusions. Des parents de jumeaux ont imaginé des tableaux de tétées quotidiens que vous n'aurez plus qu'à compléter.

L'allaitement de jumeaux prématurés

Si vos bébés naissent prématurément, vous allez devoir apprendre à tirer votre lait. Il existe un véritable intérêt médical à donner du lait de femme à un enfant prématuré. Le premier point est de consacrer un temps équivalent au temps que prendrait une tétée et essayer de faire autant de séances que de tétées des bébés. En effet, les mécanismes physiologiques doivent être déclenchés de la même manière. Pour tirer le lait, il faut se mettre en condition de calme, être en relation avec ses bébés, se laver les mains, masser la glande mammaire. Les tire-lait électriques se louent en pharmacie. Cette location est remboursée par la Sécurité sociale. Des mesures d'hygiène sont bien sûr nécessaires, sans compliquer ce qui doit rester simple : une hygiène corporelle classique, se laver les mains, les sécher avec du papier jetable. Tout le matériel en contact avec le lait doit être lavé après chaque usage.

N'hésitez pas à demander des conseils

Il est important que vous soyez soutenue par les professionnels en gardant un contact avec la maternité après votre sortie et en vous adressant à une association de soutien à l'allaitement maternel ; des adresses vous seront données pendant votre hospitalisation en suites de couches. Vous pouvez bien sûr prendre conseil auprès de l'association « Jumeaux et plus » de votre département. En cas de problème à type d'engorgement, ou de doute sur une infection et *a fortiori* si un médecin non spécialisé vous conseille d'arrêter l'allaitement, vous pouvez prendre l'avis d'une sage-femme, d'un obstétricien ou d'un consultant en lactation. Le plus souvent, l'allaitement pourra être poursuivi.

Enfin une relation intime avec un seul bébé

« Quand Tom et Léo sont nés, nous avions déjà deux enfants que j'avais allaités, l'un trois mois et le deuxième neuf mois. Je ne me voyais pas stériliser et laver quatorze à seize biberons par jour. C'est confiante que je me suis lancée pour allaiter mes jumeaux. À la maternité, on m'a proposé toutes les nuits de leur donner des biberons pour compléter, j'ai refusé. J'avais peur que cela conduise mon allaitement à l'échec. J'ai donc allaité Tom et Léo à la demande toutes les heures ou deux-trois heures ensemble ou en alternance, même les nuits. C'était très fatigant mais en même temps j'avais tellement de plaisir quand je nourrissais l'un ou l'autre. J'avais enfin une relation intime avec un seul bébé. Mon mari m'a beaucoup aidée les nuits des six premiers mois. »

En conclusion, dès les premiers jours, vous faites connaissance avec ce problème qui vous deviendra familier : comment se partager entre les bébés sans léser ni l'un ni l'autre, tout en respectant leur individualité. Il n'y a pas d'autre différence avec une grossesse unique car, répétons-le, une fois qu'ils sont là, vos enfants sont des enfants uniques. La différence, c'est que vous en avez deux.

Vos premières relations avec vos jumeaux

L'échographie facilite la visualisation de deux bébés différents, mais c'est seulement à la naissance que la mère réalise qu'elle a vraiment des jumeaux, et elle peut alors entrer en contact de façon différenciée avec chacun des deux bébés.

Elle doit alors construire un autre schéma que le schéma fondateur classique de la relation mère-enfant. La relation triangulaire, qui est normalement la relation mère-enfant-père, existe entre mère-jumeau-jumeau. Le père arrive dans ce trio et permet de créer alternativement le deux à deux en prenant tour à tour chacun des deux bébés.

Repérer leurs différences

Dès le début, il est fortement conseillé aux parents de jumeaux de ne pas les comparer bien que ce soit pratiquement impossible dans les faits. Une façon pour la mère d'établir un lien séparé avec chaque bébé est de repérer très tôt les différences physiques et comportementales. Certaines mères, par exemple, ne reconnaissent leurs enfants que de face et quand les deux sont présents, d'autres ne les reconnaissent pas quand ils sont endormis. Ces phénomènes sont normaux au début et disparaissent avec le temps. Certains jumeaux monozygotes sont très ressemblants à la naissance et il vous faudra quelques jours pour faire connaissance. Vous devrez aussi vous familiariser avec leurs différences comportementales et de tempérament. Des jumeaux monozygotes peuvent avoir des discordances sensibles de croissance et des différences de poids à la naissance qui les rendent faciles à distinguer. Souvent, un jumeau semble être la version plus petite de l'autre. D'autres peuvent être aussi totalement différents.

Il arrive parfois que les parents perdent l'étiquette de l'hôpital sur laquelle est marqué le prénom des jumeaux et donnent un autre prénom qui prend en compte les petites différences pour être sûr de qui est qui. « Je n'ai aucun problème pour les reconnaître car Françoise est plus large et elle a les joues plus fortes. Regardez leur radio des hanches, vous verrez à quel point elles sont différentes ! Les gens les confondent quand même, surtout s'ils les voient séparément. Même lorsqu'on s'en occupe, on peut se tromper. Même mon mari s'y perd. Lorsqu'il arrive, j'ai souvent une des jumelles dans les bras pour le biberon. Il se penche et me demande : "C'est laquelle, celle-ci ?" Il a un moment d'hésitation pour la reconnaître, et parfois il se trompe carrément. »

Des sentiments parfois ambivalents

Il peut arriver aussi que les mères, ne pouvant faire autrement, développent très tôt une préférence pour les bébés les plus gros, même si les bébés les plus petits pèsent un peu plus que le poids désirable. Plus le poids diffère, plus la préférence est grande. Il semble que ces bébés plus petits peuvent devenir la quintessence de l'anxiété anténatale des parents, ceci même s'ils sont plus actifs que le plus gros. Les professionnels de soins ignorent souvent les sentiments ambivalents des mères. La plupart des femmes cherchent à les cacher, craignant de passer pour des « mères insatisfaites ». Si les médecins, infirmières et autres praticiens sont conscients de la possibilité d'une forte préférence pour le bébé plus développé, en rassurant la mère, en lui disant que c'est un sentiment normal qui passera bientôt, la culpabilité peut être dissipée. Il est également important que la mère soit bien entourée pour avoir du temps avec chaque bébé, suffisamment pour permettre à une relation de se développer. Si les mères ne sont pas rassurées et ne reçoivent aucune aide, la préférence peut continuer, même jusqu'à l'âge adulte. Il y a des signes qui peuvent alerter les soignants des difficultés de liens affectifs. Par exemple, les jumeaux préférés peuvent être les plus faciles à nourrir, ceux qui vocalisent plus tôt, ils peuvent avoir un tempérament moins coléreux et être généralement plus sociables que ceux avec lesquels la mère a des difficultés à créer des liens. Le bébé le moins favorisé peut être plus turbulent, moins sociable et décrit comme un « solitaire ».

Bien que les jumeaux monozygotes puissent aussi être sujets à des préférences, le même sexe, les différences d'aspect et de comportement moins nettes favorisent un traitement plus impartial des mères.

Les pères peuvent également faire leur choix et ils sont généralement plus équitables que leurs femmes s'il s'agit de jumeaux monozygotes. Il arrive souvent que le père choisisse le jumeau « rejeté » par la mère. Les pères de jumeaux dizygotes sont, comme les mères, fous de leurs garçons.

On voit souvent l'attribution de l'un des bébés au père, l'autre à la mère, pour des motifs de ressemblance, soit physique, soit comportementale, soit de sexe (père-garçon, mère-fille). Dans ce cas, la difficulté de la mère sera de créer le lien avec l'enfant dont le père s'occupe[1].

Et si l'un ou les deux restent à l'hôpital ?

La naissance des jumeaux est simultanée ou presque, ce qui ne signifie pas un retour simultané à la maison. La plupart des bébés jumeaux ont fréquemment besoin de passer un certain temps dans l'unité néonatale après la naissance. Ceci peut être très contrariant pour les parents, mais ils peuvent aussi se sentir plus en sécurité dans l'environnement de l'hôpital et souhaiter retarder le retour à la maison à cause des responsabilités auxquelles ils vont devoir faire face. Lorsque les jumeaux sont gardés à l'hôpital pour une période plus ou moins longue, les mères se sentent inadaptées et intimidées par tout l'équipement sophistiqué et le contrôle constant de leurs enfants. Elles sont aussi apeurées à l'idée d'intervenir de quelque façon que ce soit dans un environnement étranger avec une implacable routine.

Quand les jumeaux sortent finalement de l'hôpital, les problèmes liés à la prématurité tendent à persister au moins un certain moment. De plus, dès que les jumeaux sont à la maison, les parents sont confrontés à la tâche de s'occuper simultanément des deux bébés.

Il peut exister de très grosses différences de poids et de maturité, ce qui débouche couramment sur un retour à la maison avec seulement l'un des deux enfants. Cette situation est complexe car elle provoque une source de tiraillements affectifs

1. R. Billot, *Le Guide des jumeaux. De la conception à l'adolescence*, Paris, Balland, « Guide », 2002.

chez les parents. La mère culpabilise de laisser le plus faible et de s'occuper de l'autre enfant. Cette culpabilité se porte aussi sur l'attachement qui se crée avec lui [1].

Les retrouvailles avec le second bébé sont souvent complexes et difficiles. La prématurité en elle-même et l'attachement à des bébés tout petits, fragiles, ne rendent pas les choses faciles pour beaucoup de mères. Inconsciemment, la mère peut soit s'attacher plus rapidement au jumeau bien portant soit, au contraire, mobiliser entièrement son attention et son énergie affective sur le bébé absent. Citons l'exemple de cette mère qui souhaitait allaiter ses enfants et y a finalement renoncé : « Je ne pouvais nourrir qu'Aurélie qui était avec moi à la maison. J'ai pensé qu'elle m'avait déjà et que cela suffisait pour elle. »

La césarienne, fréquente, peut également entraver l'établissement d'une relation précoce. « Ce qui est frustrant, c'est de ne pas avoir ses enfants à l'accouchement. On m'a fait une césarienne et j'ai vu Marie cinq jours après. Carole, je l'ai vue au bout d'une semaine. Je les ai récupérées chez moi trois semaines après. C'était un peu difficile. » L'angoisse des parents causée par l'absence de l'un ou des deux jumeaux peut être atténuée si l'environnement médical est suffisamment sensibilisé à l'importance des relations précoces mère-bébé. Les parents sont encouragés à entrer dans les services de prématurés pour venir s'occuper eux-mêmes des enfants dans un cadre rassurant. Pouvoir nourrir elle-même son (ou ses) bébé(s), au besoin avec un tire-lait, permet à la mère d'effacer le sentiment de dévalorisation qui suit souvent une naissance prématurée, et lui permet d'établir ainsi plus facilement une relation mère-enfant. Le personnel peut également lui apprendre à participer aux soins des enfants, l'encourager à leur parler et à les toucher, ce que beaucoup de mères n'osent pas faire, impressionnées par l'apparence chétive des bébés et la machinerie qui les entoure.

« Le fait de connaître un enfant avant l'autre et d'avoir déjà créé un attachement entre Sophie et moi m'a beaucoup gênée. Lorsque j'ai été voir Alice dans une ambiance d'hôpital, sans pouvoir vraiment la prendre avec moi, j'avais un rapport avec elle que je n'avais pas avec Sophie. C'était difficile. Pour aller voir la seconde, j'étais obligée de laisser la première. Mais après, dès qu'elle est rentrée à la maison, ça s'est estompé. Pourtant, je me demande s'il ne va pas en rester quelque chose et si, plus tard, elles ne seront pas jalouses l'une de l'autre. »

1. *Ibid.*

L'unité kangourou

Ordinairement, lorsqu'un bébé naît prématurément – et c'est fréquemment le cas lors de grossesses multiples –, il a besoin de soins particuliers et attentifs qui lui sont prodigués dans les services de réanimation néonatale ou de pédiatrie. L'inconvénient est évident : la mère est séparée de son enfant. Le principe de l'« unité kangourou » est simple : on ne transfère plus l'enfant en pédiatrie, mais on transfère le service de pédiatrie en maternité. C'est moins simple qu'il n'y paraît et il ne suffit pas de mettre une couveuse dans la chambre de la mère. Il faut beaucoup de matériel et de personnel pédiatrique et paramédical, ainsi que beaucoup d'efforts de la part des équipes soignantes. La mère n'est plus séparée de son enfant, elle participe activement aux soins sous le contrôle des pédiatres et des puéricultrices, et remplace parfois avantageusement la chaleur de la couveuse.
L'« unité kangourou » tient son nom d'une pratique originaire de Colombie où il n'y a pas de couveuses, mais où les mères réchauffent leur bébé en le gardant contre elles [1].

1. N. Chapak, *Bébés kangourous. Materner autrement*, Paris, Odile Jacob, 2005.

LE RETOUR À LA MAISON

Prévoyez de vous faire aider

La fatigue maternelle mentale et physique est souvent importante, voire harassante. Les mères émergent déjà d'une grossesse difficile, qui souvent implique une césarienne et des allers et retours fatigants entre l'hôpital et le domicile, pour se retrouver dans une réalité chaotique qui n'en finit pas et leur permet peu ou pas du tout de répit. Les nuits sont spécialement difficiles.

Vous serez fatiguée

Le constant manque de sommeil est le plus grand problème et le pire des cauchemars pour toutes les mères. La plupart des jumeaux de poids de naissance insuffisant ont besoin de repas plus fréquents, parfois de neuf à dix repas par jour, et de plus de temps pour finir les repas de nuit. Ces bébés ne pourront faire une nuit normale qu'après avoir atteint un poids suffisant et une capacité abdominale adéquate. Il est connu que les stades de sommeil changent avec la maturité. Il faudra un certain temps pour un grand nombre de jumeaux nés prématurément pour avoir un sommeil normal. Tous les enfants manifestent ce qu'on appelle le « sommeil polyphasique », qui est un mode de sommeil fréquemment interrompu. Durant les premiers mois, les bébés sont éveillés, quoique brièvement, à peu près toutes les quatre heures. Ce n'est qu'après quelques mois que leur sommeil devient « monophasique », sans interruptions. Il semble donc possible que les jumeaux prématurés aient besoin de plus de temps pour acquérir la maturité suffisante et pouvoir dormir d'un bon et profond sommeil monophasique. Selon les mères, la plupart des jumeaux n'ont pas de longues nuits de sommeil ininterrompues avant l'âge de 1 an et même pour certains avant 14 mois. En moyenne, les jumeaux monozygotes naissent plus tôt et les mères en sont particulièrement affectées. Dans le cas de jumeaux nés grands prématurés (avant 32 semaines), les difficultés de sommeil peuvent persister jusqu'à l'âge de 2 ans. De plus, selon que le sommeil des jumeaux coïncide ou pas dans leurs cycles de repos, c'est une véritable tension pour les mères qui sont confrontées à deux enfants criant soit simultanément, soit chacun leur tour ; elles n'ont aucun répit. Dès que l'un est calme, l'autre, sans merci, veut être nourri.

Peu de pères aident la nuit. La plupart dorment dans une autre chambre ou sont réticents à se lever parce qu'ils doivent se rendre au travail le lendemain. Certaines mères qui ont une aide substantielle durant le jour sont seules la nuit. Même les femmes économiquement avantagées ayant des assistantes maternelles qualifiées qui dorment avec les jumeaux montrent des signes de fatigue.

La fatigue physique et nerveuse des mères, dont la plupart n'avaient pas anticipé la dure réalité, impose, en tout premier lieu, le recours à une aide indispensable de la famille ou d'une travailleuse familiale. Deux tiers des cent soixante-cinq mères de jumeaux interviewées par Monique Robin et coll. avaient déjà prévu cette organisation avant la naissance. Beaucoup de celles qui pensaient ne compter que sur elles-mêmes reviennent sur cette décision. L'aménagement de l'environnement familial est aussi à prévoir, surtout lorsqu'il s'agit de premiers-nés. « Il faut qu'à la naissance tout soit prévu en double : lits, transats, couffins, afin que chaque enfant ait son matériel... La disposition de la maison doit permettre de gagner du temps pour éviter l'énervement... », souligne une mère expérimentée.

Pour bien se consacrer aux enfants, il faut développer une stratégie limitant les tâches ménagères et aussi s'aménager des temps de repos afin de faire face physiquement à cette lourde charge de travail. « Depuis deux mois que les jumeaux sont à la maison, mon mari et moi-même avons des difficultés pour sortir faire des courses, répondre aux invitations des amis. Nous restons enfermés semaine après semaine, week-end après week-end... Les bébés, les bébés, toujours les bébés ! Un petit changement serait très agréable. » Une solution, qui n'est pas à la portée de toutes les familles, serait le recours à une aide extérieure, non seulement pour s'occuper des soins aux enfants et des travaux ménagers, mais aussi pour permettre à la mère de sortir ou de se reposer dans la journée.

L'important pour ces familles, c'est d'avoir un entourage de bonne qualité sur lequel peuvent compter certaines mères, tandis que d'autres s'adressent à des organismes sociaux. Nous avons déjà souligné l'intérêt des haltes-garderies. Dans l'enquête menée par Monique Robin, 50 % des femmes se font aider par une personne de leur famille. Seul un tiers des femmes ont recours à des travailleuses familiales partiellement rémunérées par les familles, dont la contribution est calculée en fonction des revenus et varie selon les départements, les communes, les Caisses d'allocations familiales et autres gestionnaires. Il peut y avoir, d'une famille à l'autre, de grandes variations du contingent d'heures globales qui est accordé (de quelques heures par semaine à la journée complète). Pour un bon nombre de familles à faibles revenus, leur participation financière reste encore trop élevée malgré l'application d'un tarif dégressif.

Il n'existe aucune mesure d'ordre général pour ce qui concerne l'aide à domicile aux familles d'enfants multiples sur le plan national. Les mères se plaignent très souvent de ne pas avoir été épaulées de façon efficace après la naissance des bébés. La majorité d'entre elles aurait souhaité bénéficier d'une aide à plein temps jusqu'à la fin du deuxième mois et de la présence d'une personne quelques nuits par semaine. D'autres préféreraient une organisation plus souple du temps global imparti : ainsi, une aide intensive serait accordée les premières semaines ; par la suite, il pourrait y avoir une concentration aux « heures de pointe » de la journée. Cette formule permettrait aussi de bénéficier plus longtemps de ce service. Certaines se plaignent du mauvais fonctionnement des organismes : aide accordée puis retirée, difficulté des démarches, défilé de personnes différentes qui nuisent à la continuité nécessaire.

Ménagez-vous pour garder le moral

Le fait d'avoir des jumeaux est un risque avant tout pour les parents, à la naissance et au cours de la première année. Les jumeaux ont sur leurs parents un effet dépressiogène, pour des raisons diverses : les deux enfants leur prennent beaucoup de temps, les nuits sont courtes, les soins quotidiens très prenants. Vous pouvez être déprimée plusieurs mois après la naissance des enfants car, aux troubles du sommeil, s'ajoute la persistance d'une fatigue physique et nerveuse, sans avoir eu le temps de récupérer après une grossesse et un accouchement souvent difficiles. La dépression de la mère a sans doute des origines multiples, tels que la fatigue, le stress, le renoncement à une relation dyadique idéalisée et la difficulté à trouver sa place de mère.

Répondre de façon adéquate à la demande simultanée de deux enfants est l'un des problèmes majeurs auxquels la mère est confrontée dès le début. Même lorsqu'elle a la possibilité de passer du temps avec l'un des jumeaux isolément, elle sait qu'elle devra bientôt s'occuper du second et refaire les mêmes gestes avec lui. Souvent, la mère est frustrée et culpabilise de ne pas vivre pleinement une relation fusionnelle avec chacun de ses jumeaux. Du point de vue de l'enfant, la gémellité introduit un élément rassurant et protecteur qui diminue, en moyenne, la pathologie des enfants.

Il est important de soutenir les mères de jumeaux et il est nécessaire qu'elles partagent leur expérience avec d'autres femmes dans leur situation avant et après la naissance. La meilleure forme de soutien est le contact individuel prolongé avec la famille ou des professionnels. En l'absence d'un entourage familial, la présence personnalisée, d'abord d'une sage-femme à domicile pendant la grossesse, puis d'une travailleuse familiale, constitue un soutien moral important. Certaines mères expriment leur besoin d'être conseillées, tant sur le plan de la puériculture que sur celui de l'organisation domestique. La visite quasi systématique de la puéricultrice de la PMI du secteur est jugée nécessaire au retour de la maternité.

Les pères sont plus présents

Aujourd'hui, les pères participent beaucoup plus aux soins quotidiens dès le retour à la maison et dans les mois qui suivent. L'opposition entre les rôles traditionnellement masculins ou féminins va se préciser, s'accentuer ou s'estomper, selon les cas, au sein des couples de premiers-nés. La transformation des relations à l'intérieur du couple est plus accentuée lorsqu'il s'agit d'une naissance gémellaire.

La même enquête montre que 50 % des pères participent occasionnellement aux soins aux enfants (donner les biberons) et aux travaux ménagers. Les activités relatives à la toilette (change, bain) sont rarement effectuées par les pères.

Près de 20 % d'entre eux n'apportent aucune aide, quels que soient la taille de la famille et son niveau socio-économique et culturel. En fait, même si sa participation est impérative, le père n'est pas forcément prêt à accepter ce nouveau rôle. Face au surcroît des problèmes économiques de la famille et l'abandon fréquent du travail de la mère, le père se réfugie dans son activité professionnelle. Un tiers des pères assurent systématiquement, en double avec la mère, les soins aux enfants et les travaux ménagers, dès le retour de la maternité. Ils sont en moyenne légèrement plus jeunes et appartiennent le plus souvent aux niveaux socio-économiques et culturels les plus élevés si on compare à des naissances uniques.

Ces « doubles maternels » appartiennent à des organisations familiales où il existe un réel partage des responsabilités éducatives et une implication affective importante de la part des deux parents. Ils sont malheureusement minoritaires.

Cependant il a été constaté que, souvent, la participation du père tend à diminuer alors que l'aide extérieure décroît également, lorsque les bébés arrivent à l'âge de 2 mois. Malgré une fatigue persistante, la mère est alors seule face à une surcharge de travail. Elle met en place une organisation qui tient compte d'elle-même et de ses enfants : nourrir les bébés l'un après l'autre, en réveillant celui qui dort pour gagner du temps et limiter les moments des soins. Parfois, sa disponibilité est mise à rude épreuve : « Si l'un mange et l'autre crie, on se dit : "Numéro 1, dépêche-toi de manger" car on pense à l'autre qui crie et on s'énerve de ne pas pouvoir se consacrer uniquement à celui qui tète. »

Quelques femmes donnent simultanément les deux tétées systématiquement à chaque repas avant 2 mois. Par la suite, l'alimentation des deux bébés ensemble se généralise au moment du passage aux repas à la cuillère, qui marque alors la fin d'une relation individuelle. Cette pratique revient souvent à limiter très tôt les contacts corporels mère-bébé pendant les repas : les deux enfants sont placés sur un baby-relax ou un canapé, soutenus par des coussins, la mère tenant les deux biberons ; ou bien, l'un est nourri dans les bras de la mère, l'autre, à côté d'elle, maintenu par un oreiller. L'imagination des mères semble sans limites dans les cas d'urgence. Plus tard, ces mêmes bébés seront habitués précocement à boire leur biberon tout seuls.

Protégez votre couple

C'est une nécessité

Dès les premières semaines, qui sont particulièrement difficiles, les parents doivent préserver sans culpabilité leur vie de couple en prenant du temps pour eux, afin de rompre l'isolement et de préserver également du temps et un espace pour les autres membres de la famille dans le cas de la présence d'aînés. Ils essaient au mieux de ne pas se laisser déborder par l'organisation des soins et l'établissement des liens affectifs avec les jumeaux. Même solidaire, le couple, en particulier, est durement confronté à la réalité quotidienne lourde et parfois stressante, face à laquelle l'horizon maternel se réduit au confinement à la maison. « Ce qui est le plus important, dit un père, c'est d'être organisé et de faire en sorte que les parents se soutiennent l'un l'autre. C'est primordial lors des moments où l'un craque, il faut que l'autre prenne le relais. » C'est dans le couple que vous allez trouver le plus grand nombre de solutions parce qu'il est un soutien :

— on peut se répartir les tâches : le papa peut aller faire les courses avec l'aîné ou l'amener au parc pendant que la maman s'occupe des petits, ou le papa peut garder les jumeaux pendant que la maman va chez le coiffeur ou chez le kiné ;

— on peut se confier l'un à l'autre, parler de ses joies, de ses craintes, de ses difficultés.

Mais un couple, ça « s'entretient » comme un jardin ! Pour cela, il faut communiquer et pour communiquer, il faut du temps et du calme. Pour réunir ces deux conditions, rien de tel qu'un repas au restaurant ou une soirée à deux chez des voisins ou de la famille qui auront eu la bonté de venir vous remplacer chez vous et de vous prêter leur nid douillet sans enfant. Profitez des nombreuses propositions d'aide que l'on va vous faire pour vous remplacer une nuit ou une demi-journée. Tout le monde y gagnera : vous ferez une bonne nuit réparatrice et rentrerez frais pour retrouver des enfants épanouis et contents de vous retrouver. Le plus difficile est de pouvoir mettre en place ces « sorties » de manière régulière et prolongée dans le temps. Vous devrez donc y penser pendant la grossesse car, pris dans le tourbillon des couches et des biberons, vous aurez du mal à penser à vous.

Préservez vos différents rôles

Pour faire face à des jumeaux, triplés ou plus, votre force tiendra dans votre capacité à préserver et entretenir vos différents rôles, et cela dans le temps : mère, épouse, femme au foyer et parfois femme professionnelle. Pour élever un enfant dans l'harmonie, il est important de pouvoir compter sur un couple solide et cohérent, d'autant plus en cas d'enfants multiples car, à ce moment-là, le nombre fait aussi votre force. Il est aussi nécessaire d'avoir un bon équilibre personnel, c'est-à-dire de conserver une vie de femme, avec des relations amicales et familiales, voire professionnelles. Enfin, si vous avez d'autres enfants, vous devrez aussi trouver du temps pour eux et cela ajoute un rôle de mère supplémentaire. Accordez du temps à chacun de vos enfants en sachant que ce n'est pas nécessairement le nombre de minutes ou d'heures passées avec eux qui compte mais la qualité de la relation que vous entretiendrez avec eux : relation qui devra être unique et particulière à chacun d'eux.

Profitez de la grossesse pour contacter les associations de travailleuses familiales, les haltes-garderies, crèches, assistantes maternelles et autres qui vous permettront de vous dédoubler. Les travailleuses familiales vous seront d'une aide précieuse car elles peuvent s'occuper des bébés mais aussi des plus grands, si vous en avez, ou vous avancer dans certaines tâches ménagères comme étendre une lessive, préparer le repas ou faire les courses.

Prenez soin de votre corps

Le nouveau défi que vous allez devoir relever est celui de la lutte contre le temps, ou plus simplement d'apprendre à gérer au mieux le temps, en vous rappelant que vous courez le marathon et pas le 110 mètres-haies.

Vous allez devoir trouver du temps pour vos bébés, pour vos enfants aînés éventuels, pour votre couple. Cependant, n'oubliez pas une autre personne tout aussi importante que les précédentes : vous-même...

Répétons les trois conseils les plus précieux qui, à eux seuls, justifient ce guide : 1 — Il faut vous faire aider. 2 — Il faut vous faire aider. 3 — Il faut vous faire aider.

> **« L'assistante maternelle est arrivée. Elle m'a regardée. Elle m'a donné mon manteau et m'a poussée dehors gentiment mais fermement, et m'a dit : "Je m'occupe de tout. Vous, vous allez faire les boutiques ; dans deux heures, vous vous sentirez beaucoup mieux..." »**
>
> **Linda, mère de jumeaux de 2 mois**

Se retrouver soi-même, c'est aussi retrouver son corps.

La nature est avec vous dans un premier temps : perte de poids, fonte des œdèmes... Mais certains problèmes peuvent vous inquiéter : pertes d'urines ou de gaz lors des efforts, impression de garder un gros ventre.

Vous allez aider la nature par la rééducation postnatale et, si cela s'avère nécessaire, faire appel, ultérieurement, à la chirurgie esthétique.

La rééducation après l'accouchement

Elle comporte deux facettes : la rééducation du périnée et la rééducation abdominale.

Votre médecin vous a prescrit en général dix séances de kinésithérapie lors de la consultation de sortie de la maternité. Si c'est nécessaire, il vous prescrira des séances de rééducation supplémentaires. Des exercices d'entretien sont à effectuer à raison d'au moins cent à deux cents fois par jour à domicile, le programme sera établi avec le kinésithérapeute.

Ne vous précipitez pas pour faire votre rééducation. Prenez le temps de vous habituer à votre nouvelle vie, prenez le temps d'allaiter. Rien ne presse. L'important est de la faire. Vous pouvez vous adresser à un kinésithérapeute ou à une sage-femme spécialisée pour la rééducation du périnée.

La kinésithérapie va vous permettre de prendre conscience de la contraction des muscles du périnée qui sont entre l'anus et l'urètre et ainsi d'obtenir un meilleur contrôle de vos sphincters.

Différents moyens sont utilisés.

- *L'électrostimulation* est une stimulation musculaire par un courant électrique avec une sonde vaginale ou anale, les séances durent quinze minutes et sont renouvelées trois fois par semaine ; elle peut calmer les cicatrices douloureuses.
- *Le biofeedback* permet de visualiser, grâce à un appareil, la contraction des muscles et de la corriger ; cette technique nécessite une participation personnelle beaucoup plus active et donne des résultats très encourageants.
- *La relaxation* permet la prise de conscience du schéma corporel pour les femmes fatiguées, stressées et hyperémotives.

La chirurgie esthétique

Si vous avez, après une grossesse multiple ou après plusieurs grossesses, une distension de la peau et de la musculature abdominale qui n'ont aucune chance de régresser avec la seule rééducation, votre médecin pourra vous proposer une intervention chirurgicale destinée à réparer votre abdomen, c'est l'abdominoplastie.

Cette opération va améliorer l'état de votre paroi abdominale, mais ne va pas vous ramener à l'état antérieur car elle entraîne une cicatrice définitive. Cette intervention n'est pas indiquée si vous souhaitez avoir d'autres grossesses ni en cas d'obésité, qu'il convient de traiter dans un premier temps.

Votre médecin référent saura vous adresser au bon spécialiste qualifié en chirurgie plastique et qui aura donc une bonne expérience de ce type d'intervention.

Les complications sont rares ; l'infection ou la survenue d'un hématome est toujours possible. La cicatrice abdominale est inévitable et la qualité de la cicatrisation imprévisible. Votre chirurgien plasticien fera le maximum pour que cette cicatrice soit la mieux placée et la plus discrète possible. La faire disparaître complètement, de même que faire disparaître complètement les vergetures, relève davantage de la magie que de la chirurgie.

Vous pourrez réduire les risques au maximum en choisissant un praticien qualifié, en suivant scrupuleusement ses conseils avant et après l'opération.

Le chirurgien vous recevra en consultation avant l'intervention afin de vous donner toutes les explications et rechercher une éventuelle contre-indication. Vous bénéficierez également d'une consultation avec l'anesthésiste car cette intervention se fait sous anesthésie générale.

Avant l'intervention, deux mesures sont importantes : arrêter de fumer au moins six mois avant l'opération et ne pas s'exposer au soleil afin d'éviter les problèmes de cicatrisation.

En cas d'infection, même s'il s'agit d'un simple rhume, votre intervention peut être reportée. Des « bas de contention » sont placés juste avant l'intervention.

L'abdominoplastie consiste à remettre en tension les muscles de la paroi abdominale qui sont plus souvent écartés ; la peau du ventre est retendue et l'excès de peau supprimé. L'ombilic qui se trouve ainsi abaissé est repositionné au bon endroit. Cette intervention peut durer entre deux et quatre heures.

Après l'intervention, vous aurez besoin de médicaments antidouleur. Un pansement compressif vous empêchera de voir votre ventre. La durée de l'hospitalisation est très variable, de quelques heures à quelques jours. Les pansements seront régulièrement refaits, même après la sortie, et vous devrez porter une ceinture abdominale pendant quelques semaines. La reprise du travail est possible selon les cas après deux à quatre semaines de repos. Les exercices violents doivent être évités pendant six semaines, mais une reprise progressive des activités, en particulier la marche, est conseillée. La cicatrice peut avoir un aspect rouge et boursouflé pendant plusieurs mois et il faut s'armer de patience, car il faut parfois un an avant que celle-ci devienne moins visible. Les douleurs aussi vont s'estomper lentement.

En conclusion, il ne faut pas se précipiter sur l'abdominoplastie après la naissance. Laissez tout d'abord le temps, la rééducation et l'activité sportive agir. Si, après tout cela, vous gardez une paroi musculaire relâchée et un excès de peau, ou si votre ventre est zébré par les vergetures, nous vous conseillons clairement de faire une abdominoplastie, d'autant plus que l'état de votre abdomen doit altérer quelque peu votre moral. Il sera évidemment indispensable d'avoir une alimentation assurant la stabilité de votre poids et une activité physique régulière.

Reprendre votre travail

Les mesures de prévention de la prématurité ont pour conséquence une coupure importante avec le milieu professionnel qui peut aller jusqu'à un an, ce qui, inévitablement, rend difficile la réintégration ultérieure.

Selon l'enquête de Monique Robin menée auprès de cent soixante-cinq mères de jumeaux, la moitié des femmes cessent de travailler après la naissance des enfants. Souvent, il ne s'agit pas d'un choix délibéré mais d'une nécessité. En effet, si ces mères n'avaient eu qu'un seul bébé elles auraient, pour la plupart, repris leur travail. La coupure avec le milieu professionnel est souvent précoce pour ces mères dont les grossesses, considérées à risques, bénéficient d'une surveillance obstétricale plus soutenue. Elles sont seulement 4 % à cesser leur travail à la date du congé légal, contre 75 % pour lesquelles l'arrêt de travail intervient avant la fin du sixième mois de grossesse.

Décider d'arrêter temporairement de travailler

L'un des facteurs importants dans la décision de l'arrêt de l'activité professionnelle est la naissance de jumeaux après un premier enfant. Les femmes regrettent de renoncer à leur travail et justifient les raisons qui rendent inconciliables les soins et l'éducation de trois enfants avec une activité professionnelle.

- Elles ont de grosses difficultés pour la garde des enfants, ces familles ne sont pas toujours prioritaires dans les différents modes de garde publics.
- Comment concilier les problèmes de la vie courante tels que l'habillage, les préparatifs, avec le transport de deux ou trois bébés le matin à la crèche ou chez une nourrice ?
- Le niveau socio-économique peut être, lui aussi, un facteur décisif d'arrêt de travail. En effet, la reprise du travail de la mère ne représente pas toujours un intérêt économique pour la famille. Les femmes économiquement aisées reprennent plus facilement leur activité professionnelle, comparées aux femmes dont le salaire ne suffit pas, bien souvent, à compenser le coût occasionné par la garde des deux bébés.

Au-delà du choix de reprise ou de rupture de l'activité professionnelle, certaines femmes soulignent aussi l'intérêt pour les enfants de la mère au foyer.

Choisir le bon moment pour reprendre

Certaines femmes, qui se sont arrêtées de travailler après la naissance des jumeaux, ressentent, au bout d'une année ou deux, le besoin de reprendre une activité extérieure, même si l'intérêt économique n'est pas évident. Passé le temps du maternage intensif de la première année, comme beaucoup de mamans qui reprennent le travail, elles expriment le désir « de voir autre chose que les bébés, de sortir des couches et des biberons » ; elles souhaitent une ouverture sur l'extérieur qui leur permettrait en retour de se trouver plus disponibles et attentives aux enfants, ainsi qu'à leur conjoint. « On a bien ri ensemble pendant un an, dit une mère, maintenant on a besoin d'autre chose : eux de petits copains, et moi de travail. »

Mais après une longue interruption, il n'est pas toujours facile de reprendre une activité. « J'ai beaucoup perdu au niveau professionnel, j'ai beaucoup moins d'intérêt pour le travail, je regrette ce que je faisais avant, j'ai beaucoup moins de contacts avec mes collègues. Auparavant, je donnais plus d'énergie dans mon travail, maintenant, je choisis d'en donner moins, parce qu'il faut accorder davantage aux enfants en rentrant. Mon mari m'aide beaucoup, mais j'ai quand même dû lui faire admettre de prendre quelqu'un pour me seconder à la maison... Au début, j'étais perdue : il faut tout revoir, tout faire ; avant, je fignolais, maintenant j'attache moins d'importance aux détails, même en ce qui concerne les enfants. »

Les différents modes de garde

Les équipements pour la petite enfance sont très différents selon les municipalités. Quel que soit le type d'accueil, il est indispensable que la femme enceinte s'informe sur les différents modes de garde de sa commune aussitôt après le diagnostic de gémellité.

- *Les crèches collectives* accueillent les enfants à partir de 2 mois et demi jusqu'à 3 ans. Elles sont gérées soit par la municipalité, soit par des associations et sont dirigées par une infirmière-puéricultrice.
- *Dans les crèches familiales*, des assistantes maternelles, agréées par le Service de protection maternelle et infantile (PMI) et salariées par la municipalité, accueillent, à leur domicile, un ou plusieurs enfants de 2 mois et demi à 3 ans. Elles se rendent régulièrement dans les locaux de la crèche avec les enfants pour bénéficier d'actions animées par une éducatrice de jeunes enfants. Le choix de l'assistante maternelle se fait avec la directrice de la crèche. La durée de garde ne peut excéder dix heures par jour.
- *Les haltes-garderies* accueillent les enfants de 3 mois à 6 ans, deux ou trois fois par semaine au maximum. Les rythmes de présence varient de une heure à plusieurs demi-journées. Ces lieux d'éveil préparent à la vie collective. Cette structure permet aux mères qui ne travaillent pas de s'accorder un espace de liberté. La réservation est obligatoire.

Pour ces trois modes de garde, il est recommandé de s'inscrire dès le sixième mois de grossesse auprès du service de la petite enfance de votre mairie. La participation financière des parents aux frais d'accueil de leur enfant est déterminée d'après un tarif journalier conforme au barème applicable dans le cadre des conventions liant la Caisse d'allocations familiales (CAF) à la municipalité. Un tarif dégressif peut être appliqué pour le deuxième enfant.

Les crèches parentales accueillent les enfants de 2 mois et demi à 3 ans. Ces mini-crèches associatives fonctionnent grâce aux parents. À tour de rôle, ils gardent les enfants une demi-journée par semaine sous la responsabilité d'un professionnel. C'est l'association des parents qui détermine les conditions d'admission des enfants.

Les assistantes maternelles libérales accueillent chez elles jusqu'à trois enfants de 2 mois et demi à 3 ans. Un agrément leur permettant d'exercer, délivré par le service de PMI, en précise l'âge et le nombre. Vous rédigez un contrat de travail en prévoyant, si possible, les périodes de congés. La CAF ou le service PMI vous communiquera la liste des assistantes maternelles.

Certaines familles envisagent de faire garder leurs bébés à la maison. Cette garde au domicile des parents par une auxiliaire parentale s'avère plus onéreuse que celles proposées par les services municipaux. Néanmoins, deux aides financières, l'AGED (Allocation de garde d'enfants à domicile), octroyée par la CAF, et l'allocation Paris Petit Enfant, versée par la Ville de Paris, contribuent à alléger le coût de ce mode de garde.

Étant donné le manque de place pour l'accueil des jeunes enfants, le fait d'avoir deux bébés à confier en même temps accroît les difficultés. Si la structure de la crèche collective offre des possibilités, on comprend que, en crèche familiale, il n'y ait pas toujours de places disponibles au même moment chez la même assistante maternelle qui, par ailleurs, peut craindre de ne pas pouvoir s'occuper de deux bébés du même âge. Mais dans l'ensemble, les parents rencontrent de la bonne volonté et se voient accorder une priorité selon les équipements qui existent sur la commune.

Les avantages d'un mode de garde collectif

Il a été observé que les jumeaux s'adaptent plus facilement que les enfants singuliers aux différents modes de garde, les raisons en seraient les suivantes :

— les enfants multiples ont été généralement habitués très tôt à recevoir les soins de personnes différentes, et cette non-exclusivité des soins maternels facilite leur adaptation ;

— la présence du cojumeau est rassurante pour chaque enfant et pour la mère, qui vit mieux la séparation.

Lorsqu'il n'y a qu'un seul enfant, les parents sont généralement favorables au mode de garde collectif dans un cadre éducatif plus structuré, même si cette demande ne peut pas toujours être satisfaite. La mère sera ainsi plus sûre de garder sa place privilégiée si l'environnement empêche le bébé de s'attacher à une seule personne.

Le contact précoce avec d'autres enfants est particulièrement important, sinon nécessaire, pour les jumeaux, afin d'éviter le risque d'isolement du couple. Si le mode de garde collectif ne peut être satisfait, le choix peut se porter sur une assistante maternelle ayant déjà en garde des enfants. Les jumeaux sont alors mis régulièrement en contact avec les enfants d'une crèche collective et participent ainsi à des activités éducatives. Leur intégration dans le fonctionnement d'un groupe permet aussi d'éviter le repli du couple sur lui-même.

Pour permettre au personnel des crèches de distinguer les jumeaux monozygotes, il est important de fournir des points de repère précis et stables pour les vêtements, les couleurs, les coiffures... Il est parfois proposé aux parents de mettre les jumeaux dans des sections différentes afin de les aider à s'individualiser l'un par rapport à l'autre.

Dès leur entrée à la crèche, les jumeaux manifestent souvent entre eux des relations très privilégiées qui les aident certainement pour leur adaptation. « Joëlle et Juliette, entrées à la crèche à 5 mois, chacune dans leur baby-relax, se tenaient par la main, doigts entrelacés », contact étroit qui leur semblait habituel. Les jumeaux partagent leurs expériences de vie très tôt, ce qui crée une « ultime proximité », le cojumeau devenant un élément protecteur et rassurant.

L'arrivée d'un premier enfant dans un couple nécessite toujours une réorganisation et un réaménagement des rôles de chacun des parents. Alors, on comprend bien que l'arrivée de jumeaux modifie encore plus le mode de vie de la famille et nécessite une « super-réorganisation » matérielle, afin d'affronter les problèmes et d'aménager un espace et du temps pour chacun des membres de la famille.

En reprenant son activité professionnelle, la mère est confrontée à de nouvelles questions concernant la vie quotidienne : quel mode de garde adopter ? Qui emmènera les enfants, et cela peu importe le mode de garde choisi, et par quel moyen ? Qui les ramènera à la maison en fin de journée ? Comment vont se répartir les tâches en ce qui concerne l'intendance (courses, travaux ménagers, démarches...) ? Peu importe les solutions choisies, le nouveau rythme de vie entraîne de toute façon un surcroît de fatigue, particulièrement pour la mère.

Troisième partie

Les jumeaux dans la famille

LES JUMEAUX ET LEUR FAMILLE

Être mère de jumeaux

Vivre une double séparation

La mère et son bébé unique construisent progressivement une histoire sociale et fondamentalement affective. Le schéma habituel de la relation mère-bébé passe par les processus de séparation-individuation. Les psychanalystes ont décrit la séparation entre la mère et son enfant comme profonde, compliquée et permanente. L'entourage de l'enfant, tout au long des premiers mois, doit jouer un rôle d'assistance, de suppléance et de maternage. Par maternage, on entend non seulement les soins physiques, mais aussi une attitude générale faite de disponibilité, de perception correcte des besoins de l'enfant en rythme et en intensité, de réponses adéquates en qualité et en quantité à ceux-ci, attitude qu'intuitivement une mère adopte. Ainsi, le nourrisson a le « sentiment continu d'exister » et la capacité d'être seul en présence de sa mère. Ceci n'est possible que si, dans les premières semaines, la mère donne à son bébé le sentiment qu'elle est là pour lui, que rien ne compte sinon les soins à lui apporter, ainsi il pourra ensuite intérioriser cette mère et devenir capable d'être seul.

Bien que la relation intime des jumeaux n'ait pas été aussi bien étudiée que la relation mère-enfant, la théorie des psychanalystes est que le processus de séparation entre les jumeaux est aussi intense et compliqué que l'expérience de séparation entre une mère et un enfant. Une mère de jumeaux et ses jumeaux passent par deux séparations distinctes. Les processus de séparation, entre mère et enfant et entre les jumeaux eux-mêmes, sont entremêlés et suivent une série d'étapes qui reposent les unes sur les autres.

Dans le cas d'une naissance gémellaire ou multiple, amplifiée par le stress et la surcharge de travail, la fatigue physique et nerveuse de la mère limite la quantité et la qualité des relations avec ses enfants. Loin de respecter le rythme de chaque bébé et de répondre de façon satisfaisante à la demande de chacun, la mère, par manque de disponibilité, a des difficultés à s'adapter aux besoins spécifiques des deux enfants, ce qui peut provoquer chez elle un sentiment de culpabilité et de frustration. « Les biberons, toujours les biberons, pas le temps pour les câlins. » Les tâches matérielles laissent peu de place pour une relation de plaisir et de jeu dans les premiers mois. Les premières conduites sociales des nourrissons par les regards, les sourires, les vocalises sont très rares, car les bébés jumeaux ont presque inévitablement au même moment les mêmes demandes, comme en témoigne une mère de jumeaux : « Mon cœur est coupé en deux. »

La psychologie du nourrisson nous a appris, depuis ces vingt dernières années, à quel point les relations privilégiées avec le nourrisson, comme la tétée ou le biberon, le change et le bain, sont importantes pour la construction de la relation mère-enfant. Malheureusement, les mères de jumeaux, dans les premiers mois, ne peuvent pas satisfaire les soins de leurs bébés en même temps. Les nouveau-nés ont des besoins impérieux d'être nourris, pris dans les bras, câlinés, besoins auxquels il est indispensable de répondre rapidement. Par exemple, les bébés jumeaux ont faim au même moment, automatiquement, la mère doit « choisir » celui ou celle qu'elle va nourrir en premier et elle supportera pendant ce temps le regard et les cris de l'autre. Ces situations sont très frustrantes et la mère souffre de ne pas avoir suffisamment de temps pour vivre cette relation de plaisir avec chacun des bébés au moment des repas.

La relation avec un seul enfant semble comme impossible dans le cas d'une naissance gémellaire. Les parents vont avoir du mal à établir des relations individuelles uniques avec chaque enfant dans un contexte de vie familiale de surmenage, ce qui perturbe le processus de séparation-individuation. Ils vont donc adopter des comportements gémellisants, leur souci essentiel étant que leurs enfants soient égaux devant leur manque de disponibilité ; ils vont les considérer comme une seule et même personne. Les soins de maternage seront effectués simultanément et imposés aux enfants à un rythme régulier et identique.

L'attachement est considéré comme fondamental et c'est un instinct de survie pour l'enfant. Ce lien émotionnel, partagé avec leur mère ou la personne chargée des soins, constitue pour eux deux un grand plaisir. Le nouveau-né ne reçoit pas seulement protection et soins, mais c'est à partir de cette « base sécurisante » qu'il pourra commencer à découvrir le monde. Étrangement, cet aspect a été peu étudié chez les jumeaux alors que, dans leur cas, les vicissitudes de l'attachement sont très particulières. Quelques aspects sont partagés avec les non-jumeaux, d'autres ne le sont pas.

Établir une relation privilégiée avec chacun d'eux

La relation avec deux bébés est complètement différente de la relation avec un seul bébé. Une complicité absolue est tout simplement impossible pour la plupart des mères de jumeaux. En essayant d'être impartiales, les mères tiennent souvent un jumeau pendant qu'elles regardent l'autre. Le regard, l'expression faciale, les mouvements des mains, les conversations, l'allaitement maternel, les bercements, les câlins et les caresses sont tous fréquemment dissociés. L'attention individuelle se caractérise par sa brièveté et la continuelle oscillation d'un bébé à l'autre. Le choix des mères est extrêmement difficile dans ces circonstances frustrantes, cependant, l'autre jumeau ne sera jamais complètement exclu. De plus, les aspects pratiques dominent inévitablement la routine quotidienne des jeunes jumeaux. Après avoir changé, lavé, nourri les jumeaux huit à dix fois dans la journée, les avoir bercés pour dormir, il reste très peu de temps libre pour des échanges émotionnels individuels.

L'attachement tend aussi à être plus superficiel et dispersé. Les jumeaux sont dans une position unique d'avoir à partager simultanément la figure maternelle avec un autre bébé. Le père et parfois les frères et sœurs sont particulièrement importants dans la vie des jumeaux. Ils captent l'attention où et quand elle est disponible, mais certains d'entre eux peuvent être très résistants ou se contenter de ce qu'on leur donne. L'importance des autres membres de la famille, le père, les frères et sœurs, et même l'entourage direct est souvent sous-estimée. Tous les enfants, mais doublement les jumeaux, ont beaucoup de contacts importants en dehors de la dyade mère-enfant.

À la naissance, les jumeaux se comportent comme tous les autres bébés. Cependant, quand une dimension sociale est introduite dans leurs vies, parallèlement à leurs besoins de nourriture et de soins corporels, ils réagissent comme tous les enfants aux câlins, aux mots, aux mouvements, aux balancements et aux chansons. Ils sont plus sensibles à toute attention individuelle dirigée directement vers eux. Leur regard se concentre sur le visage de la personne qui prend soin d'eux. Ils sourient ou s'animent seulement si quelqu'un les regarde, leur parle, fait des mouvements ou leur sourit en particulier. Ils ne s'intéressent pas aux autres bébés et spécifiquement à leur cojumeau. Les jumeaux semblent très égoïstes : leur intérêt et leur attention se dirigent seulement vers ceux qui peuvent leur offrir de l'aide. Les nouveau-nés sont très attirés par les visages, mais les visages des autres bébés ne possèdent pas les caractéristiques qui peuvent normalement attirer leur attention.

Dès le début, les parents se trouvent dans une situation déroutante. Bien qu'il soit possible de nourrir aux seins, tenir ou câliner deux bébés en même temps, il est évidemment impossible de regarder ou sourire simultanément aux deux. Sauf dans les moments occasionnels de paix : quand un jumeau dort, les parents sont engagés dans un constant va-et-vient entre les deux jumeaux. Même dans les meilleures circonstances, l'attention individuelle et le contact direct sont inévitablement rares. La fatigue, les tensions conjugales et la possible dépression latente de la mère contribuent à faire de la concentration sur un seul jumeau un événement rare. La plupart des jumeaux essaient initialement de résister à cela. Les deux semblent déterminés à obtenir ce qu'ils veulent. Aussitôt que leur mère prête attention à l'un, l'autre crie. Bien avant que les jumeaux commencent à montrer des signes de reconnaissance sociale l'un envers l'autre, ils repèrent très vite si la personne qui s'occupe d'eux donne plus d'attention à l'autre. Ceci est la cause de fréquents hurlements de chagrin, voire, plus tard, de signes manifestes de jalousie. L'attention portée à un frère ou une sœur, même si il/elle est légèrement plus âgé(e), ne déclenche pas le même degré de protestation. Les jumeaux semblent capables de distinguer le niveau d'attention et de communication approprié à leur âge, et ils s'opposent moins aux manifestations d'attention dirigées vers leur frère ou sœur plus âgé(e).

Assurément, les bébés jumeaux semblent particulièrement déterminés à être traités individuellement. Leurs demandes pressantes d'être manipulés comme des « jumeaux uniques » provoquent inévitablement de la résistance et accroissent leur exaspération. Beaucoup de jumeaux augmentent tout simplement le volume et le ton perçant de leurs protestations qui provoquent davantage de sentiments de contrariété chez les parents. L'ouïe est loin d'être mature à la naissance et les enfants sont insensibles aux sons bas. Les jumeaux ne sont pas, toutefois, insensibles aux cris forts de leur cojumeau. Les cris des jumeaux sont très élevés. On comprend très bien pourquoi beaucoup de mères déprimées expriment le besoin de paix et de tranquillité. Les voix des jumeaux restent particulièrement fortes. Ils continueront à chercher à se faire entendre au-dessus de la voix de leur cojumeau bien *après* le stade de la communication verbale. Tôt ou tard, peu importe la force de leurs premières tentatives pour obtenir l'entière attention, tous les jumeaux se plient et s'adaptent aux circonstances. Ceux qui s'y conformeront les premiers seront vraisemblablement nommés le « bon jumeau » et recevront plus de sourires et de câlins. Les jumeaux font le maximum pour être considérés comme uniques.

J'aurais préféré en avoir un, puis l'autre

« Le seul regret que j'ai, c'est de ne pas avoir le temps. J'aurais préféré avoir le garçon puis après la fille, ou d'abord la fille et ensuite le garçon, mais pas les deux ensemble. C'est vraiment leur gâcher quelque chose. J'ai le sentiment toujours vivant en moi qu'ils n'ont pas eu une enfance comme les autres. On a le sentiment qu'on leur a gâché quelque chose, qu'on leur vole de l'amour et du temps. Ce n'est pas "le plus beau bébé du monde", puisqu'il y en a deux... et ce ne sont pas non plus les deux plus beaux bébés du monde. Il y a quelque chose de complètement faussé et aussi d'étrange car, en même temps, il y a ce bonheur tout à fait particulier d'en avoir deux. On sait qu'ils sont jumeaux, qu'ils ont cette relation privilégiée. Il y a aussi cette idée importante : on se promène dans un jardin, n'importe où, et immédiatement trois personnes sont autour de nous. Les gens disent : "Ah ! des jumeaux !" C'est très amusant et ça fait beaucoup de bien. Mais d'un autre côté, c'est dommage. »

Comment se partager équitablement entre les deux bébés ?

Vous craignez en permanence de donner moins à l'un qu'à l'autre : moins de lait, moins de temps, moins de jeux, moins de mots. La mère peut devenir une comptable de tout ce qui représente l'amour qu'elle va porter à chacun d'entre eux. C'est dans la symétrie qu'elle va penser pouvoir leur donner autant à l'un qu'à l'autre, alors que parfois la différence, dans les moments, dans les tâches, dans les jeux, devrait l'aider plus facilement à établir une relation individuelle avec chacun d'entre eux. Le choix des mères est extrêmement difficile dans ces circonstances frustrantes, cependant l'autre jumeau ne sera jamais complètement exclu.

Mais l'instinct premier va être de recréer une entité, comme un noyau composé de deux parties identiques, symétriques. Ainsi, le schéma classique de la relation dyadique mère-enfant est recréé grâce à ce groupement artificiel. Dans les moments les plus calmes, on gère les deux bébés en même temps. Assis, tranquilles dans leur transat, ou bien sur le grand lit ou un tapis de jeux, la parole va être collective ; on s'adresse aux deux en même temps et on leur dit vous[1].

1. R. Billot, *Le Guide des jumeaux*, *op. cit.*, 2002.

Les frères et sœurs aussi montrent souvent des préférences marquées pour un jumeau ou l'autre. Les différences de sexe et de tempérament y sont pour quelque chose. Ces préférences deviennent plus évidentes lorsque les jumeaux commencent à marcher et qu'il est plus amusant de jouer et de dialoguer avec eux. À ce stade, il est fréquent de voir un enfant plus âgé prendre le parti d'un jumeau contre l'autre. Ces situations de préférences sont moins marquées lorsqu'il s'agit de jumeaux monozygotes. Les frères et sœurs montrent une plus grande tendance à considérer les jumeaux monozygotes comme une paire.

Être père de jumeaux

L'occasion pour le père de « faire la mère »

Si les mères rencontrent des problèmes pour construire des liens avec deux bébés, les pères peuvent aussi avoir des difficultés. Dans son étude, Jane Spillman (1999) a trouvé une forte incidence de rupture des rapports conjugaux, pas seulement à la suite de la naissance de multiples mais aussi, dans plusieurs cas, au moment du diagnostic et avant la naissance. Il semble que certains pères soient accablés par les responsabilités qui leur sont imposées par l'arrivée de deux bébés simultanément. Cet effet est exacerbé si la grossesse n'a pas été planifiée. Les pères ont un rôle très important à jouer pendant la grossesse, à la naissance et dans la petite enfance. Ils devraient s'impliquer dès le début. Quand c'est le cas, ils prennent du plaisir à s'occuper au jour le jour de leurs bébés. La mère se sent mieux, les frères et sœurs sont moins exclus et la famille fonctionne bien.

En cas de naissance unique, les pères, peu aidés en cela par leurs femmes, ne trouvent pas toujours très facilement leur rôle dans les premiers mois, ni même dans les premières années. La relation mère-bébé est si forte qu'elle laisse peu de place à l'établissement de la relation père-bébé. Il en est tout autrement dans la naissance gémellaire. Les pères de jumeaux ont une occasion rêvée de « faire la mère » et ont une chance de s'impliquer affectivement plus rapidement et plus facilement dans la mesure où la relation maternelle se trouve partagée. Un père de jumeaux souligne à quel point la naissance des deux enfants avait été importante pour lui. Il ne voulait pas être celui qui resterait derrière la mère, la secondant dans le meilleur des cas, mais il voulait au contraire une place à part entière, à égalité avec elle. La naissance gémellaire a un sens différent pour le père et pour la mère.

L'enfant unique n'existe pas

LE PÈRE : « À partir du moment où il y en avait deux, on a franchi l'étape très facilement, ce n'était plus l'enfant du rêve, l'enfant idéal, mais tout de suite deux êtres concrets dont il fallait s'occuper. Ce n'était pas un enfant pour soi, il fallait se préparer à en avoir deux physiquement. »

La mère : « On passe de l'un à l'autre, l'autre est toujours dans notre tête, il faudrait individualiser plus souvent ; c'est vraiment exceptionnel d'être seul avec un. Si on pouvait faire des choses sympathiques comme prendre son temps au moment du bain et ne pas se dire que l'autre attend son tour ; ou bien partir faire une course avec un seul bébé ! »

Le père : « L'enfant n'est pas un jouet ! L'enfant unique n'existe pas ! C'est totalement avec l'un que l'on joue ; quand je parle à Stéphanie c'est indépendamment d'Emmanuelle. Cela défait la fusion d'avec l'enfant unique. »

La mère : « Avec un enfant, ce n'est pas la même chose, c'est facile comme tout, c'est tranquille, un seul. »

Le père : « Nous n'avons pas vécu une relation de maternité ordinaire, mais autre chose de différent que les autres parents n'ont pas vécu. »

Mais, malgré tout, prenons garde au père qui rêve de « faire la mère ». Lorsque les deux parents effectuent en double les « soins de maternage », les enfants risquent fort de se retrouver avec deux mères mais sans père du tout ! Ce mode inconscient d'éducation peut se prolonger par la suite.

Ce père nous confie : « Je suis très proche d'eux, je m'en occupe beaucoup. Un moment qui est très plaisant, c'est le matin avant d'aller à l'école, les enfants sont calmes, je les ai une heure pour moi tout seul. Si je fais de la gymnastique sur un tapis par terre, ils viennent tous les deux près de moi, installent leurs coussins et me prodiguent des câlins ; ou bien on écoute de la musique. Il y a des moments très agréables : tout est en douceur, en poésie. »

Cependant, des études sur la réaction père-bébé unique ont montré que très tôt les pères et les mères ont avec leurs enfants des types de jeux et des relations différents. Le bébé rapidement s'attend à recevoir des stimulations distinctes de la part de ses deux parents. Si l'on songe à l'excitation joyeuse qui accompagne dans les familles le retour du père après son travail, le père qui « fait la mère » risque alors de se retrouver fort décontenancé si l'enfant manifeste envers sa mère des signes d'attachement apparemment plus forts. Par exemple, les pleurs normaux au départ de la mère ou les marques de tendresse à son retour sont bien frustrants à observer pour le père, s'il ne bénéficie pas de la même attention malgré un dévouement tout à fait « maternel ».

« Quand la maman n'est pas là, ils m'accaparent tous les deux, quand elle est là, ils vont plus vers leur maman parce qu'ils la voient moins que moi, ils compensent. Leur maman, dès qu'elle est là, c'est elle qui compte, les mamans ça sait mieux arrondir les angles. »

Cette confusion des rôles des deux parents peut provoquer des rappels à l'ordre violents se traduisant par des symptômes psychosomatiques ou par un refus d'un des enfants de la relation avec son père.

Le jumeau du père et celui de la mère

Ce mode éducatif en double peut quelquefois aboutir à la constitution de deux couples privilégiés entre chacun des deux parents et chacun des deux jumeaux. Il sera alors difficile de dire, à l'intérieur de ce quatuor, qui, de l'enfant ou du parent, a choisi l'autre. Ce type d'organisation familiale, bien qu'assez rare, serait peut-être la solution rêvée de confort idéal, le plaisir d'une relation à deux privilégiée pour chaque parent et chaque enfant.

La plupart des filles jumelles ont une relation plus facile avec leur père que les non jumelles. Quand il y a un enfant plus âgé dans la famille, le premier-né des garçons MZ est plus proche de la mère et la plus jeune des filles MZ est plus proche du père.

Les parents ont plus de difficulté avec les jumeaux garçons qu'avec les filles. Les jumeaux MZ tendent à faire sentir à leurs parents leur incompétence. Lorsque le père s'aperçoit que la traditionnelle relation père-fils n'est pas possible, il choisit de rester en dehors, ou adopte une position plus maternelle qui parfois énerve la mère. Les garçons MZ souffrent du manque de compétition avec leur père, alors qu'ils se sentent généralement plus près de lui que de leur mère. Inversement, les garçons DZ tendent à se sentir plus près de leur mère et plus en conflit avec le père. Les pères sont généralement plus fermes avec les jumeaux DZ qu'avec les jumeaux MZ et, bien que conscients des différences de personnalité, ils tendent à les traiter de la même manière. Les garçons jumeaux DZ et MZ semblent plus malicieux, non seulement à la maison, mais aussi à l'école. Les garçons DZ peuvent parfois manquer de confiance et la relation proche avec la mère peut ne pas être toujours positive. Ils préfèrent être à la maison, tandis que les garçons MZ sont plus intéressés par l'extérieur.

Les filles DZ qui ont un jumeau garçon ont souvent une bonne relation avec leur père, qui est similaire à celle des filles MZ. Cependant, elles sont souvent en rivalité avec le père, ce qui peut conduire à des disputes. Généralement, elles ont aussi une bonne relation avec leur mère et la fille est souvent le partenaire dominant dans la paire (bien que le poids, la taille et le degré de maturité, à la fois physique et mental, du garçon peuvent altérer ce modèle), et cela peut faire que le garçon soit dépendant de sa sœur et plus facile à manipuler.

Cette attirance réciproque, même si elle vient des enfants, est souvent culpabilisante pour les parents : « Le jumeau du père et le jumeau de la mère » est une solution dont les parents se défendent avec véhémence, car chaque enfant a besoin d'avoir une relation personnalisée avec sa mère et une autre, différente, avec son père.

Le père dans la triade mère-enfants

Les pères qui ne s'impliquent pas dans une relation affective avec les jumeaux se sentent en dehors de la triade mère-enfants et cherchent des satisfactions ailleurs, soit au travail soit dans des relations en dehors de la maison. Il y a plusieurs raisons pour lesquelles le père fuit ou est mis de côté. Il est parfois difficile pour certains, pour qui la maternité prend un sens sacré, d'accéder à leur paternité dans cette double naissance. Cette difficulté peut également provenir de la mère dont le désir de maîtrise fait que les jumeaux restent son domaine réservé. Tant et si bien que le père est un peu relégué à l'intendance ou à ses propres affaires... Ces femmes, qui veulent à tout prix se débrouiller toutes seules, surinvestissent leur maternité et ne permettent pas l'empreinte paternelle. Des remaniements relationnels s'observent dans tous les couples à la naissance d'un enfant ou plus. Si la solidité du couple est souvent mise à l'épreuve par une naissance, il semblerait que ce processus soit plus accentué par les naissances multiples.

Le comportement varie-t-il avec le sexe de l'enfant ?

Dans le cas d'une situation de gémellité garçon et fille, il est plus facile aux parents de se comporter spontanément et d'avoir avec chacun des deux bébés une relation individualisée. La différence de sexe l'emporte sur la ressemblance physique éventuelle des enfants. Les écarts de développement et les différences de personnalité facilitent les éventuelles préférences ou attirances. La mère choisira le petit garçon considéré le plus fragile, qui pourra avoir plus de demandes vis-à-vis d'elle. Dans une autre famille, le père se sentira plus proche du garçon avec qui il fera plus d'activités « puisque c'est un garçon ». Le couple des enfants prend forme et fait face au couple parental.

Il semble plus facile pour les parents de s'identifier au jumeau de son propre sexe, ainsi les comportements stéréotypés masculins ou féminins fortement déterminés culturellement sont renforcés. À l'éveil de la prise de conscience de son propre sexe, au cours de la deuxième année, la jumelle joue davantage avec des jeux de filles alors que le jumeau s'intéresse plus aux petites voitures. Ces comportements stéréotypés varient en fonction de la conception du rôle de la femme et de l'homme à l'intérieur du couple parental.

Il semblerait que les jumeaux de sexe différent accaparent plus la mère pendant la première enfance ; les relations conflictuelles de jalousie et de rivalité entre les cojumeaux sont plus importantes. « Tout petit, Fabien ne supportait pas de manger à côté de sa sœur. Lorsque j'avais Karine dans les bras, il grognait. J'étais obligée d'attendre qu'il y ait quelqu'un d'autre à la maison pour la prendre dans mes bras. Il faisait des colères terribles. Il fallait que je tourne sa chaise afin qu'il ne voie pas sa sœur. Quelquefois, j'étais obligée de l'emmener manger dans sa chambre. Il avait besoin de quelqu'un uniquement pour lui à ce moment-là. »

Dans d'autres familles, lorsque tous se retrouvent le soir, la petite fille se précipite dans les bras de la maman et le petit garçon dans les bras du papa. Cette attirance deux à deux peut aussi s'inverser très souvent : chaque enfant ayant des comportements de séduction précoces envers le parent du sexe opposé.

« On va toujours vers celle qui vous ressemble »

Lorsque les bébés ont 2 mois

« Élodie est brune et me ressemble, alors que Mathilde ressemble à mon mari. Nous nous sentons attirés vers celle qui nous ressemble, mais maintenant que nous l'avons réalisé, nous faisons attention et nous échangeons les enfants. »

Deux mois plus tard

« Je suis heureuse des différences physiques entre les enfants, mais leur ressemblance à mon mari et à moi me gêne. J'ai surtout peur que cela entraîne une préférence de notre part et un attachement exclusif des enfants envers l'un de nous. Mais nous faisons attention de surmonter notre tendance naturelle. »

À 1 an

« On va toujours vers celle qui nous ressemble, on ne peut rien y faire. Pour moi, cela ne veut pas dire que je n'aime pas Mathilde et que mon mari n'aime pas Élodie, mais c'est un amour différent, peut-être parce qu'on se sent plus proche. Le matin, je vais mettre Mathilde dans les bras de mon mari et je vais prendre Élodie, ce sont des habitudes que l'on prend. »

À 18 mois

« Élodie va maintenant plus vers son père et Mathilde vient plus facilement vers moi, avant c'était l'inverse. C'est le problème de la ressemblance. C'est vrai que j'ai mal vécu cela, car à cause de cette ressemblance, ma belle-famille se concentre plus sur une, et moi je ne veux pas que l'on fasse de différence. Mon mari, lui, ne fait pas de différence, mais c'est vrai que l'on cherche toujours certains traits de sa personnalité dans l'enfant, et encore plus quand ce sont des jumeaux. »

À 6 ans

« On revient à nos habitudes premières, parce que je me sens plus proche de l'une et mon mari de l'autre. »

Être frère ou sœur de jumeaux

Une acceptation difficile

Presque tous les frères et sœurs sont d'abord fortement perturbés par l'arrivée des jumeaux et montrent des signes plus ou moins clairs de jalousie envers eux. La plupart se plaignent ouvertement et amèrement du chaos que provoque l'arrivée de « ces deux-là » dans leur vie. Les jeunes enfants sont généralement les plus affectés. Certains montrent clairement des signes d'hostilité. Dès que leur mère tourne la tête, ils s'engagent avec les bébés dans des étreintes suspectes, des bercements douteux et agressifs. Ils s'accrochent encore plus à leur mère déjà impatientée. La majorité montre aussi des comportements régressifs : ils se remettent à faire pipi au lit ou à sucer leur pouce. Néanmoins la majorité des parents sont très protecteurs envers leurs enfants plus âgés, les pères les sortent seuls, les mères essaient de leur consacrer du temps. Chacun des parents se sent désolé et coupable de leur infliger une nouvelle routine plutôt chaotique. Le bon vieux temps semble beaucoup manquer à tous ces enfants. Toutefois, les problèmes réels sont à venir. Tant que les jumeaux ne marchent pas, les chambres des aînés sont bien rangées et leurs jouets sont préservés. Ils sont plus affectés par le manque de disponibilité de leurs parents et contrariés par l'attention spéciale consacrée généralement aux jumeaux, pas seulement par leurs parents mais aussi par les proches, les amis et même simplement par les passants dans la rue. Les jumeaux sont peut-être plus une source de problèmes pour les aînés que *vice versa*.

Quand il y a plusieurs enfants dans la famille, l'aîné est plus à même de gérer la situation. S'il y a un autre enfant proche de son âge, ils vont souvent former une autre paire dans la famille. Un aîné seul a tendance à regarder en dehors de la famille pour avoir des copains. Il peut aussi essayer de joindre le groupe de jumeaux, soit pour devenir son leader, soit pour chercher à former une alliance avec l'un d'eux dans le but de les diviser. En dépit des difficultés, l'aîné semble être plus impliqué avec les jeunes jumeaux que cela aurait été le cas s'il y avait eu un seul enfant plus jeune. Les frères et sœurs se sentent souvent défavorisés parce qu'ils ne sont pas l'un des jumeaux. Il peut s'ensuivre une relation plus proche avec leurs parents.

Les enfants légèrement plus âgés peuvent aussi être quelque peu accablés par l'arrivée des jumeaux. Malgré tout, les enfants d'âge scolaire en particulier ont déjà d'autres intérêts, des amis et des identités bien établies dans la communauté. Certains sont en fait plutôt fiers de leurs nouveaux frères et sœurs et de la fascination qu'ils exercent sur leur entourage. Ils collent les photos des jumeaux sur leurs cahiers de classe et demandent à leur mère de les amener lorsqu'elle vient les chercher à l'école.

Quelques aînés, pas nécessairement les filles, montrent une certaine attitude maternelle envers les jumeaux dès le début, ils sont spécialement fiers et prennent un grand plaisir à aider leur mère et à jouer avec les bébés. Ils sont vraiment très obligeants et compréhensifs envers les jumeaux. Ils ne sont même pas dégoûtés, à part une grimace ou deux, pour changer les couches ou nettoyer des régurgitations de lait. Ils sont aussi très bons pour apaiser les jumeaux et les divertir, parfois même mieux que leur père.

Tous les jumeaux préfèrent une sœur aînée à un frère aîné et ce n'est pas surprenant, les sœurs aînées prennent plus de plaisir à être les grandes sœurs des jumeaux. Elles peuvent utiliser ce moyen pour obtenir un peu plus d'attention pour elles-mêmes. Les parents sont plus à même de considérer la sœur aînée comme une paire supplémentaire d'yeux et de mains utile.

Il se sent délaissé

C'est ainsi que la mère de Michel raconte ses réactions à la naissance de Sophie et Julien alors qu'il avait 8 ans. « Michel a été complètement éclipsé pendant deux mois ; moi, j'étais débordée physiquement, je pense que ça arrive aussi au deuxième ou au troisième enfant mais lorsqu'il y en a deux à la fois... Il a très mal réagi envers nous, en revanche, il s'est intéressé tout de suite aux deux petits. Je crois qu'il était d'autant plus tendre, presque maternel, que ça se passait mal avec moi, il donnait toute son affection aux deux plus petits. Il était très gentil avec eux, mais vraiment odieux avec moi au point que j'ai pensé consulter pour lui. Il était très déprimé, il pleurait tout le temps, il était méchant, très opposant. Moi-même j'étais très fatiguée. J'avais l'impression que tout s'effondrait, que tout allait mal, ça a duré quelque temps, deux ou trois mois, puis il est parti en vacances dans la famille de mon mari, une famille très unie avec beaucoup d'enfants de son âge. Là-bas, on s'est beaucoup occupé de lui. Il est revenu transformé. Depuis, il y a des hauts et des bas mais ça se passe plutôt mieux. Le travail scolaire a repris normalement. Michel a meilleur caractère, il est devenu plus gentil avec nous, il a mûri tout d'un coup, il est beaucoup plus raisonnable, probablement plus triste, c'est sûr. Par moments l'agressivité revient mais plus ponctuellement... »

Elle joue à la maman

Voici l'histoire de Marie, âgée de 2 ans et demi, et de ses deux petites sœurs jumelles de 1 an. « Elles jouent et elles se disputent comme toutes les sœurs. C'est Marie qui fait la loi, qui leur enlève leurs jouets et qui ne veut surtout pas que l'on touche aux siens, elle adore ses sœurs. Elles s'entendent bien toutes les trois, mais, comme dans toutes les histoires de frères et sœurs, on entend des cris... Les jumelles, elles aussi, se chipent les jouets mais ce n'est pas pareil. Laurence adore être dans le trotteur, il faut voir comme elle rit quand sa grande sœur la pousse dans le couloir. En ce moment, c'est Alice qui joue le plus avec Marie, car Laurence bouge moins. Le parc des jumelles est placé dans la chambre de Marie, elle leur met des jouets dedans, et parfois je les laisse toutes les trois, ainsi je suis tranquille. »

Un an plus tard :

« Pendant le dîner, Marie joue à donner une cuillerée à l'une, une cuillerée à l'autre, et les deux ouvrent la bouche docilement.

Parfois elles sont coquines, surtout le soir quand je suis bien fatiguée. Laurence commence à taper sur la table, alors, bien sûr, Alice fait pareil, puis c'est le tour de Marie.

Quand l'une a une idée, souvent elle la communique aux autres. Si l'une des jumelles commence à baragouiner un petit peu, l'autre fait pareil, et souvent Marie aussi. Elles jouent toutes les trois toujours ensemble, mais avec Marie il y a souvent des bagarres : les jumelles aiment beaucoup se mettre toutes les deux dans un grand fauteuil, si Marie les voit, elle vient se mettre sur elles et cela déclenche des cris. Les jumelles n'aiment pas être séparées de leur grande sœur. Un jour,

Marie était chez mes parents, les petites disaient : "Où elle est, Marie ?" Quelquefois les jumelles appellent Marie quand elles sont dans leur chambre, on entend : "Marie, Marie", alors l'autre arrive en riant, elle est assez maternelle avec elles, elle s'en occupe comme si c'étaient des poupées, elle les déshabille, elle leur met des chaussettes... »

L'ENFANCE DES JUMEAUX

Un développement complexe

Le développement des jumeaux est plus complexe que celui des enfants nés uniques. La prématurité, l'hypotrophie et les complications pré- et postnatales, liées aux naissances gémellaires, peuvent entraîner un retard dans le développement qui se résorbe progressivement à partir de la troisième année. La récupération après les événements traumatiques de la naissance est facilitée lorsque le milieu familial est suffisamment stimulant.

En plus des facteurs périnataux, les jumeaux d'âge scolaire peuvent présenter un retard aux tests d'intelligence. René Zazzo[1] interprète ce retard comme relatif à la situation gémellaire. Celle-ci expose les enfants à moins communiquer avec les adultes et favorise le retard dans le développement du langage.

Chaque jumeau évolue différemment, à l'exception des jumeaux monozygotes (MZ) qui, non seulement sont plus similaires à tous les âges, mais évoluent aussi au même rythme[2]. C'est ce que remarquent beaucoup de parents pendant la première enfance, âge de la station assise, de la station debout, de la marche, de la première dent, etc. Pour certains, les jumeaux « se suivent », « se rattrapent » ou « s'attendent », comme une sorte de « concurrence loyale » de l'un par rapport à l'autre.

Les écarts de développement entre les enfants sont plus importants chez les jumeaux dizygotes (DZ). Néanmoins, les parents ont des difficultés, quel que soit le type de gémellité, à comparer les acquisitions de leurs enfants. Ils parleront plutôt de ce que chacun des jumeaux fait le mieux : l'un peut être davantage « explorateur et moteur », ce qui expliquera qu'il marche deux mois plus tôt que son frère, l'autre peut être davantage « penseur et minutieux », ce qui motivera son intérêt et sa réussite aux jeux dits éducatifs. En revanche, les parents reconnaissent plus facilement l'avance de l'un par rapport à l'autre lorsqu'il s'agit des jumeaux de sexe différent.

Y a-t-il un langage de jumeaux ?

Pendant la période prélinguistique, chez les enfants non jumeaux, la communication verbale n'est pas essentielle à l'interaction, ils utilisent des moyens de communication non verbaux, comme l'imitation, la posture, les mimiques, pour

1. R. Zazzo, *Les Jumeaux, le couple, la personne*, *op. cit.*
2. C. Charlemaine, J.-C. Pons, M. Duyme, « Les jumeaux identiques sont-ils identiques ? Mythes et approches scientifiques », *Neuropsychiatrie de l'enfance et de l'adolescence*, 1998, 46, p. 7-19.

communiquer entre eux. L'utilisation du langage est systématique à partir de 3 ans et l'insertion des enchaînements communicatifs est très progressive. Tant que les enfants ne maîtrisent pas suffisamment le langage, ils communiquent gestuellement. Tout comme les enfants non jumeaux, il n'est pas nécessaire aux jumeaux d'utiliser le langage pour interagir. De ce fait, toute difficulté dans l'acquisition du langage se voit accentuée si l'isolement du couple gémellaire est grand et si les interactions dans ce couple comblent suffisamment les jumeaux sur le plan affectif et social. Ceux-ci, en relation constante l'un avec l'autre, sont de moins en moins enclins à communiquer avec le monde extérieur.

Pourquoi les jumeaux parlent-ils plus tard ? La notion de retard de langage des jumeaux est ancienne et non contestée. Le retard de langage apparaît comme un déficit limité et temporaire qui n'engage pas l'intelligence globale ni la valeur essentielle de l'individu. C'est la difficulté à distinguer verbalement entre soi et l'autre qui est caractéristique, plus encore chez les jumeaux MZ qui se ressemblent jusqu'à se confondre. Il y a un retard du « je » et du « moi », le « nous » est régulièrement employé à la place du « je ».

Le langage, c'est pour les autres

« Quel que soit leur type, les jumeaux partagent la curieuse expérience de s'accommoder à un pair dès le début, d'entrer dans le monde avec un copain ou une copine et non seul, d'acquérir le langage et d'autres capacités à deux, tout en partageant pendant ce temps une façon de communiquer au-delà du langage et avant le langage. Le langage, les bébés jumeaux peuvent penser que c'est pour les autres. Comme les locuteurs originaires d'un dialecte au regard de la langue officielle, le langage, c'est pour traiter avec les étrangers ; nous n'avons guère besoin de lui entre nous deux. » C'est un jumeau adulte qui se confie ainsi.

Ce fut dans cette perspective que Zazzo perçut le retard du langage chez les jumeaux comme le résultat du développement de leur propre jargon avant d'apprendre le langage des « autres ». Il appela ce système de communication orale incompréhensible des autres « cryptophasie », ce qui signifie langage secret. La nature de ce langage n'a jamais été très claire. En dépit de la croyance populaire, il a rarement été décrit en détail ou analysé de façon satisfaisante par les linguistes.

C'est uniquement dans cette situation gémellaire qu'ils utilisent ce langage bien à eux. « Crafari ma minades, poul na mir crafarillo, cani plai to mam tapar, manima crasse. » Ils peuvent également développer un code personnel de mots et de gestes pour transmettre des messages directs à leur jumeau. Ces messages sont basés sur leur expérience commune du monde. Ensemble, ils développent leur culture de groupe, qui peut être différente de celle de la famille et des amis. Cet attachement exprimé dans le langage a été appelé par Zazzo leur « jardin secret », un endroit où eux seuls peuvent entrer. Il a systématisé cette idée d'isolement du couple gémellaire. Selon lui, l'isolement est le fait premier et le retard du langage qui en est une conséquence agit à son tour comme un facteur renforçant l'isolement.

La situation gémellaire expose les enfants à moins communiquer avec les adultes et favorise le retard dans le développement du langage. De plus, la rupture de l'isolement des jumeaux les oblige à établir des relations directes avec le milieu environnant.

Les jumeaux âgés de 2 à 4 ans, et les garçons MZ en particulier, auraient un retard de six mois dans l'articulation et l'aptitude à s'exprimer, comparés aux non-jumeaux. Leurs phrases sont plus courtes et le langage de bébé persiste longtemps. Les jumeaux et multiples parlent souvent fort et vite parce qu'ils rivalisent pour obtenir l'attention des adultes. Lorsque la date de naissance des jumeaux prématurés a pour conséquence l'entrée à l'école l'année suivante, l'écart entre eux et les non-jumeaux plus âgés augmente. Les parents et les éducateurs doivent être conscients que les situations décrites ci-dessus peuvent influer sur les progrès, particulièrement en lecture, et que, même si les problèmes phonologiques se corrigent, les jumeaux et multiples peuvent avoir besoin d'une intervention spécifique et d'un soutien scolaire.

Une autre explication du retard du langage, spécialement quand il est apparent seulement chez un des jumeaux, est la question de dominance. Il a été montré que les jumeaux développent des rôles distincts dans leurs relations et se spécialisent dans une série de compétences. L'une d'entre elles est de prendre la parole. Ce serait une cause du retard de langage chez le jumeau dominé. Bien que la spécialisation dans la compétence verbale soit souvent rapportée par les parents, ce n'est pas toujours un trait stable de la relation dans le temps.

Elles se retirent dans leur situation gémellaire

« Béatrice et Maggie, à l'âge de 5 ans, sont très concernées par les succès scolaires de l'une et de l'autre. Elles ont un système de communication verbale et non verbale extrêmement développé. Maggie, la jumelle la plus verbale, peut parler fort en classe et suivre les instructions de l'institutrice ; elle commence à lire. Béatrice est beaucoup plus silencieuse et plus anxieuse que sa sœur. Elle a une grande difficulté à fixer son attention. Béatrice ne veut pas faire de la peine à sa sœur en étant meilleure en lecture et en prêtant attention à l'école. Elles décident l'une et l'autre de se retirer dans leur relation exclusive et inhibent leurs sentiments de compétition l'une envers l'autre. Leur mère accepte leur décision unilatérale. Au jardin d'enfants, elles sont toutes les deux "difficiles" parce qu'elles se protègent de leur colère et de leur honte pour leurs sentiments de compétition. Cette stratégie de se retirer dans leur relation gémellaire plutôt que de tenir compte de leurs sentiments de compétition est établie très tôt dans leurs vies. »

La compétition est un problème chez toutes les paires de jeunes jumeaux.

Les conditions d'apprentissage peuvent être différentes qualitativement et quantitativement chez les jumeaux. Ainsi, les mères ont un discours plus court, parlent moins à chacun des jumeaux pris séparément, comparées aux mères n'ayant qu'un seul enfant à élever. La relation verbale est moins intense, plus directive, moins interrogative, plus essentielle. Au niveau conversationnel il y a moins d'attention conjointe, et il est plus difficile de maintenir une telle attention avec un seul enfant, car l'autre vient perturber l'interaction. Il y a moins de tours de parole, les mères offrent un environnement linguistique moins ajusté à chaque enfant, elles s'adressent aux deux jumeaux comme à une seule personne. Ces différences seraient, pour une large part, responsables du retard du développement verbal des enfants jumeaux et seraient dues à la situation triadique[1].

Le langage avec les autres

Ce retard de langage n'est pas un déficit et il ne semble concerner que les premières années de la vie. Lorsqu'il y a des difficultés langagières après la période prélinguistique, c'est-à-dire après 4 ans, celles-ci ne diffèrent pas de celles des enfants n'ayant pas de jumeau. Il y a autant de troubles du langage, de retard de la parole, de troubles de la voix, de bégaiements, de dysphasies chez les enfants suivis en orthophonie de 3 à 16 ans, qu'ils aient ou non un cojumeau.

L'intérêt donné au retard du développement du langage chez les jumeaux ne doit pas conduire à la conclusion qu'ils vont inévitablement montrer un retard de langage. Chez certains, le développement du langage est supérieur à celui des non-jumeaux. Néanmoins, il y a un plus grand risque chez les jumeaux que chez les non-jumeaux que le développement du langage puisse, à certaines étapes, dévier des normes attendues chez ces derniers. Parfois la différence peut être une conséquence directe de la gémellité mais cela n'indique ni un retard, ni une incapacité. À d'autres moments, la différence suit un modèle de retard ou une incapacité, mais les deux peuvent aussi se chevaucher. Cela pose aux responsables cliniques un problème de diagnostic complexe en cherchant à déterminer dans chaque cas quels sont les facteurs responsables des difficultés de langage des jumeaux.

Les cliniciens auront à évaluer la contribution de ces facteurs avec prudence, en parlant avec les parents et en observant les jumeaux dans différentes situations communicatives. Ils devraient essayer de comprendre la façon dont les parents ont tenté de développer l'identité personnelle de chaque jumeau. Les parents interprètent de façon différente les conseils sur le développement de l'identité individuelle des jumeaux[2]. Le nombre d'interactions dyadiques adulte-enfant est un autre facteur à étudier sous tous ces aspects.

Dans le cas d'un retard de langage, l'optimisation de l'environnement pour l'apprentissage peut être suffisante pour accélérer son développement, spécialement si les facteurs qui peuvent réduire l'efficacité de l'apprentissage du langage ont été identifiés.

1. C. Garitte, « Le langage des jumeaux. Une spécificité langagière en voie de disparition », *Le Journal des psychologues*, 2001, 188, p. 38-43.
2. M. Robin, D. Josse, I. Casati, H. Kheroua, C. Tourette, « Dress and physical environment of twins at one year : French mother attitudes and practice », *Journal of Reproductive and Infant Psychology*, 1994, 12, p. 241-248.

La construction de leur identité

L'effet de couple

La notion d'effet de couple a été inventée par René Zazzo (voir aussi page 197) qui observait que faire partie d'un groupe de jumeaux avait des effets variés sur eux. Le premier effet est dans le langage. Le second effet est dans l'attribution des tâches.

La répartition des tâches

Par exemple, l'un prend en charge les finances, l'autre l'intendance. À l'école, l'un peut se spécialiser dans un sujet, l'autre dans un autre. Les tâches peuvent être aussi bien émotionnelles que pratiques. Un jumeau peut se faire des amis et les amener à la maison, pendant que l'autre peut être plus réservé. Ils peuvent inhiber les compétences développées chez l'autre jumeau. La répartition de certaines fonctions s'est souvent faite à un très jeune âge. Plus le couple est proche, plus il est probable qu'il se spécialise. Les jumeaux qui ont des frères et sœurs plus jeunes ou plus âgés ont plus d'opportunités de casser la relation gémellaire, bien que les jeunes frères et sœurs se sentent souvent oubliés. Les jumeaux « uniques » ont tendance à avoir une relation plus intense. Ils deviennent comme deux pièces d'un puzzle, chacun ayant besoin de l'autre pour être complet. L'un est meneur, l'autre suit comme une ombre. Si la balance dans la relation change, les fonctions peuvent être redistribuées.

Les personnalités de ces jumeaux qui peuvent apparaître différentes sont parfois très proches. Les jumeaux qui ont été séparés dans leur plus jeune enfance, particulièrement les DZ, sont souvent plus semblables que ceux qui ont été élevés ensemble. Dégagés de l'effet de couple, ils ont pu développer leurs compétences. Si les jumeaux sont traités comme deux individus distincts et encouragés à avoir leurs propres amis et activités, aussi bien que les partager, ils apprendront à développer les capacités dont ils ont besoin lorsque leur jumeau n'est pas disponible. Si des spécialisations persistent, ce sera dans des limites acceptables et elles ne seront pas liées ensemble.

Le groupe de jumeaux

Dans une famille il y a souvent deux sous-groupes, la dyade parentale et le groupe des enfants. Quand la famille inclut les jumeaux, il y a une seconde dyade. Celle des jumeaux a, habituellement, un effet très fort sur le reste de la famille, les jumeaux peuvent se supporter l'un et l'autre face à l'opposition des autres. Cela peut exercer une pression sur les membres de la famille pour joindre leur groupe. Être en dehors du groupe des jumeaux peut créer un sentiment d'isolement et d'impuissance. Si le groupe parental est assez fort, il peut agir comme une contrebalance. Les jumeaux qui sont encouragés à avoir des amis propres, des activités et des objets personnels, qui sont individualisés par leur environnement, sans stéréotypes, et complimentés quand ils le méritent, grandiront avec un sens d'identité individuelle, de valeur personnelle et de confiance qui leur permettra d'avoir une bonne relation aussi bien avec leur cojumeau qu'avec leur famille et leurs amis.

Les enfants peuvent être perturbés émotionnellement du fait de changements et de perte qui peuvent survenir dans leur environnement, mais les jumeaux, particulièrement les MZ, peuvent trouver support et sécurité en se retirant dans leur petit groupe. S'ils sont séparés à ce moment-là, la perte et le trauma sont multipliés.

Occasionnellement, la relation fusionnelle du couple des jumeaux peut créer entre les deux une pression qui peut être inconfortable. En formant un front uni, les sentiments de rivalité et d'hostilité peuvent être supprimés. Quand ces sentiments sont relâchés, ils peuvent devenir explosifs. Ils peuvent être dirigés contre eux-mêmes ou contre l'entourage, comme cela se produit avec les enfants non jumeaux.

Quand la famille se brise, la dyade des jumeaux peut être le seul groupe qui reste intact. Plutôt que d'être deux plantes dans un pot, la paire peut devenir mentalement enchevêtrée à cause de leur interdépendance mutuelle. Toute tentative de séparation peut être préjudiciable aux deux, tandis qu'ensemble ils peuvent inhiber l'activité individuelle.

La plus grande priorité pour les jumeaux qui ont été élevés ensemble est de recevoir très tôt une aide pour créer un sens d'individualité et d'identité personnelle, et pour les aider à canaliser leurs colères qui peuvent être dirigées sur leur cojumeau.

L'image de soi

Notre identité ou personnalité est dérivée de notre passé, de notre enfance, de nos relations actuelles, et de nos espoirs pour le futur. Maintenir un sens positif de l'estime de soi semble être une fonction de l'identité qui encourage les stratégies d'adaptation et de débrouille.

La gémellité suscite de nombreuses interrogations sur l'identité, et la tâche des jumeaux est de se construire comme individu unique face à leur double. La gémellité concrétise l'expérience inavouée du double constitutif de la conscience de soi, ce qui expliquerait notre attrait pour ce phénomène. La construction de l'identité nécessite toujours la présence d'un couple, même si ce dernier n'est pas gémellaire [1]. La gémellité s'impose pratiquement comme une situation extrême du rôle d'autrui dans la constitution de soi. La relation gémellaire accentue l'isolement par rapport aux autres. L'identification de son image physique et mentale est retardée chez les jumeaux, elle ne s'opère pas avant 3 ou 4 ans, à l'inverse des non-jumeaux chez qui elle apparaît vers 2 ans et demi. L'attachement gémellaire constituant une fraternité plus forte consolidée par l'égalité de l'âge, la coexistence et le partage des étapes maturatives de l'enfance peut constituer des émotions partagées à l'extrême, pouvant aller jusqu'au sentiment de phénomènes « parapsychiques » tels que la communication de pensée et la télépathie. Parce

1. M. Hubin-Gayte, « Jumeaux d'ailleurs et de tout temps », *Journal des psychologues*, 2001, p. 22-26.

qu'ils passent beaucoup de temps ensemble, parce qu'ils peuvent se ressembler, parce qu'ils sont souvent traités comme interchangeables, ou comme deux parties d'un même ensemble, et parce que le processus de séparation de la maman peut être incomplet, les jumeaux ne passent pas par les mêmes étapes d'identité que les non-jumeaux, lesquels acquièrent un sens d'identité et de reconnaissance individuelles.

L'identité est manifestement un sérieux problème pour le jumeau monozygote. Dans le miroir, il reconnaît son jumeau avant qu'il ne se reconnaisse lui-même et il a un retard de plusieurs mois par rapport au jumeau dizygote pour reconnaître sa propre image. Il met plus de temps à dire « je » et « moi » et le plus souvent il répond au prénom de son jumeau. Il est probable que les jumeaux dizygotes qui se ressemblent ont le même problème. Une fois qu'ils ont appris à se reconnaître dans le miroir, les jumeaux monozygotes peuvent encore faire des erreurs. « On est quatre frères : Julien, François, Maxime et nous... » (Antoine, 8 ans, jumeau d'une fratrie de cinq enfants). Beaucoup de jumeaux monozygotes adultes ont raconté leur confusion quand ils se regardaient dans le miroir et le temps d'un instant, ils pensaient voir leur cojumeau les regarder.

Les jumeaux perçus comme une unité naturelle

La perception des jumeaux et des mutiples par les adultes est fréquemment celle d'une unité naturelle. Savoir seulement que les enfants sont multiples semble affecter la mémoire, alors les identifier individuellement et les appeler par leur prénom devient presque une impossibilité. Si cette perception est renforcée par les parents et les enfants eux-mêmes, alors l'enseignant va sûrement percevoir et traiter les jumeaux comme une unité, attendant les mêmes résultats pour chacun. Même leurs amis peuvent se tromper pour les différencier, jouant avec l'un ou les deux comme s'ils étaient une même personne. « Être jumelle, c'est difficile, parce qu'ils disent les deux prénoms à la fois, et ça m'énerve. C'est dur pour moi quand quelqu'un me demande quel est mon prénom. Les gens s'approchent de moi et me demandent : "Es-tu Sarah ou l'autre ?" J'aimerais répondre : l'autre ! » « Une fille avait les mêmes chaussures que Sarah et elle est venue vers moi et a dit : "Tu n'es pas Sarah", et elle est partie. »

Bien souvent les autres enfants se comportent avec les jumeaux comme s'ils étaient interchangeables. Un enfant s'est mis très en colère quand le jumeau Peter a refusé de répondre lorsqu'il a été appelé « l'autre Paul ». Les triplés souffrent aussi d'être traités de cette façon.

Peu de parents font l'effort de faire une distinction entre leurs enfants jumeaux. En fait, la plupart expriment un désir très fort d'imaginer leurs jumeaux comme une unité identique, prenant plaisir de l'attention que cela apporte. Ils pensent que le côté « mignon » des jumeaux accroît leur popularité et augmente l'attention des autres. Cette attention spéciale peut aboutir chez les enfants et les parents à accentuer leur identité comme jumeaux plutôt que comme individuels.

Il faut aussi faire très attention aux médias qui tendent à encourager l'idée que les jumeaux sont identiques et, pour cela, utilisent des « images d'Épinal » renforçant l'idée que les jumeaux ont une identité unique. Par exemple, les photographes demandent fréquemment des jumeaux monozygotes et disent qu'ils n'ont pas besoin des cojumeaux pour la photo. Si les jumeaux se ressemblent, sont habillés pareil et ont la même coupe de cheveux, ils peuvent ne pas répondre à leur propre prénom ou même ne pas se reconnaître sur une photo ou dans un miroir. Que les enfants soient dans la même classe ou pas, il est essentiel de les considérer individuellement et se référer à eux par leur nom. « Ce n'est pas très bien quand les gens nous appellent les "tout petits jumeaux" comme le fait mon professeur de tennis. » Dès l'entrée à l'école, il est important d'évaluer le niveau de chaque enfant et ses progrès par rapport à la classe, et non pas en le comparant à ses frères ou sœurs jumeaux. Des rendez-vous séparés, préférablement à des jours différents, doivent être planifiés pour les consultations parentales afin de permettre de se concentrer sur un seul enfant lors de la réunion. Aider les enfants et les autres à apprendre à identifier individuellement les jumeaux prend du temps. Cependant, sans cet effort, les enfants peuvent ne pas être capables de fonctionner individuellement et devenir ce que Louis Keith[1] décrit comme « complètement bloqués sur le plan psychologique ».

Favoriser leur individualité

Depuis 1980, des recherches considérables ont été faites sur l'éducation et le développement des jumeaux. Les associations de jumeaux et les éducateurs ont commencé à attirer l'attention des parents sur l'importance de l'individualité. Le côté « mignon » de la gémellité est moins présenté sous des couleurs séduisantes et moins idéalisé par les parents. Avec les enseignants et les pédiatres, ils ont pris conscience qu'il fallait se concentrer sur le développement de personnalités uniques chez les enfants jumeaux, et surmonter les possibilités de socialisation et les difficultés de langage qui peuvent se développer s'ils sont toujours ensemble et traités comme une paire.

Aujourd'hui, il est conseillé aux parents de réévaluer continuellement leurs pratiques éducatives afin que les jumeaux aient assez d'expérience de séparation. Actuellement, certains psychologues donnent même des conseils très stricts sur comment séparer les jumeaux, comme s'il pouvait y avoir une recette ou une stratégie qui leur soit applicable à tout âge.

Un sens de séparation physique de l'un et l'autre se développe graduellement lorsque les jumeaux rampent, puis marchent. Très doucement, les jeunes jumeaux sont confrontés à eux-mêmes comme deux individus séparés. Les jumeaux peuvent être « collés » l'un à l'autre et se sentir « non sécurisés » séparés. La relation est si proche dans les premières années que lorsqu'un enfant, commençant à marcher, est séparé de son cojumeau, par exemple pour un séjour en hôpital, il peut réagir de la même façon qu'un enfant qui est séparé de sa mère. Ses sentiments sont si

---

1. L. G. Keith, É. Papiernik, D. M. Keith et B. Luke, *Multiple Pregnancy : Epidemiology, Gestation and Perinatal Outcome*, Londres, The Parthenon Publishing Group, 1995.

forts qu'il peut se couper émotionnellement de la personne qu'il aime, croyant qu'elle le rejette. Les visites de son cojumeau l'aideront à se rassurer, même s'il semble réagir durement aux visites. À son retour, il faut donc tenir compte de la possibilité de colère aussi bien contre le cojumeau que contre les parents. C'est aussi un moyen de tester la relation et bien souvent le cojumeau se montrera très compréhensif. Le temps de séparation dépend de l'âge des jumeaux. Les jumeaux ont besoin d'être ensemble autant qu'humainement possible. Un enfant de 1 an peut être dans une chambre séparée et jouer sans problème, mais brièvement. En grandissant, les jumeaux apprennent à être séparés physiquement l'un de l'autre pour des périodes plus longues. C'est dans leur intérêt qu'ils soient dans des classes différentes, dès le jardin d'enfants.

Cependant, une base affective sécurisante qui assure à chacun des périodes régulières de temps seul à seul avec la mère, alternant avec des solos réguliers loin de la mère, permettra la mise en place d'une séparation « sans danger » pour les jumeaux et favorisera aussi le développement du langage, les capacités sociales et un sens d'identité individuelle. Quand ni l'un ni l'autre des jumeaux n'a été capable d'obtenir l'entière attention de sa mère, il peut être moins préparé à la laisser partir tant que son cojumeau n'est pas avec lui. Cela va renforcer chez chaque jumeau le lien extrêmement protecteur et garantir aussi que le cojumeau ne prend pas l'attention dont il est lui-même en train de manquer. « Ils vaquent chacun à leurs occupations et ne jouent pas ensemble. Cependant, ils sont souvent dans le même coin, dans la même pièce. Il y a une sorte de présence à l'autre qui existe : si l'un quitte la chambre, son frère le suit même si apparemment il ne s'occupait pas de lui. »

La présence de la mère sépare les jumeaux d'abord physiquement. « Béatrice et Maggie pleurent sans pouvoir s'arrêter quand leur maman essaie de les nourrir séparément. » Ces jeunes enfants jumeaux peuvent cependant tolérer certaines séparations physiques. Bien qu'ils préfèrent être ensemble, aussi souvent que possible, ils ont besoin d'apprendre à fonctionner séparément. La maman évalue la capacité de ses jumeaux à grandir séparément et à avoir des identités indépendantes. Dans le processus de séparation des jumeaux, la mère s'emploie d'abord à les distinguer l'un de l'autre. Parfois, elle perçoit en premier des différences physiques telles qu'une marque de naissance sur l'un mais pas sur l'autre. Les dissemblances émotionnelles sont un autre moyen de distinguer les enfants. Un jumeau sera plus capricieux ; l'autre plus calme. Les caractéristiques exactes utilisées par la mère pour faire la distinction entre ces enfants sont parfois difficiles à percevoir. Cependant, quel que soit le moyen utilisé par elle pour différencier ses enfants, c'est l'acte de définir l'individualité, basée sur les différences observables, qui est essentiel.

Personne ne peut argumenter que cette tendance de regarder les jumeaux comme des individus et non pas comme des phénomènes mignons de la nature est dangereuse. Cependant, les parents et toutes les personnes s'occupant d'eux doivent être à l'écoute des besoins qu'ils peuvent avoir dans des situations différentes. En pratique, c'est toujours un problème. Obliger de jeunes jumeaux à être séparés peut ne pas encourager l'individualité, mais au contraire favoriser l'inattention ou la distraction.

Le choix des prénoms

Les résultats d'une enquête[1] effectuée auprès d'un grand nombre de familles montrent que plus d'un tiers des parents de jumeaux choisissent pour leurs enfants des prénoms qui s'harmonisent entre eux et rappellent inévitablement qu'il s'agit de jumeaux. Les parents perçoivent ces prénoms comme différents : « On voulait des prénoms qui ne se ressemblent pas, qui aient des sonorités très différentes, qu'on ne puisse pas associer, pour que les enfants ne se confondent pas lorsqu'on les appelle, mais qui s'associent bien... On n'aurait pas pris Claire et Clara... On a pris Claire et Laura. » L'attrait que suscite la gémellité semble échapper à leur conscience. La tendance au prénom composé comme « Marie et Claire », « Jean et Philippe » ou bien « François et Françoise » est rare. Il peut y avoir des associations régionales ou culturelles : Marine et Alysée pour des jumelles bretonnes, Jennifer et Jonathan pour les anglophiles, Bob et Dylan pour des nostalgiques du folk. L'enquête montre aussi qu'il existe des prénoms dont la ressemblance est souvent subtile et parfois cachée, comme les prénoms siamois liés par une même syllabe : Salo-mé-lanie, ou un prénom entièrement contenu dans l'autre : Coralie et Aurélia – musicalité difficile pour les jumeaux. Ils réagissent en moyenne plus tardivement que les non-jumeaux à l'appel de leur prénom.

Le choix des vêtements

Il est fortement conseillé aux parents de jumeaux d'éviter de les habiller pareil. Pourtant de nombreux parents « gémellisants » ne résistent pas au plaisir de montrer aux autres que leurs enfants sont jumeaux en les habillant de façon identique.

« Finalement, je suis heureuse de les voir se ressembler et que les gens les confondent. J'ai tendance à les habiller pareil lorsque je les emmène en visite. Les gens recherchent plutôt les différences, alors que moi je recherche les ressemblances. Pourtant, on sait qu'il faut les différencier par les vêtements. Mais ce n'est pas une situation ordinaire la gémellité ! » Beaucoup de parents ont des désirs opposés, il y a souvent chez eux un souci d'aider les enfants à s'individualiser l'un et l'autre, et pourtant certains actes les contredisent. « Je les habille de façon différente lorsque je sors dans la rue ou quand je les emmène à la crèche. Cela aide les autres personnes à les distinguer. Mais lorsque nous sommes à la maison, je les habille de vêtements identiques puisque, de toute façon, je n'ai pas de problème pour les reconnaître. »

Pour les parents « dégémellisants », habiller les enfants différemment est une règle de base qu'ils se fixent : eux-mêmes et leur entourage doivent considérer les jumeaux comme des « frères ordinaires, simplement nés le même jour », chaque enfant ayant sa propre garde-robe et ses propres jouets pour l'aider à acquérir le sens de son identité. Mais la plupart des jumeaux ont, dans les premiers mois, généralement une garde-robe commune. Certains des parents qui s'irritent de recevoir des vêtements en double exemplaire offerts par la famille ou les amis

1. D. Josse et M. Robin, « La prénomination des jumeaux : effet de couple, effet de mode ? », *Enfance*, 1990, 3 (4), p. 251-261.

ne peuvent s'empêcher, plus ou moins consciemment, de les faire porter le même jour : « Je sais qu'il ne faut pas, mais c'est tellement mignon, et puis si je le fais c'est aussi pour faire plaisir aux grands-parents, je suis en train de tomber dans le panneau. »

D'autres parents, à l'inverse, mettent des vêtements identiques à leurs enfants jumeaux, mais de couleur différente, comme si les enfants ne pouvaient être vus que l'un par rapport à l'autre, dans une sorte de complémentarité. Les robes des filles peuvent être choisies dans des teintes pastel harmonisées, les garçons peuvent avoir des pulls aux rayures ou aux motifs complémentaires (par exemple bleu et vert pour l'un, vert et bleu pour l'autre). Les jumeaux de sexe opposé peuvent porter la même salopette rose ou bleue, avoir des vêtements taillés dans le même tissu.

« On se repère aux chaussures ou à la couleur des vêtements. Ce sont les mêmes habits, mais ils n'ont pas la même couleur. Étienne est toujours en rouge et Benjamin toujours en bleu, parce que B comme Benjamin. Maintenant les gens ont pris le pli. Quand ils sont pieds nus, en maillot de corps, là, c'est beaucoup plus dur. Je ne veux pas les habiller de la même couleur pour qu'on les reconnaisse bien, mais d'un autre côté, je ne veux pas les habiller différemment. Je voudrais qu'ils aient le sens de leur propre couleur pour qu'ils puissent se distinguer quand ils se rencontreront dans la glace. »

Les jumeaux peuvent être habillés de façon absolument identique tout en ayant une marque personnelle à l'intérieur de chaque vêtement qui leur permet de se distinguer l'un de l'autre, ce qui les satisfait grandement. Le plaisir des parents et celui des enfants dépassent de loin le processus d'individuation.

Leur personnalité

L'attachement à la mère

La base fondamentale de la personnalité, en dehors du patrimoine génétique, repose sur la qualité de l'attachement entre la mère et l'enfant. Comme toute fondation, quelle soit pour une maison ou un individu, la première structure sous-jacente fournit la stabilité pour la croissance et le développement futur.

Une fondation forte et sécurisante chez le bébé ou le jeune enfant tient compte de ses besoins de sécurité, de confiance et d'autonomie. Il a besoin de l'attention et de la tolérance de sa mère pour créer son individualité. Sans cela, son développement peut être inhibé, arrêté ou totalement retardé.

Les mères tendent à être plus protectrices pour leurs fils de plus petit poids, particulièrement chez les dizygotes (DZ) de même sexe, mais plus proches de leurs filles monozygotes (MZ) et DZ de même sexe de poids élevé. Le plus « âgé » des garçons DZ semble se sentir plus sécurisé que son « jeune » frère dans sa relation avec les deux parents. Quand l'un des jumeaux est plus près de la mère, l'autre se rapproche du père. La plupart des jumeaux adultes rapportent que les parents dont ils étaient les plus proches ne les aimaient pas assez ou étaient trop occupés pour leur consacrer du temps. La proximité à l'un des parents était souvent accompagnée par de très forts sentiments négatifs envers l'autre.

Certaines mères ne sont pas détachées de leurs enfants jumeaux, mais ont de grandes difficultés à établir des liens solides avec eux. Elles apprécient d'avoir des jumeaux ainsi que l'attention qu'ils suscitent. Néanmoins, elles sont émotionnellement instables, rigides et arbitraires et sont incapables de maîtriser la difficulté d'élever des jumeaux. Elles ne traitent pas leurs enfants comme une unité amorphe, elles considèrent plutôt chaque jumeau comme s'il était la moitié d'une même personne. On aboutit au schéma du bon jumeau, qui fait tout bien, et du mauvais jumeau, qui fait tout de travers, résultat d'une perception erronée et d'un étiquetage injustifié.

Le processus d'attachement et d'une éventuelle séparation entre la mère et le mauvais jumeau intensifie la dépression et le manque d'intérêt de la mère. Elle ignore le mauvais jumeau à cause de sa propre tristesse et de son sentiment d'impuissance pour son futur. L'attachement entre la mère et le bon jumeau est basé sur le grandiose et la permissivité. Sans aucun doute, cette situation favorise un lien conflictuel entre ces jumeaux.

La relation entre le poids de naissance et les préférences maternelles peut conduire à des différences persistantes dans la personnalité et l'interaction familiale. Toutefois, ces différences peuvent être perçues comme plus importantes par les personnes extérieures à la famille et ces stéréotypes peuvent s'aggraver plutôt que s'améliorer quand les jumeaux passent de l'enfance à l'adolescence.

En assurant les besoins fondamentaux de nourriture, d'attention et d'amour, les parents aident l'enfant à grandir et devenir plus indépendant. Il est alors capable de supporter la séparation des personnes qui prennent soin de lui. L'enfant apprend doucement à se nourrir et à se mouvoir tout seul. Les parents éduquent leurs enfants, et en grandissant, ils trouvent d'autres personnes qui les éduquent aussi et les aident à se développer et à s'épanouir.

Des caractères différents

Les parents semblent avoir une perception constante des différences de caractère entre les enfants jumeaux. Est-ce parce qu'ils connaissent bien leurs bébés ou est-ce parce qu'ils ont tendance à renforcer les différences précoces qu'ils constatent ? Tout au long de cet ouvrage, nous avons vu que, pour les parents, individualiser chaque enfant est une nécessité majeure. Dès la naissance, et avec une grande continuité par la suite, les parents affirment que les jumeaux ne sont pas pareils et ils sont à l'affût de leurs moindres réactions. Certains parents « étiquettent » très tôt chacun des jumeaux pour décrire leur caractère opposé, description qui peut rester ainsi fixée de façon plus ou moins durable et qui concerne la sociabilité, la motricité, l'affectivité et le développement cognitif. Cette identification est due au phénomène inévitable de comparaison : le caractère de l'un est toujours apprécié par rapport à celui de l'autre. « Elles n'ont pas le même caractère, mais c'est un peu déroutant parce que cela change. Par exemple, Sonia, au début, était très indépendante et exploratrice. Elle s'intéressait beaucoup aux objets qui l'entouraient. En revanche, elle était beaucoup moins sensible aux personnes, elle avait moins envie d'être dans mes bras que Nathalie. Maintenant c'est l'inverse et ça change sans arrêt. »

Autre exemple : « Annie se retrouve dans les mêmes dispositions que Sandra auparavant. Lorsqu'il y en a une qui va bien, l'autre va moins bien et inversement. Si l'une est très sereine, très agréable, l'autre en général est à la même période grognon, et cela s'inverse. Je ne peux donc pas dire que j'ai une enfant plus facile à vivre que l'autre. »

Le dominant, le dominé

Les jumeaux forment un couple et, comme dans tout couple, les sentiments peuvent aller de l'amour à la haine. Le couple gémellaire constitue parfois le couple idéal, à savoir l'image platonicienne de l'amour fusionnel. Les jumeaux symbolisent l'amour fraternel et l'amitié. Bien évidemment ce type de sentiment se retrouve surtout chez les couples de jumeaux de même sexe. Quant à la mésentente, elle peut s'exprimer très précocement, avant même la naissance. Certaines mamans imaginent des situations de rivalité entre les enfants. « À l'accouchement, il y a eu des forceps pour Judith car Aurélie ne voulait pas la laisser passer. » « Henri prenait toute la place dans mon ventre et maintenant il fait pareil dans le landau. » Cette cassure du lien gémellaire peut s'expliquer par une inégalité de statut entre les jumeaux, inégalité provoquée par un rapport de dominant à dominé mal vécu, ou encore par le fait que l'un soit attiré vers le monde extérieur, alors que l'autre se porte garant de l'unité gémellaire. « Les gens pensent que Sonia est la meneuse, ce n'est pas exact. Sonia est meneuse en société, avec du monde autour elle fait l'intéressante alors que Pauline est plus réservée, mais à la maison c'est elle qui mène la danse. » « Dans la cour de l'école, Frédéric court après son frère, il lui tient la main. Le matin, il lui demande : "Tu vas jouer avec moi, François ?" Mais à la maison c'est lui qui a le monopole des jouets : il s'approche et il tape son frère pour que celui-ci lâche ce qu'il a en main. »

En général, les rapports de dominance s'établissent dès la première enfance et durent au moins jusqu'à l'adolescence. Le jumeau dominant est en somme celui dont l'autorité et l'influence se manifestent suffisamment pour s'imposer comme guide au jumeau dominé, la soumission et la dépendance s'accroissent du fait qu'il prend son jumeau guide comme modèle. Cette complémentarité organisée permet « la répartition des tâches avec un ministre des Affaires extérieures et un ministre des Affaires intérieures ». Chez les jumeaux monozygotes il semble que le leader soit clairement désigné et constamment le même. Des causes physiques (poids, force), des résultats scolaires inégaux, ou des influences parentales et familiales peuvent être à l'origine de cette dominance. Mais parfois les jumeaux s'organisent par la force ou par la ruse.

« À 15 mois, Ludovic et Victor veulent souvent le même jouet. C'est toujours Ludovic qui cède. À l'âge de 18 mois, désormais plus fort que son frère, il ne veut plus abandonner. C'est à son tour d'avoir le dessus. Alors Victor se met à crier et essaie d'obtenir le jouet par la ruse. Il est malin : il s'en va mais revient un moment plus tard, et hop ! il prend le jouet par surprise. Ludovic vient me demander d'arbitrer ce conflit.

À 2 ans, de nouveau, c'est souvent Ludovic qui cède. C'est vraiment la bonne pâte : il pleure sur le coup, puis il prend autre chose. Quelquefois, cependant, il s'approche par-derrière, prend Victor par le cou, le met par terre et s'empare du jouet ; c'est comme une prise de judo. Je les laisse en général se débrouiller maintenant, ça se règle entre eux.

À 3 ans, Ludovic se laisse un peu dominer par son frère. Si celui-ci lui prend quelque chose, il ne se défendra pas. Il viendra me le dire. Il ne se bagarrera pas avec son frère pour le lui reprendre, tandis que pour Victor, c'est la bagarre si son frère lui prend quelque chose. »

Opposé et complémentaire

Chez les jumeaux, les parents ont tendance à apprécier le caractère de l'un toujours par rapport à celui de l'autre. Cette différenciation précoce leur permet d'échapper à la difficulté d'avoir à s'occuper de deux bébés trop ressemblants. Ces personnalités opposées sont souvent décrites comme complémentaires : le jumeau très gentil, très calme, qui ne pleure jamais contrairement à son cojumeau qui se manifeste avec violence par ses cris et ses pleurs, si bien qu'il faut s'occuper de lui toute la journée. La maman exprime son contentement d'avoir deux enfants aussi différents : « S'il n'y avait que François, je n'aurais pas l'impression d'avoir un bébé dans cette maison. » Pour beaucoup d'entre elles, avoir deux bébés aussi complémentaires, c'est comme si elles n'avaient qu'un seul enfant « parfait ». Les jumeaux à eux deux reconstitueraient un bébé unique caractérisé par une grande complétude. Ce fantasme de réunification est spécifique aux mères de jumeaux. Il ne se retrouve pas chez les mères de triplés[1].

« Michael, lui, c'est le grand calme. Il préfère jouer avec des jouets qui demandent de la précision car il est plus patient. Joël non, il n'est pas attiré par ce genre de jeux. Il préfère faire le kamikaze : vider le coffre à jouets et se mettre dedans. Il est assez brutal. »

« Frédéric bouge et Fabien observe. Depuis la naissance, ils ont gardé cette différence de comportement. »

« Alice est très sociable, elle a toujours beaucoup d'enfants autour d'elle. C'est elle qui va vers les autres. Elle les recherche. Tandis que Déborah, c'est la timide, elle reste un peu à l'écart, Pendant les vacances il fallait que papa et maman ne soient pas trop loin d'elle. »

1. M. Robin, « La personnalité », *in* É. Papiernik, R. Zazzo, J.-C. Pons et M. Robin (éd.), *Jumeaux, triplés et plus...*, Paris, Nathan, 1992, p. 150-154.

La relation gémellaire

L'environnement social joue un rôle essentiel dans le processus de différenciation. Sur le plan culturel les jumeaux monozygotes provoquent presque automatiquement surprise, curiosité et fascination, ce qui influence non seulement les parents mais les jumeaux eux-mêmes. Comme nous l'avons vu, on voit souvent se produire des phénomènes d'appropriation de chaque cojumeau par l'un des parents. Mais c'est bien souvent la mère qui doit trouver les réponses à trois problèmes essentiels : comment faire face à la surcharge de soins et de maternage ? Comment ne pas en favoriser un plus que l'autre ? Comment les distinguer ? De la manière dont la mère décide de réagir découlent les types de relation mère-jumeaux. Elle doit poursuivre simultanément deux objectifs contradictoires : celui de différencier au maximum les jumeaux et celui de les élever sans faire de différences. Les diverses réactions des parents et des étrangers concourent donc à déterminer les réactions des jumeaux et à renforcer les caractères spécifiques de la situation gémellaire. De plus, les parents ont tendance à en abandonner un à l'autre, ce qui renforce l'intimité et l'intensité de leur relation, accélérant ainsi le processus de séparation d'avec la mère, engendrant aussi chez celle-ci un sentiment d'exclusion.

Une relation évolutive

La gémellité est une relation unique qui peut être très positive. Comme nous l'avons vu dans « La vie secrète des jumeaux avant la naissance » page 80, la relation entre les jumeaux peut être établie avant la naissance. Leurs personnalités individuelles se développent en même temps qu'ils prennent conscience de la mère qui les porte, c'est le commencement d'une relation triangulaire qui continue après la naissance.

La relation entre les bébés est spontanée et se développe très tôt par le toucher, la vue et la voix. « Dès les premières minutes après la naissance, les enfants se tenaient la main dans la couveuse. » Des études suggèrent que les nouveau-nés jumeaux sont probablement inconscients que leur main est séparée de la main de leur jumeau. Cette première identité crée un attachement très intense, où le lien et le partage sont des états d'être totalement naturels, et la séparation est une expérience anormale.

« Isabelle et Patricia se sont découvertes quand elles avaient 4 mois, elles se sont vues et ont eu un gros fou rire qui a duré cinq minutes. Elles ont vraiment réalisé que c'était l'autre, elles se relançaient l'une l'autre pour se faire rire. » Il semble que le lien gémellaire soit plus fort que le lien maternel. La relation du jumeau avec sa mère est différente en qualité de celle de l'enfant singulier. Il y a une rivalité pour le sein de la mère, bien que le sein pour les jumeaux soit plus fréquemment remplacé par le biberon. Il faut généralement partager les câlins, la mère n'étant pas souvent disponible lorsqu'ils en ont besoin, soit parce qu'elle a peu de temps pour se relaxer, soit parce qu'elle s'occupe déjà du cojumeau. Il faut accepter de partager. Voici un exemple d'interprétation de parents : « Ils ont compris qu'ils étaient deux, ils attendent leur tour, ils participent au plaisir de l'autre, c'est comme s'ils recevaient du plaisir en double. »

La prise à tour de rôle pour les jumeaux est une affaire triangulaire qui peut avoir un effet à long terme sur le développement du langage. L'identification avec la mère peut être troublée et le cojumeau peut devenir un « miroir » de plus, bien qu'il soit incapable de contenir et reformuler les émotions de son jumeau.

Le jumeau exclu

Quand la mère se lie avec seulement l'un des jumeaux et trouve difficile d'établir un lien avec l'autre, ou qu'un jumeau rejette la relation pour éviter la rivalité, le jumeau « exclu » peut construire une relation parasite avec son jumeau pour avoir une relation par procuration avec la mère. Ce désir de nourriture émotionnelle pour le cojumeau peut devenir une dépendance à vie. Toutefois, le jumeau parasite peut réciproquement voir l'autre jumeau comme parasite, ce qui peut déclencher, dans le futur, des conflits physiques entre eux. « Sébastien et Victor, dès l'âge de 2 mois, se gênaient mutuellement lorsqu'ils étaient l'un à côté de l'autre, et leurs gestes ressemblaient à des coups. À 1 an, ils arrivaient à jouer ensemble, mais ils se mettaient la plumée. Ils se tiraient les cheveux, se pinçaient, se tapaient sur la tête. Maintenant qu'ils ont 3 ans, ils se recherchent, se tiennent par la main dans la cour de l'école, mais à la maison ils ne s'entendent pas, ils se tapent dessus sans arrêt et Sébastien dit : "Mon frère, il m'énerve ; je ne l'aime pas". » La maman ajoute : « Ce qu'ils aiment, c'est être chacun de son côté, cela aurait été super s'ils avaient été deux enfants uniques. »

La rivalité

« Il y a entre Arthur et Stéphanie, 6 ans, une extraordinaire complicité, mais en même temps une rivalité qui grandit. Le plus difficile est de faire attention à ce qu'ils ne se gênent pas l'un l'autre ; c'est à la fois simple et compliqué, il faut leur faire admettre qu'ils ne font pas les mêmes choses, et qu'ils ne réussissent pas de la même façon, en un mot qu'ils sont différents, c'est en cela que c'est compliqué ! » Un autre exemple, celui de deux compères de 3 ans, en continuelle querelle, qui ont fini par s'entendre pour enfermer leur maman dans le placard !

Le jumeau transitionnel

Quand le nombre des personnes chargées des soins augmente, la base affective peut être moins sécurisante. Le jumeau, comme un « objet transitionnel », à la place de l'ours en peluche ou du « doudou », peut devenir une base alternative avec pour danger (particulièrement dans le cas de la fille dans une paire garçon/fille) qu'un jumeau, et quelquefois les deux, cherche à avoir très jeune un comportement maternel. « Ainsi, Sandrine, à 18 mois, manifeste son envie de materner Antoine. Elle veut tout le temps lui donner la main, elle est plus dégourdie, on ne dit pas encore "plus autoritaire". Lui, veut tout faire comme sa sœur : quand elle se coiffe, il va chercher quelque chose pour se coiffer ; quand elle donne le biberon à sa poupée, il le fait avec son ours. La maman se félicite que l'un entraîne l'autre ; elle ne pense pas que Sandrine étouffe son frère pour l'instant, et remarque que cette dernière est compréhensive devant la maladresse d'Antoine. Sandrine est encouragée à se comporter comme si elle était l'aînée, voire comme un substitut de sa mère. Sandrine habille son frère, lui enlève son manteau, le lave, et lui se laisse faire. »

Les parents mis à l'écart

Des parents évoquent des situations de connivence dont ils sont exclus : « Aurélie et Julien sont très polis entre eux, se donnent du "s'il te plaît", "pardon", formules qu'ils ne nous adressent pas, à nous les parents ; le soir, ils réclament l'un à l'autre le "bisou-Mimi", rituel sans lequel ils ne peuvent pas aller dormir. » « Ils ont des rigolades le matin dans le lit, ils se font des câlins, des bisous. Visiblement ils ont parfois envie d'être ensemble, ils se roulent l'un sur l'autre, on dirait des petits lionceaux, ils se prennent dans les bras, mais il y a des moments où ils veulent jouer seuls. » Il y a aussi la complicité qui va en s'accentuant à partir de 3 ans et l'autorité des parents est battue en brèche. « Ils se serrent les coudes quand j'en gronde un, dit un père. La petite vient me dire quelques mots. Une fois j'avais grondé Thierry, Émilie m'a rétorqué : "Mais c'est mon frère, quand même." » « Le soir, Muriel sort de son lit et va rejoindre Mathilde dans le sien. Chaque fois, la mère les retrouve toutes les deux et Mathilde lui dit : "Non, ne prends pas ma Mumu, c'est ma Mumu, je la veux." »

La jalousie

La jalousie est une émotion à laquelle les jumeaux sont probablement confrontés plus tôt que les autres enfants, et pour cette raison elle peut être particulièrement forte. Le cojumeau peut devenir un dangereux rival aussi bien qu'un compagnon aimé. Les jumeaux cherchent généralement à trouver des manières d'éviter des situations qui peuvent créer la jalousie. Les jumeaux monozygotes, à cause de leur forte identification l'un avec l'autre, tolèrent difficilement de tels sentiments. Pour éviter la jalousie, chaque jumeau doit s'attacher à un parent différent et souvent jouer le rôle de ce parent dans sa relation avec son cojumeau. Par exemple, chez les moins de 5 ans, quand l'un prend le rôle maternel dans leur relation, il peut border l'autre dans son lit ou faire attention qu'il a bien mis son manteau avant de sortir jouer dehors. L'autre jumeau peut agir comme le jumeau protecteur, livrer leurs batailles communes – particulièrement lorsqu'un des jumeaux est plus grand ou plus fort que l'autre. Le choix des rôles peut être influencé par le premier environnement des enfants et leur tempérament émotionnel et physique.

Toujours avoir la même chose et être aussi semblables que possible sont d'autres façons d'échapper à la jalousie. Les jumeaux monozygotes peuvent, dans leur intérêt, accentuer leur similarité pour que l'on s'occupe bien de chacun d'eux de la même manière. Chez les enfants, cela va renforcer le lien gémellaire de base, des premiers mois jusqu'à 2-3 ans, lien extrêmement important et qui peut se révéler un élément positif et protecteur. Ceci donne une vision différente sur les demandes des jumeaux pour l'équité et l'égalité.

Le lien primitif

Les jumeaux, spécialement les monozygotes, peuvent compter l'un sur l'autre. Un lien primitif l'un envers l'autre se développe en parallèle avec le lien maternel. Ce lien unique leur donne, pour beaucoup d'entre eux, un support très fort. La plus constante et très solide présence dans la vie de n'importe quel jumeau est son cojumeau. Dans beaucoup de cas, tôt ou tard chacun devient inévitablement la figure majeure de l'attachement pour l'autre. Les jumeaux commencent à compter l'un sur l'autre pour le réconfort, la compagnie et le soutien. Contrairement aux non-jumeaux qui ont un mode d'attachement vertical, contemporain, un fort attachement horizontal est établi avec une intensité peu commune et à un jeune âge inhabituel. Cet attachement horizontal est particulièrement solide et sécurisant dans le cas des jumeaux monozygotes et prévaut entre 12 et 15 mois chez la plupart d'entre eux. Cela est très différent pour les jumeaux dizygotes. Très peu montrent un attachement horizontal.

Gémelliser ou dégémelliser ?

Les parents ne savent pas s'il est bon de gémelliser ou de « dégémelliser » leurs enfants. Voici le témoignage d'un père : « Je crois que lorsque l'on parle de dégémelliser, c'est une notion mal adaptée ; pour moi ce qui compte, c'est de ne pas gémelliser dans l'éducation, de vivre la relation comme une relation normale, avec deux enfants tout simplement, et bien sûr comme pour tous les enfants leur offrir de l'amour et un couple de parents unis. Nos enfants sont très liés l'un envers l'autre, ils s'apportent énormément l'un à l'autre mais ne sont pas semblables ; donc pas forcément attirés par les mêmes choses. Ils sont très ouverts au monde qui les entoure. J'ai l'impression qu'actuellement leur position de jumeaux leur donne une force d'ouverture, une plus grande facilité à découvrir, à comprendre, à créer les liens, à apprendre. Il n'est alors pas intéressant d'essayer de dégémelliser, le lien jumeaux existe quoi qu'il en soit, et se traduit chez eux par une mise en commun, me semble-t-il, de l'assimilation des apprentissages. Ils grandissent ensemble et je crois qu'on ne peut pas aller contre. Malgré tout ce qu'ils partagent, il y a aussi ce qu'ils vivent séparément. Comment quantifier leurs différences ? Leurs ressemblances ? C'est difficile, mais je suis presque persuadé que tout en s'aimant beaucoup, ils sauront faire leur chemin sans se gêner. »

Les jumeaux, quel que soit le degré de proximité qui les lie et quel que soit le type d'éducation reçue, doivent composer tout au long de leur vie avec ce grand témoin. La rencontre avec le meilleur ami, avec le premier petit copain ou petite copine, avec le futur conjoint est rarement simultanée pour les deux. Aussi, celui qui initie, qui expérimente, se trouve souvent être le même. C'est un des rôles que l'un des deux s'est tacitement attribué dans leur relation. Du stade *in utero* à l'âge adulte, le jumeau va devoir acquérir son autonomie.

La notion de couple évolutif de René Zazzo

Lorsque le premier livre de René Zazzo, *Les Jumeaux, le couple et la personne*, est paru en 1960, l'idée que la relation de couple pouvait jouer un rôle dans la formation de la personnalité de chacun n'allait pas de soi. C'est son livre *Le Paradoxe des jumeaux*, publié un quart de siècle plus tard, qui a atteint le grand public. Il y affirmait que les jumeaux sont un témoignage susceptible de nous éclairer sur la genèse de la personnalité du moi dans ses rapports avec l'autre. Il s'est intéressé aux jumeaux parce qu'un jour est arrivée à son laboratoire une paire de jumeaux dont l'un était gaucher, l'autre droitier. Zazzo s'est dit : « Ce n'est pas possible. Comment peut-on être des jumeaux vrais, et n'avoir pas une latéralité identique ? » Il s'est alors posé la question du problème des déterminants autres que l'hérédité et puis, petit à petit, du problème de la latéralité, il est passé au problème des jumeaux en général. Mais deux questions importantes l'ont longtemps intrigué. Pourquoi les dissemblances entre jumeaux MZ ont-elles été si longtemps ignorées, minimisées ? Et pourquoi l'idée de couple s'est-elle imposée si tardivement ? Selon Zazzo, l'aveuglement à leurs dissemblances doit s'expliquer en bonne partie par le choc que nous éprouvons à voir côte à côte deux êtres indiscernables.

L'effet de couple est la notion clé à laquelle ont abouti les observations et analyses de Zazzo. C'est ce qui lui a permis d'expliquer pourquoi les partenaires d'un couple de jumeaux MZ ne se ressemblent pas comme deux gouttes d'eau, pourquoi deux jumeaux MZ ne sont pas psychologiquement « le même être en deux exemplaires » selon la formule devenue célèbre. L'explication de Zazzo est donc la suivante : la personnalité se forme, se transforme dans et par le couple ; le couple est une structure où chacun des partenaires crée ses rôles en fonction de ceux de l'autre. Les différences de personnalité sont, en bonne partie, des effets de couple. Et ce qui est vrai d'un couple de jumeaux l'est pour tout autre couple. Ce que Zazzo propose pour l'analyse des différences observées entre individus, c'est de dépasser les modèles classiques de deux facteurs (hérédité-milieu, selon Galton ; maturation-apprentissage, selon Gesell), en ajoutant un troisième facteur, le couple, qui constitue un micromilieu de tout autre nature que l'environnement.

Mais pourquoi les jumeaux ? Pourquoi ces individus particuliers et relativement rares pour débrouiller l'écheveau des facteurs, pour découvrir l'origine des différences entre individus ? Parce que parmi les couples de jumeaux, il en est dont les partenaires sont parfaitement identiques génétiquement. Les jumeaux MZ nous offrent naturellement, quant à l'hérédité, le dispositif de « toutes choses égales » dont rêve tout expérimentateur. Entre deux jumeaux MZ la différence d'hérédité est nulle. Donc toute différence qu'on pourra constater entre eux sera attribuable à des facteurs non génétiques.

Le mot couple est employé pour la première fois par Zazzo dans une « lecture » faite en 1943, à l'Académie de médecine, pour présenter le cas de jumelles en miroir. Comme il le rapporte, ce mot de couple est utilisé banalement et il ne reçoit aucun commentaire. L'ambiguïté se dissipe en 1948 – dans un article de *L'Enfance* –, où il emploie, pour la première fois, le langage de la généralité : « Les conditions spéciales dans lesquelles s'établissent pour les jumeaux [...] les rapports du moi et de l'autre, confèrent donc aux couples de jumeaux la valeur d'un dispositif expérimental pour étudier la genèse de la personnalité. »

Zazzo guettait, jusque chez les jumeaux nourrissons, les manifestations de leur vie à deux, leurs interactions. C'est en 1974 que l'effet de couple passe au premier plan chez Zazzo. Il est le titre d'un rapport présenté au premier Congrès international d'études gémellaires. Ce rapport, traduit en anglais, fera enfin comprendre et admettre ce qu'il disait jusqu'alors, sans grand succès. Le « couple-effet », avec ses équivalents en plusieurs autres langues, est entré dans la terminologie des gémellologues. Ainsi, dans *Les Jumeaux, le couple et la personne*, on trouve sans ambiguïté toutes les idées neuves de Zazzo. Il souligne que les jumeaux sont les derniers à voir qu'ils se ressemblent. Il nous rappelle aussi que « tout jumeau, même indiscernable de son jumeau, est lui-même une personne ». Dès ses premières recherches, Zazzo a rejeté la formule traditionnelle : « Un même individu en deux exemplaires. »

Reprenant une formule de Gesell, selon laquelle « tout enfant, dès la naissance, est une personne », mais aussi « tout enfant devient une personne dans un monde de personnes », Zazzo disait que « l'existence de jumeaux en miroir nous ramène au problème de couple. Non seulement parce que la différence de latéralité peut jouer dans la différenciation des partenaires, mais aussi parce que ce qui apparaît dans le couple, comme organisation, existe déjà en milieu intra-utérin ».

Selon Zazzo, la découverte de l'effet de couple, de son rôle considérable pour certains traits de la personnalité, nous oblige non seulement à faire éclater la notion trop globale de milieu (en y introduisant l'idée que les jumeaux sont l'un pour l'autre et ensemble un micromilieu) mais surtout à considérer les facteurs de façon dynamique et, sans jouer avec les mots, comme des couples de force. Cette idée d'effet de couple ne se borne pas à considérer trois facteurs au lieu de deux (hérédité, milieu, effet de couple). Plus fondamentalement, elle récuse la conception de facteurs indépendants, et donc additifs.

La vie en commun

Mais ce n'était pas encore le problème du couple qui intéressait Zazzo. Le couple est venu plus tard. Qu'il y ait des différences entre les jumeaux, tout le monde le savait, mais il s'agissait essentiellement des différences de poids, de maladies, de l'histoire de chacun des enfants. Lors d'un congrès, il rencontre deux frères jumeaux tellement différents que Zazzo se dit : « Quand même, ils sont tellement différents ! Et pourquoi ? » Et c'est avec d'autres couples qu'il a étudié, chez les jeunes enfants et même chez des nourrissons, la façon dont s'affirmaient petit à petit des personnalités différentes. Jusqu'alors, on considérait deux seuls facteurs pour expliquer la construction de la personnalité : l'hérédité et le milieu. Le milieu au sens sociologique du terme. Et puis Zazzo a constaté que ces deux facteurs n'expliquaient pas tout. Alors, il s'est demandé pourquoi et c'est ainsi qu'il est arrivé à la notion de couple : « Deux êtres liés par une relation forment une structure entre eux, et cette structure, seuls les jumeaux peuvent nous permettre de l'étudier. On ne peut pas avec des non-jumeaux étudier les effets de "couple". Les jumeaux, et eux seuls, nous permettent de voir la part du troisième facteur – la vie en commun – qui va les différencier sur certains points, créer des complémentarités ou les faire se ressembler sur d'autres points. »

Ils se ressemblent plus quand ils sont séparés

Et, selon Zazzo, le paradoxe des paradoxes est que, lorsqu'on est séparé, on se ressemble plus que lorsqu'on ne l'est pas. Pourquoi ? Parce que l'effet de couple n'existe évidemment pas quand les jumeaux sont séparés : alors les pouvoirs de l'hérédité s'expriment sans être atténués ou masqués par la vie en commun.

Pour Zazzo, les jumeaux sont des témoins universels. Ils sont en fait scientifiquement des moyens, une méthode pour comprendre comment un être, en rapport avec un autre, crée sa personnalité ou la transforme. Ce sont les jumeaux, dit Zazzo, qui nous font comprendre, qui nous enseignent les effets de la vie en commun sur la personnalité de chacun des partenaires.

En fait, les jumeaux sont comme tout le monde. Zazzo veut dire que, par nature, les jumeaux sont des êtres non différents des non-jumeaux. C'est la façon dont on les traite qui peut les rendre « particuliers », ou comme il le dit avec plus de précision : « On devient jumeau sous le regard d'autrui. Par contre, les parents de jumeaux ce n'est pas comme tout le monde. »

Zazzo tenait aussi à souligner fortement que les effets de couple, existant dans n'importe quel type de couple, sont chez beaucoup de jumeaux plus affirmés. Il a également mis l'accent sur les dissemblances, parce que cela lui permettait d'expliquer, en partie, le fait que chacun avait sa personnalité.

La reconnaissance de soi dans le miroir

Zazzo a également fait des recherches sur la reconnaissance de soi dans le miroir. Les jumeaux monozygotes se reconnaissent dans le miroir au même âge que les autres enfants (vers l'âge de 2 ans en moyenne). Tout se passe de la même façon pour le jumeau MZ, mais en même temps qu'il se voit, il découvre sa ressemblance avec son jumeau.

C'est pourquoi Zazzo disait : « Les jumeaux sont les derniers à voir qu'ils se ressemblent. » Il dit aux parents que « chaque individu, fût-il jumeau, est une personne unique au monde. Les jumeaux ne sont pas une seule personne en deux exemplaires. Si les parents en sont convaincus, alors ils trouveront les moyens de faire que chacun soit lui-même. Ceci se détermine au cours de la vie quotidienne, il n'y a pas de recette à appliquer, il y a un principe à respecter ». Zazzo donne l'exemple de cette petite fille qui pleurait en disant : « Je ne sais plus qui je suis. » Ses parents la confondaient, ils l'appelaient tantôt par son prénom, tantôt par celui de sa sœur, et s'amusaient de ce que tout le monde en fasse autant.

En conclusion

Si l'on pousse le paradoxe encore plus loin, en sachant que les jumeaux élevés séparément vont donc garder plus intacte leur part d'inné, on peut dire qu'une éducation « différenciatrice », qui individualise les jumeaux pour les rendre plus autonomes qu'ils n'auraient pu l'être naturellement, va laisser à chaque jumeau sa part d'inné plus indemne, puisqu'elle évitera les excès d'une relation assimilée à celle du couple. Ils resteront d'autant plus semblables qu'ils seront autonomes. À ceux qui accusent les parents « différenciateurs » de vouloir annuler ou nier la gémellité, voilà un élément de réponse... paradoxal[1] !

1. R. Billot, *Le Guide des jumeaux, op. cit.*, 2002.

Quatrième partie

Trois, quatre, cinq, six et plus...

LES GROSSESSES MULTIPLES

Nous allons voir quelles sont les connaissances médicales actuelles et quels traitements nous proposons à nos patientes afin qu'elles continuent leur grossesse le plus longtemps possible. Le risque majeur en cas de grossesse multiple de haut rang est bien évidemment l'accouchement prématuré.

Les grossesses triples

Optimiste de nature, la jeune femme a pris sa situation en patience... elle tricote inlassablement avec six aiguilles et trois pelotes.

Allongée sur le dos, Corinne, retranchée derrière son ventre énorme, esquisse un sourire tout en essayant de se dégager de ses deux oreillers. « Pas facile avec cet attirail », lance-t-elle en jetant un coup d'œil à la perfusion qui accompagne ses moindres gestes. Elle finit par se redresser d'une rotation sur le côté, un peu essoufflée : « Chaque fois que je change de position, c'est un véritable branle-bas de combat là-dedans ! » confie-t-elle, toute haletante. Et de continuer en posant une main délicate sur son gros « ballon ». « Vous voyez, il y en a un en haut, un en bas, et un quelque part par-là, sur le côté. » Pas de doute : 1 + 1 + 1 = 3. Des triplés !

Le spectacle de ces femmes enceintes reliées à des perfusions et qui vivaient une attente de plusieurs semaines en hospitalisation était pour nous presque familier dans les années 1980. Il est devenu plus rare aujourd'hui...

Leur nombre

Comme pour les grossesses gémellaires, on a assisté à une augmentation des grossesses triples à partir de 1970. La fréquence est variable selon les pays. En 1990, les taux de grossesses triples étaient les plus élevés aux Pays-Bas (6 pour 10 000), en Belgique (5,8 pour 10 000), et en France (4,3 pour 10 000). Venait ensuite le peloton des pays ayant des taux supérieurs à 2,5 pour 10 000 : la Finlande, la Norvège, la Suisse, l'Allemagne, l'Angleterre, le Danemark et la Suède. Dans plusieurs pays, comme les Pays-Bas et la France, les taux de grossesses triples ont commencé à baisser au début des années 1990.

TABLEAU 11 : ÉVOLUTION DES FRÉQUENCES DES GROSSESSES TRIPLES (DONNÉES INSEE)

Année	1972	1989	2001
Taux (pour 10 000)	0,9	4,5	2,9

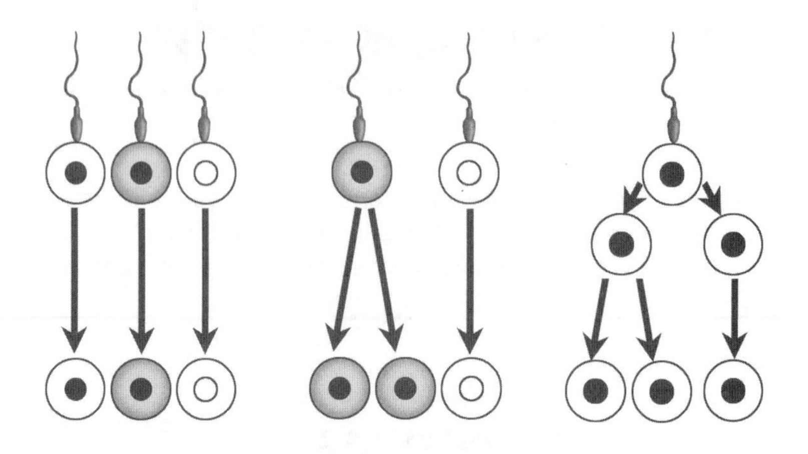

Figure 12 : La conception des triplés.

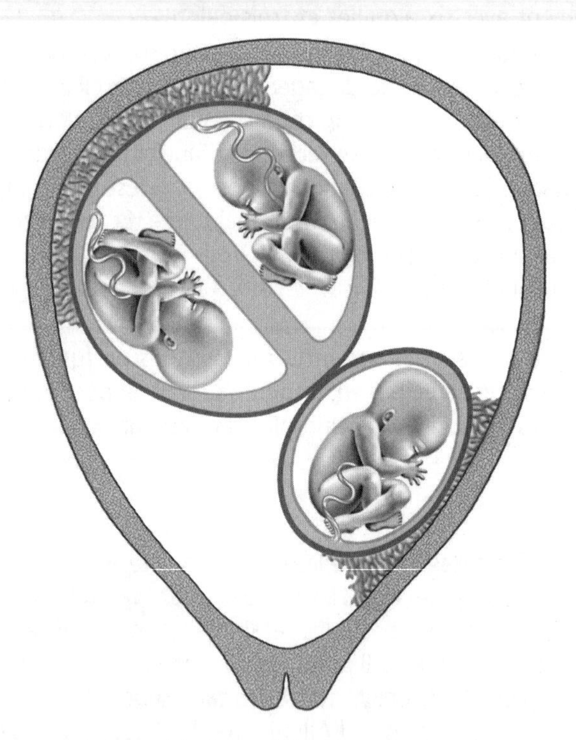

Figure 13 : Les triplés dans l'utérus.

Le suivi de la grossesse

Le diagnostic

Il existe deux scénarios : soit c'est une surprise, soit on s'y attendait. En effet, deux tiers des grossesses triples sont des grossesses induites, conséquences de traitements de la stérilité, et un tiers sont des grossesses spontanées (Figure 12 : La conception des triplés). Le diagnostic est toujours fait par l'échographie précoce (Figure 13 : Les triplés dans l'utérus).

Même quand on s'y attend, ça fait toujours un choc...

« Apprendre que l'on attend trois enfants après deux ans de stérilité (plusieurs traitements hormonaux et insémination artificielle), cela fait un choc ! L'effet de surprise passé, j'ai été folle de joie. Pas un moment je n'ai pensé aux problèmes qu'une famille nombreuse aussi subite et insolite pouvait poser. D'ailleurs je ne panique plus aujourd'hui, même s'ils font la "bamboula" la nuit ! »

Corinne, enceinte de triplés

Lorsque l'échographiste indique à la patiente qu'elle attend trois bébés, cette annonce provoque souvent des réactions de panique, beaucoup plus rarement d'enthousiasme. Il est donc essentiel que, ce diagnostic posé, l'obstétricien ait un long entretien avec la patiente et son conjoint. Nous avons observé de nombreux cas où l'annonce d'une grossesse triple, surtout si elle intervient après plusieurs années de traitements de stérilité, entraîne des réactions de joie débordante, la femme est tout à fait inconsciente de ce qui l'attend, et parfois difficilement accessible à nos explications.

Les consultations rapprochées

Lorsqu'une femme attend des triplés, le suivi de sa grossesse est identique à celui d'une grossesse gémellaire, mais la surveillance est encore plus importante. Comme pour les grossesses gémellaires, il est essentiel de faire un diagnostic le plus précoce possible afin de débuter très tôt les mesures de prévention de la prématurité et surtout d'expliquer à la patiente ce qui va se passer. Les patientes sont souvent très choquées au début d'apprendre qu'elles attendent trois bébés. Dès qu'elles sont remises de leurs émotions, nous pensons qu'il est essentiel d'établir avec la patiente et le couple un véritable contrat : atteindre 35 semaines d'aménorrhée pour accoucher. Les moyens proposés reposent essentiellement sur la réduction des activités de la patiente qui est planifiée.

Pour que ce contrat soit rempli et compris, il est essentiel avant tout d'expliquer ce qu'est une grossesse triple et quels sont ses risques. On ne peut pas tout dire en une fois, et d'autres entretiens seront nécessaires lors des consultations suivantes. Mais d'emblée, la patiente doit être informée de la nécessité de se reposer au cours de sa grossesse. Dans un premier temps, on analyse ensemble l'activité quotidienne de la patiente, en tenant compte, évidemment, de sa vie privée, de ses possibilités et des exigences de sa profession. Son travail est-il fatigant ? Soulève-t-elle des poids ? Travaille-t-elle devant un écran ?

Les recommandations

Le suivi de la grossesse résulte de l'application des mesures établies pour les grossesses gémellaires. On peut les schématiser ainsi :

Le suivi d'une grossesse triple

— Le diagnostic de grossesse multiple doit être précoce.
— Le diagnostic du type chorial (MCBA) doit être précoce.
— La mère doit réduire son activité.
— Les congés de maternité doivent être adaptés.
— Le cerclage n'est pas systématique.
— Le suivi clinique et échographique est indispensable.
— Il faut pratiquer une échographie du col utérin.
— En cas de complications, la mère doit être hospitalisée, en particulier si le col est ouvert.
— Il n'y a pas de nécessité de prendre un traitement anticontractions de manière systématique.
— La corticothérapie sera utilisée au cours de l'hospitalisation.
— Le transfert *in utero* de la mère est effectué avant 33 SA et si les bébés pèsent moins de 1 500 g.
— L'accouchement par voie basse est possible dans certains centres spécialisés.
— L'équipe médicale est au complet dans la salle d'accouchement.
— L'accompagnement psychologique est recommandé.
— La mère doit participer aux réunions d'information en début de grossesse et être mise en relation avec l'association « Jumeaux et plus ».
— L'accueil de trois enfants doit être préparé.
— Il faut encourager l'allaitement maternel.

Les consultations prénatales ont lieu, au début, une fois par mois ou toutes les trois semaines. Aux alentours de la vingtième semaine d'aménorrhée, nous proposons à nos patientes une surveillance rapprochée hebdomadaire. Il n'est bien sûr pas question de les faire venir chaque semaine à l'hôpital, nous prescrivons automatiquement la visite - une fois par semaine, voire deux fois par semaine si cela s'avère nécessaire - d'une sage-femme à domicile. La patiente continue cependant à venir à l'hôpital, lorsque son état le permet, une fois par mois. Chaque consultation est précédée par une échographie.

Le cerclage du col

Aucun essai contrôlé sur les bénéfices du cerclage n'a inclus de grossesse triple. Nous avons été amenés à suivre des grossesses chez des femmes enceintes de triplés cerclées par nos correspondants au début de leurs grossesses. Nous n'avons pas observé de meilleurs résultats dans le groupe de patientes ayant subi un cerclage.

Deux situations sont particulières.

- Un cerclage peut être proposé en urgence, en cas de modification cervicale du deuxième trimestre révélée par l'examen échographique du col ou par le toucher vaginal, dans le but de prolonger la grossesse.
- Le cerclage *per partum*, c'est-à-dire pendant l'accouchement : chez une patiente, nous avons pratiqué un cerclage après la naissance à 27 SA d'un premier triplé, ce qui permit de différer de quinze jours la naissance des deux autres enfants. Les trois enfants sont vivants. D'autres cas semblables ont été décrits, mais ces observations sont très exceptionnelles.

Les échographies

Elles ont pour but, comme nous l'avons déjà indiqué, de vérifier la morphologie des bébés et leur absence de malformations ; elles permettent de suivre leur croissance et d'analyser leur vitalité. Cliniquement, il est très difficile en cas de grossesse triple, d'écouter les trois cœurs avec un appareil à ultrasons et de s'assurer que l'on a bien écouté les trois bébés. On peut en effet écouter deux fois le même cœur. Donc, seule l'échographie nous renseigne sur leur bonne santé. L'échographie du col utérin est intéressante en cas de grossesse triple, mais encore incomplètement évaluée.

Le repos au lit et l'hospitalisation

Pour l'obstétricien, le premier pas est de connaître sa patiente et son mode de vie : combien de temps met-elle pour se rendre à son travail ? Par quel moyen ? (voiture ? autocar ? métro ?). Et à la maison : a-t-elle déjà des enfants ? Combien de personnes vivent avec elle ? A-t-elle des animaux domestiques ? Doit-elle sortir son chien matin et soir ? Habite-t-elle au cinquième étage sans ascenseur ? Tout cela doit être analysé afin que l'on puisse voir sur quels points particuliers on peut agir pour lui permettre un meilleur repos. Les moyens dont nous disposons pour réduire l'activité de la patiente sont les suivants : l'arrêt de travail précoce, le repos à domicile, voire l'hospitalisation.

Pour certaines patientes, l'arrêt de travail n'a pas de prise ou est impossible. Elles se situent dans des classes sociales très opposées. On ne peut pas proposer l'arrêt de travail à une femme de ménage qui ne peut pas s'arrêter de travailler, car elle n'aura plus de quoi manger. On ne peut pas non plus proposer l'arrêt de travail à la super-woman, chef d'entreprise, pour laquelle il est synonyme d'écroulement total de sa vie professionnelle. Toutefois, la patiente qui nous donne le plus de difficultés est curieusement celle qui ne travaille pas. Cette femme reste à la maison chaque jour, mais pas pour se reposer. Elle élève ses enfants, fait le ménage et la vaisselle, et n'a pas l'habitude de s'asseoir, même dix minutes, pendant la journée. Son mode de vie est ainsi organisé ; on aura les plus grandes peines du monde à le lui faire changer et accepter une garde pour ses enfants et une aide pour les travaux ménagers. Elle n'en a d'ailleurs pas forcément les moyens.

L'arrêt de travail que nous proposons pendant toute la grossesse n'est pas nécessairement bien accueilli par celles qui peuvent en profiter, employées ou fonctionnaires, car cet arrêt de travail est préjudiciable sur le plan du salaire. Peut-on vivre avec la moitié de son salaire lorsque celui-ci est déjà engagé pour payer l'emprunt de la maison que l'on vient de faire construire ? C'est donc ici une nouvelle fois l'occasion de lancer un appel aux pouvoirs publics pour que le problème des grossesses multiples de haut rang soit encore mieux pris en compte et que ces femmes aient la possibilité d'arrêter de travailler pendant toute leur grossesse.

Dans le suivi des grossesses triples, plusieurs équipes préconisent le repos au lit parfois en hospitalisation.

Le monitorage des contractions utérines à domicile par une sage-femme ne semble pas d'un apport important dans la prévention de la prématurité en cas de grossesse triple.

Nous proposons un schéma de prise en charge sans hospitalisation à un terme systématique. Là encore, il est important de s'adapter à chaque cas. L'hospitalisation est quasi inéluctable, mais elle doit commencer le plus tard possible.

Les corticoïdes doivent être utilisés soit en cas d'hospitalisation, soit sous forme de deux cures à 28 et 32 SA prescrites à titre systématique du fait du risque très élevé de prématurité.

Les médicaments anticontractions (tocolytiques) sont utilisés dans le prolongement de la gestation en cas de menace d'accouchement prématuré. En dehors de cette menace, nous considérons que les tocolytiques n'ont pas d'indication, et leur inutilité à titre prophylactique a été démontrée en cas de grossesse gémellaire. À efficacité égale, il semble aujourd'hui préférable d'utiliser les médicaments disponibles ayant le moins d'effets secondaires.

Les spécialistes recommandent la supplémentation systématique en fer, en folates ainsi qu'en vitamines B et C, et les régimes hypercaloriques et hyperprotidiques.

Le soutien psychologique

En fait, le point le plus important est bien celui-là. La grossesse triple est une véritable épreuve physique et mentale. La patiente doit se sentir soutenue par son obstétricien, par sa sage-femme et par toute l'équipe lorsqu'elle est hospitalisée. En cas de difficulté sérieuse, des entretiens avec un psychologue peuvent être proposés.

Nous suggérons également à toutes nos patientes attendant des triplés de prendre contact avec l'association « Jumeaux et plus » de leur département, qui est capable de les aider, autant sur le plan de l'information sur les grossesses multiples que sur le plan économique, mais surtout sur le plan psychologique. L'effet de l'association est très bénéfique car il permet de sortir les couples attendant des triplés de leur isolement et d'avoir des échanges avec d'autres personnes ayant vécu la même expérience.

De la même façon, il nous semble utile d'organiser des rencontres entre la patiente hospitalisée et une mère de triplés ayant déjà accouché dans le service. C'est ce que nos collègues américains appellent la *big sister*, c'est-à-dire la

« grande sœur ». Nous avons toujours en mémoire une patiente qui vivait particulièrement mal le fait d'attendre des triplés. Elle était hospitalisée pour menace d'accouchement prématuré. Elle ne desserrait pas les dents et ne nous accordait pas un regard ni une parole ; elle refusait de rencontrer le psychologue du service et nous sentions chez cette femme un malaise terrible sans pouvoir vraiment communiquer avec elle. Un jour, nous lui avons proposé de rencontrer une mère de triplés. Elle a accepté. Nous ne saurons jamais ce que ces deux femmes se sont dit, toujours est-il que leur premier entretien a duré trois heures et qu'elles ont pris rendez-vous pour la semaine suivante. Notre patiente s'est enfin détendue et sa grossesse s'est poursuivie sur un mode beaucoup plus serein.

Préparer la venue des triplés

Il nous paraît essentiel d'entreprendre très tôt avec les futurs parents le travail de transformation d'un couple sans enfant (majorité des cas actuels) en une famille nombreuse. De plus, le couple doit admettre la nécessité d'une aide extérieure, indispensable d'abord pendant la grossesse, et ensuite au cours des premières années des enfants. Elle est indispensable pour s'occuper des trois nouveau-nés à la fois. D'où l'importance de l'aide à domicile, des visites de sages-femmes à domicile et de la rencontre avec d'autres parents de triplés. Il est logique pendant les quelques mois de la grossesse, et malgré la gêne ressentie par la mère, d'anticiper les difficultés à venir et de mettre en place l'organisation matérielle et familiale nécessaire à la vie quotidienne de cette future grande famille.

La naissance

On peut effectivement accoucher par voie naturelle lorsque l'on attend des triplés et plusieurs équipes en France proposent ce type d'accouchement. Nous avons une préférence pour suggérer le plus souvent un accouchement par voie naturelle. En réalité, il n'y a pas de consensus sur ce point et les attitudes peuvent diverger d'une équipe à l'autre. Il est donc important qu'une femme attendant des triplés aborde ce problème en début de grossesse, si le médecin ne le fait pas, et puisse exprimer son opinion.

Une étude comparative récente entre une équipe faisant des césariennes systématiques et une équipe acceptant l'accouchement par voie naturelle ne montre pas de différences quant à l'état de santé des bébés. Pour la femme, l'accouchement par voie naturelle est évidemment préférable.

On ne retrouve pas de différences dans la survenue de complications entre le premier, le deuxième et le troisième triplé, c'est-à-dire que les scores d'Apgar (indices de vitalité du nouveau-né) sont identiques. D'autres paramètres plus fins, comme l'étude des gaz du sang, ne montrent pas non plus de différences.

En ce qui nous concerne, nous souhaitons que la naissance ait lieu après 35 semaines. Ce but n'est malheureusement pas toujours atteint et bien souvent nous sommes amenés à réaliser la césarienne ou l'accouchement en urgence avant terme, du fait d'un manque d'efficacité des traitements visant à bloquer les contractions utérines ou du fait d'une intolérance maternelle majeure – par exemple, si vous ne pouvez plus respirer –, voire de souffrance fœtale. Dans tous les cas, il nous semble essentiel que la naissance ait lieu sous anesthésie péridurale, sauf évidemment lorsque celle-ci est contre-indiquée. Il est donc important que cela soit planifié et que la patiente rencontre un anesthésiste assez tôt pendant sa grossesse. La péridurale nous semble bénéfique pour la mère, car celle-ci reste consciente et peut voir ses bébés dès leur venue au monde. Elle est également essentielle pour les enfants car ils ne reçoivent aucun médicament anesthésique, contrairement à ce qui se passe en cas d'anesthésie générale.

L'un des points essentiels de l'accouchement des triplés est de s'assurer que la maternité dans laquelle vous accouchez peut mettre à votre disposition à tout moment trois équipes de pédiatres pour accueillir les enfants. En cas de naissance prématurée, ceux-ci peuvent nécessiter une réanimation et il faut donc du matériel et des personnes compétentes pour assurer la prise en charge immédiate des trois bébés. Une maternité de niveau III semble l'endroit le plus adapté à la naissance de triplés (voir page 38).

Revenons à Corinne que nous avons rencontrée au début de ce chapitre. Elle a tenu bon avec un courage exemplaire. Elle est entrée en travail au terme de 35 semaines et a eu trois beaux bébés.

Tous les triplés naissent-ils prématurément ?

La prématurité est en effet le principal problème posé par les grossesses triples, mais tous les triplés ne sont pas des prématurés. La prématurité, rappelons-le, concerne une naissance avant 37 SA ou avant 8 mois. Selon les études, le taux de prématurité varie entre 75 et 100 %. Le terme moyen de naissance est compris pour toutes les équipes entre 33 et 35 SA.

Actuellement, on considère qu'il n'y a pas de différence dans les termes des naissances entre les grossesses spontanées et les grossesses induites. Si les grossesses spontanées sont repérées pratiquement aussi tôt actuellement que les grossesses induites, les mesures de prévention de la prématurité sont proposées aux patientes de la même façon.

Combien pèsent-ils ?

Dans les études publiées, le poids moyen de naissance varie entre 1 470 g et 2 010 g. Le poids de naissance est indépendant du rang de naissance.

Si l'on se réfère aux courbes de poids de naissance, environ 20 % sont inférieurs au troisième percentile et 50 % inférieurs au dixième percentile.

Les conséquences à long terme de ces hypotrophies sont mal connues et peu d'études actuellement sont consacrées au devenir à long terme des triplés.

En termes de mortalité : après 24 SA, le taux de mort-nés est de 22 pour 1 000 et la mortalité néonatale de 28 pour 1 000.

Quel est le terme optimal pour accoucher ?

Cette question est très importante pour les multiples. Dans la pratique, l'obstétricien est confronté à la prématurité et non à une grossesse qui dure trop longtemps. Malgré cela, le phénomène existe et plusieurs auteurs ont conclu qu'il était dangereux de dépasser 37-38 SA.

Les complications possibles pour la mère

En fin de grossesse vous pouvez vous sentir essoufflée et gênée par votre prise de poids, des vergetures, des varices, des douleurs articulaires et lombaires.

Une hypertension artérielle (HTA) gravidique ou une toxémie sont rapportées dans 10 à 45 % des cas.

L'anémie est une complication reconnue des grossesses multiples justifiant sa prévention par la prescription systématique d'une supplémentation en fer. Nous n'insisterons pas sur les complications des médicaments tocolytiques car eux, qui sont dangereux, ne doivent plus être utilisés.

Quatre, cinq, six et plus, les grossesses de rang élevé

Ces grossesses sont devenues exceptionnelles. Nos connaissances sont très incomplètes et notre expérience est limitée. En effet, entre 1974 et 1990, nous avons suivi sept grossesses quadruples et une grossesse quintuple. La grossesse quintuple, malheureusement, s'est terminée par une fausse couche au deuxième trimestre. Il semble qu'un grand nombre de ces grossesses aboutissent à des fausses-couches spontanées, toutefois leur nombre est inconnu. Depuis 1990, nous n'avons accompagné aucune de ces grossesses, ni pour un suivi, ni pour une réduction embryonnaire. Actuellement, lorsqu'une femme se retrouve enceinte de quadruplés ou de quintuplés, on lui propose une réduction embryonnaire, c'est-à-dire la suppression d'un ou plusieurs embryons ; le taux exact portant sur des grossesses triples, quadruples ou quintuples, voire d'ordre supérieur, est inconnu en France.

Les grossesses quadruples

Leur fréquence

D'après la fameuse loi de Hellin, dont nous avons déjà parlé, la fréquence des grossesses quadruples serait de 1/89 au cube, soit environ 1 sur 600 000 naissances. On voit là encore qu'avec l'apparition des traitements de la stérilité, les grossesses quadruples ont augmenté en fréquence à partir de 1976 (Figure 14 : La conception des quadruplés).

Le suivi de la grossesse

Notre expérience porte sur sept patientes présentant une grossesse quadruple. Elles ont bénéficié d'un diagnostic précoce (Figure 15 : Les quadruplés dans l'utérus et Photo 5). L'une d'entre elles avait une grossesse quadruple spontanée. Toutes ont été hospitalisées très tôt pendant la grossesse et ont reçu des traitements

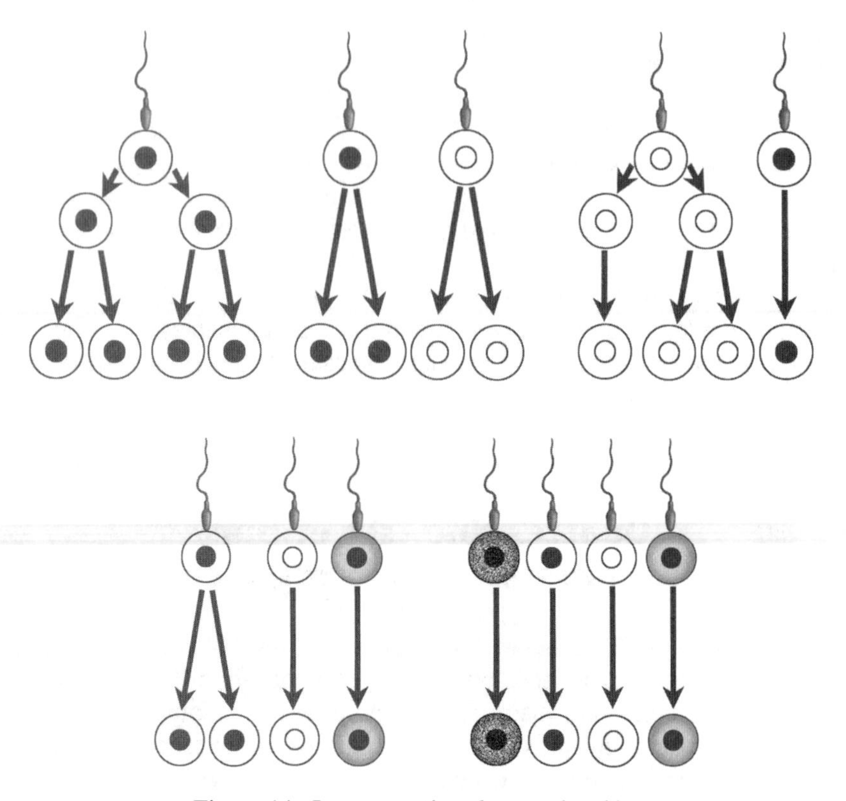

Figure 14 : La conception des quadruplés.

tocolytiques (substance entraînant une diminution ou suppression de l'activité utérine) et des corticoïdes afin de tenter de prévenir une maladie des membranes hyalines. Toutes les mères ont présenté une menace d'accouchement prématuré et toutes ont accouché prématurément. Elles ont accouché par césarienne, le terme moyen de la naissance était 32 SA. Le poids moyen des enfants était de 1 340 g. Le taux de mortalité périnatale est de 290 pour 1 000 (c'est-à-dire que sur 28 enfants nés des 7 grossesses quadruples, 9 sont morts) : ce taux est énorme. Il montre bien que, quelles que soient les mesures obstétricales prises pendant la grossesse, on aboutit à de mauvais résultats. Il nous semble essentiel d'avertir les patientes enceintes de quadruplés de ce mauvais pronostic obstétrical dès le début de la grossesse et de leur proposer la possibilité d'une réduction embryonnaire. La réduction embryonnaire, bien que non dénuée de risques, nous paraît, en cas de grossesse quadruple, l'un des moyens possibles de prévention de la prématurité pour les enfants survivants. Quelle que soit la décision prise – poursuite de la grossesse quadruple ou réduction embryonnaire –, un soutien psychologique est tout à fait indispensable pour les parents.

La grossesse quadruple n'est pas non plus dénuée de risques pour la mère. L'une de nos sept patientes a présenté une maladie très grave par elle-même :

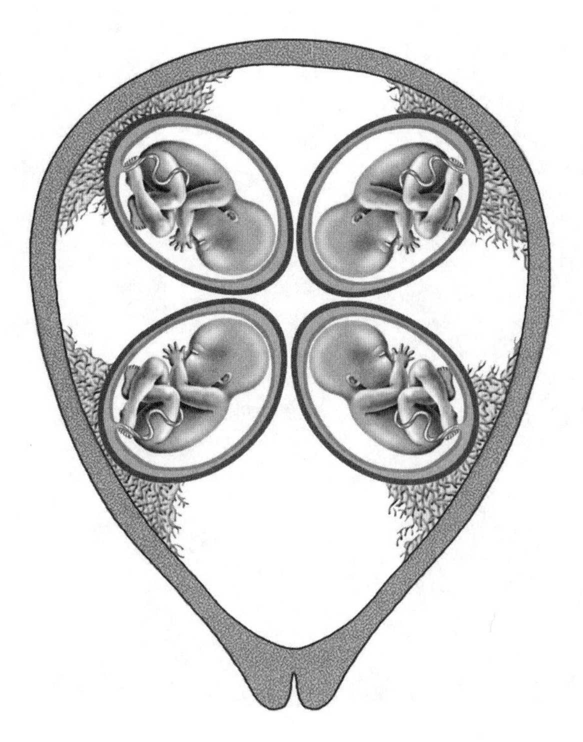

Figure 15 : Les quadruplés dans l'utérus.

un œdème aigu du poumon, une complication du traitement qui lui avait été prescrit pour éviter les contractions.

Quelques équipes médicales ont publié leurs résultats qui sont tout à fait comparables aux nôtres. À côté de ces publications rapportant l'expérience de services d'obstétrique et portant sur de tout petits nombres de grossesses, on dispose actuellement d'études réalisées non plus au niveau d'un service, mais d'un pays.

Une enquête nationale sur les grossesses quadruples

La grossesse

Nous avons réalisé il y a quelques années, en collaboration avec l'association « Jumeaux et plus », une étude en France qui porte sur 65 grossesses quadruples dont 5 étaient spontanées. Dans ces derniers cas, on retrouvait chez les femmes des antécédents familiaux de naissances multiples. Un traitement médical inducteur d'ovulation était à l'origine de 58 grossesses, c'est-à-dire de 92 %. La prise de poids maternel moyenne était de 17,8 kg, avec des extrêmes allant de 11 à 30 kg ; 88 % des patientes ont été hospitalisées au moins une fois avant l'accouchement.

L'accouchement a eu lieu dans 22 cas en clinique privée et dans 43 cas à l'hôpital. La durée moyenne des grossesses quadruples était de 31,2 SA.

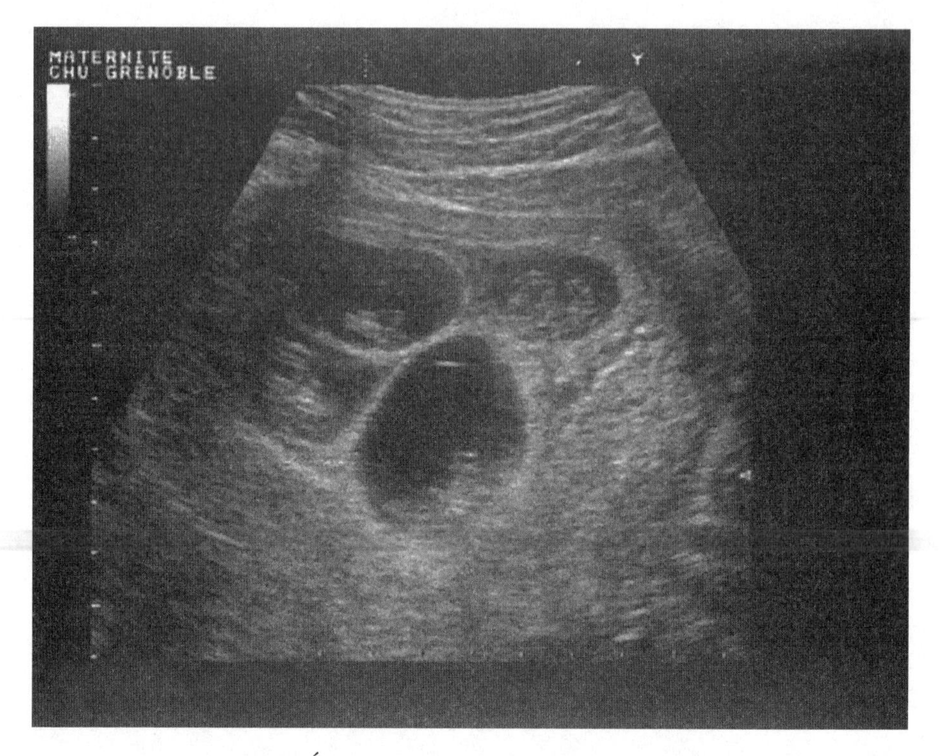

Photo 5 : Échographie d'une grossesse quadruple.

Des complications maternelles ont été signalées chez 34 % des femmes qui ont présenté au moins une complication : anémie sévère dans 23 % des cas, dépression nerveuse dans 18 % des cas, endométrite (infection de l'utérus) dans 18 % des cas et éventration, c'est-à-dire problèmes liés à la distension de la paroi abdominale, dans 2 cas sur 65.

Le devenir des enfants quadruples

Le terme moyen de naissance est de 31,2 SA. Huit enfants sont nés à terme, dont un était mort à la naissance. Les autres enfants nés à terme étaient en bonne santé. Deux patientes ont accouché avant 6 mois : la première à 23 SA portait quatre enfants morts *in utero*, l'autre à 26 SA a donné naissance à des enfants qui sont tous décédés aux premiers jours de vie. Ainsi, le taux de prématurité est de 96,9 %. La mortinatalité dans cette étude est de 39 pour 1 000.

La mortalité néonatale précoce est de 17 enfants sur 250 nés vivants, ce qui donne un taux de 68 pour 1 000.

Quatre-vingt quinze pour cent des enfants ont été hospitalisés, soit en réanimation, soit en pédiatrie. La durée totale de la séparation entre la mère et l'enfant est en moyenne de 51 jours. Soixante-sept pour cent des enfants hospitalisés n'ont pas présenté de pathologie grave en dehors de la prématurité et de l'hypotrophie. Par contre, 17 % ont présenté des maladies respiratoires graves liées à la prématurité. En ce qui concerne les mères, 73 % des femmes qui avaient, avant la grossesse, une activité professionnelle n'ont pas repris leur travail. Parmi celles-ci, 36 % ont arrêté définitivement de travailler pour s'occuper de leurs enfants, 54 % ont l'intention de reprendre une activité un jour, au moins à temps partiel ; 54 % des familles ont dû changer de logement ou faire des travaux d'agrandissement.

L'aide apportée aux familles

Dans cette étude, les parents de quadruplés ont, dans leur grande majorité, bénéficié de l'aide d'une travailleuse familiale (87 %). La durée de cette aide est extrêmement variable d'une famille à l'autre, de quinze jours à plus de deux ans, mais seulement 34 % des familles ont bénéficié d'une aide familiale pendant plus de deux ans. En ce qui concerne l'aide financière, les parents ont eu droit aux allocations familiales car ils ont quatre enfants, mais 60 % des familles n'ont reçu aucune aide supplémentaire. Seulement 7 familles sur 65 ont bénéficié de priorités socioprofessionnelles : relogement, aménagement d'horaires, mutation, etc. En un mot, la plupart des familles sont plongées dans une grande détresse.

Après la grossesse quadruple, 38 femmes n'ont pas eu d'autres enfants jusqu'à ce jour, 6 femmes ont eu un autre enfant, 1 femme a eu deux autres enfants.

Certains points méritent d'être soulignés.

- La fécondation *in vitro* est à l'origine de peu de grossesses quadruples du fait du contrôle du nombre d'embryons transférés dans l'utérus.
- À l'inverse, les traitements inducteurs de l'ovulation sont à l'origine de presque toutes les grossesses quadruples.
- Le suivi obstétrical paraît en France d'excellente qualité puisque les moyens employés et les résultats sont à peu près équivalents à ceux des maternités hautement spécialisées dans la prévention de la prématurité et la prise en charge des grossesses multiples.
- La carence des soins se situe au niveau de l'aide psychologique qui doit être adaptée à la situation des grossesses quadruples et de l'absence de politique d'aide aux familles.

Les grossesses quintuples

Elles sont très rares

Il est difficile de donner une fréquence réelle des grossesses quintuples en France ou dans le monde car, là encore, le nombre des fausses couches, probablement important, est inconnu. Le nombre des réductions embryonnaires est également inconnu. La loi de Hellin donne une fréquence de 1 sur 41 millions de grossesses. C'est dire la rareté de ces grossesses. En France, les données de l'Insee indiquent qu'entre 1971 et 1987 il y a eu en France 31 grossesses quintuples. Le nombre de grossesses quintuples, chaque année, est compris entre 0 et 6.

Les équipes médicales ont publié très peu de cas de grossesses quintuples. Ces grossesses sont si rares qu'elles sont repérées dans les publications médicales par le nom de famille des enfants. On remarque que la survie des enfants est exceptionnelle. La première grossesse où tous les enfants ont survécu est mondialement connue : il s'agit des sœurs Dione qui sont nées en 1934 au Canada. Il s'agissait d'une grossesse monozygote. La deuxième concerne les Ditigentis nés en 1943 en Argentine. La troisième grossesse où tous les enfants ont survécu est survenue en 1964. Le plus souvent les médecins rapportent des cas de grossesses quintuples où une partie seulement des enfants ont survécu.

Depuis 1960 et l'apparition des traitements inducteurs de l'ovulation, les publications médicales font état d'un nombre de plus en plus grand de grossesses quintuples. Lorsque l'on regarde l'ensemble de ces publications, on s'aperçoit que l'évolution des grossesses est détaillée seulement dans 8 cas. Ces enfants sont nés entre 27 et 36 SA. Dans ces 8 cas, la prise en charge des grossesses a comporté le repos au lit, l'hospitalisation, la supplémentation en fer, les examens échographiques répétés et la corticothérapie. Tous les enfants sont nés prématurément. L'intolérance maternelle constituait la deuxième complication : inconfort, impossibilité de dormir, douleurs abdominales liées à la distension et œdèmes. Six femmes ont accouché par voie naturelle et 2 par césarienne. Dans 5 cas sur 8, tous les enfants ont survécu avec une évolution pédiatrique correcte. Dans 1 cas, tous les enfants sont morts de complications de la prématurité. Dans le dernier cas de grossesse quintuple, un seul enfant a survécu. À partir de ces 8 cas, dont les observations sont précisées, la mortalité périnatale varie de 0 à 100 % avec une moyenne de 25 %.

Magali et ses quintuplés

« Notre vie est devenue une aventure depuis l'arrivée de nos cinq enfants nés après la neuvième tentative d'assistance médicale à la procréation. Margot, Sarah, Claire, Mathieu et Manon, arrivés dans cet ordre, sont venus remplir notre grande maison dont l'aménagement intérieur a été poursuivi après leur naissance.

Je ne reviendrai pas trop sur les premiers mois où le rythme infernal des biberons et des couches nous a abrutis complètement. Je vivais alors dans un autre monde : "La planète des bébés." Mon mari, quant à lui, devait poursuivre son activité professionnelle de professeur d'éducation physique et sportive et nous ne pouvions jamais être seuls. Cette période difficile est passée très vite et est maintenant oubliée ou plutôt bien rangée dans un coin de notre mémoire comme un souvenir que je qualifierais même de "bon".

Nous avons eu la chance d'avoir été beaucoup aidés matériellement, on nous a offert les couches, le lait, quelques vêtements, une voiture adéquate, des poussettes, cinq années d'assurance et bien d'autres choses encore.

Nous nous sommes également équipés en lave-linge, sèche-linge, lave-vaisselle, etc., afin de gagner un maximum de temps. Une aide familiale est venue chaque jour la première année, tous les matins la deuxième année, deux matinées par semaine la troisième année et maintenant encore elle vient une matinée par semaine. Une aide ménagère complète cette aide pour toutes les tâches purement matérielles (ménage, repassage, cuisine, etc.).

La famille et les amis se sont aussi relayés pour venir nous aider, à tour de rôle et avec efficacité. C'est paradoxal, mais avec cinq enfants on peut se sentir très seuls, surtout tant qu'ils sont bébés et complètement dépendants de nous. L'aide de notre entourage est inestimable.

Même avec nos cinq enfants, des amis continuent à nous recevoir. Nous sortons de plus en plus. Avec un peu d'organisation et l'habitude aidant, nous arrivons maintenant à ne plus avoir l'impression de partir en expédition. Les enfants ont l'habitude de voir beaucoup de monde et ne sont pas sauvages du tout quand ils sont dans un groupe.

La rentrée à l'école en septembre dernier s'est d'ailleurs bien passée et depuis, chaque matin, c'est la course pour arriver avant l'heure limite, mais les enfants sont contents.

Le temps libre pour moi est surtout un moment de calme et de silence qui me permet de ranger la maison et de préparer le repas sans être constamment à l'écoute des cris, des pleurs et des besoins de tendresse de chacun. Il ne m'est pas possible pour l'instant d'envisager une quelque autre activité, mais cela ne me prive pas, je suis actuellement en disponibilité et peux le rester jusqu'aux 8 ans des enfants. Je me dis souvent que j'ai encore cinq ans de "vacances" devant moi et cela me permet d'envisager l'avenir avec sérénité.

Nous vivons au jour le jour, nous agissons comme nous le sentons, sans trop chercher à savoir si nous faisons bien tout "comme il faut", nous faisons le maximum pour les enfants, c'est toute notre vie !

Leur santé, jusqu'à ce jour, ne nous a jamais posé de problème, même tout au début où pourtant leur condition de prématurés pouvait présenter certains risques. Nous avons affaire à cinq personnalités bien distinctes et qui se sont différenciées très tôt. Nous retrouvons dans leurs caractères des signes qui apparaissaient déjà chez eux tout bébés : calme, impatience, colère...

Leurs occupations sont souvent bien différentes, chacun se créant un petit univers personnel et original. Mais il arrive aussi souvent que des jeux collectifs s'organisent à deux, trois, quatre ou cinq selon l'envie et l'humeur de chacun. Ce sont des moments fascinants à observer, car chacun a son rôle et tout se passe pour le mieux, surtout si aucun adulte n'intervient dans le jeu.

Nous ne percevons pas pour l'instant de clans ou d'affinités particulières entre les enfants. Les couples, trio ou plus se font et se défont suivant les jeux sans qu'aucun ne soit systématiquement exclu comme cela arrive parfois dans d'autres fratries de multiples.

Nous nous disons très souvent que nous avons beaucoup de chance d'avoir une telle famille et même si les relations dans notre couple ne sont pas toujours faciles pour l'instant (manque de temps, fatigue, énervement ou autres contrariétés), nous pensons qu'une telle aventure ne peut que nous unir davantage si chacun d'entre nous est suffisamment solide (et nous pensons l'être) pour rester à bord du navire avec tout l'équipage et parcourir toute la vie. »

Les grossesses sextuples

On entre de plain-pied dans le domaine de l'exceptionnel. Avant les années 1960, 7 cas sont rapportés par des médecins. Après 1960, avec l'apparition des inducteurs de l'ovulation, les grossesses sextuples deviennent un peu plus fréquentes. Seulement dans 2 cas, l'histoire des grossesses est décrite avec précision. Une grossesse sextuple survenue à Birmingham a été diagnostiquée à 17 SA. La mère a été immédiatement hospitalisée et un repos strict au lit lui a été prescrit. À 30 semaines, elle a présenté une prééclampsie (hypertension artérielle de la grossesse) imposant la réalisation immédiate d'une césarienne. Malgré la grande distension utérine, tout s'est bien passé. Trois nouveau-nés ont survécu sans complications, les autres sont décédés de séquelles de la prématurité. Une autre grossesse sextuple est survenue à Londres. Elle s'est terminée à 32 SA. La patiente a eu une césarienne. Cinq enfants sont nés vivants et ont présenté un développement normal, le sixième était mort *in utero*.

Le 14 janvier 1989, les premiers sextuplés français sont nés. La mère, à la suite d'un traitement inducteur de l'ovulation, s'est retrouvée enceinte de dix embryons. Une réduction embryonnaire a été tentée permettant de réduire la grossesse de dix à six. Il n'a pas été possible, pour des raisons techniques – du fait du risque de perdre tous les embryons –, d'aller plus loin dans la réduction embryonnaire. Cédric (1 410 g), Gaëlle (1 490 g), Coralie (1 380 g), Mélanie (1 320 g), Kévin (1 440 g) et Doriane (1 450 g) sont nés par césarienne à Paris. Ils vont bien.

Au-delà de six

Au-delà de six, on connaît un certain nombre de grossesses, mais les enfants sont toujours décédés.

La littérature médicale ne rend pas compte de grossesse d'ordre supérieur à neuf. À quoi bon continuer ? On peut trouver, dans l'histoire de la médecine, des histoires extraordinaires de femmes ayant porté plus de dix embryons ou fœtus. Ces grossesses sont vouées à l'échec.

Il nous paraît tout à fait indispensable que le public soit informé du pronostic catastrophique des grossesses multiples de rang élevé. Avec le développement des techniques de prévention et de réduction embryonnaire, le nombre de ces grossesses devrait rester très faible au cours des années qui viennent.

Peut-on éviter les grossesses de rang élevé ?

Les connaissances obstétricales, pédiatriques et psychologiques concernant les grossesses multiples font l'objet des chapitres précédents. Il apparaît que les résultats obtenus en cas de grossesses gémellaires sont plutôt satisfaisants, actuellement il ne vient à personne l'idée de projeter d'éviter les grossesses gémellaires. À l'opposé, on a vu que le pronostic des grossesses quadruples et quintuples est défavorable. Il est donc indispensable de réfléchir aux moyens qui sont à notre disposition pour réduire le nombre de ces grossesses multiples de haut rang.

Deux types de méthodes sont à notre disposition : l'une « curative » (la réduction embryonnaire) et l'autre « préventive ».

La réduction embryonnaire

La réduction embryonnaire est une méthode permettant la suppression d'un ou de plusieurs embryons lors d'une grossesse de rang élevé.

La technique actuellement reconnue par la plupart des médecins pratiquant la réduction embryonnaire est l'injection intrathoracique de quelques centimètres cubes de chlorure de potassium, au terme de 10 semaines d'absence de règles. Pour atteindre l'embryon, on procède sous contrôle échographique par une ponction, à l'aide d'une aiguille très fine, à travers la paroi abdominale maternelle, sous anesthésie locale. La réduction embryonnaire doit être faite par un opérateur ayant une bonne pratique de l'échographie. Il convient bien évidemment de ne pas prendre de risque pour les embryons que l'on désire conserver. Dans les jours qui suivent, il est possible qu'un saignement de petite abondance survienne. Pendant le reste de la grossesse, le repos est vivement conseillé, quel que soit le nombre d'embryons conservés.

Le risque majeur est le risque d'avortement. Ce risque, d'après les données actuelles, semble compris entre 15 % et 30 %. Il peut s'agir de fausses couches précoces mais aussi de fausses couches plus tardives, pouvant survenir dans les deux mois qui suivent la réduction embryonnaire. Une fois le risque de fausse couche passé, le devenir de la grossesse dépend évidemment du nombre d'embryons laissés en place. Si l'on a laissé un seul embryon, l'évolution sera proche de celle d'une grossesse unique. Si l'on a laissé deux embryons, l'évolution sera proche de celle d'une grossesse gémellaire. Il est exceptionnel qu'après une réduction embryonnaire on laisse plus de deux embryons. On n'a pas encore assez d'arguments pour affirmer que le pronostic des grossesses uniques et gémellaires réduites est aussi bon que celui des grossesses primitivement uniques ou gémellaires. Même en mettant de côté le risque de fausse couche, il semble que, après la réduction embryonnaire, le taux de prématurité des grossesses uniques et gémellaires réduites soit plus important que celui des grossesses uniques et gémellaires non réduites.

D'autres techniques ont été décrites. Il s'agit de l'aspiration par le col utérin d'un ou de plusieurs embryons, un peu comme dans l'interruption volontaire de grossesse traditionnelle. Toutefois, on ne pratique pas l'aspiration de tous les embryons. Cette technique est pratiquement abandonnée actuellement car c'est celle qui donne lieu au plus de fausses couches. Plus récemment, certains médecins pratiquent une ponction non pas transabdominale, mais transvaginale. Ceci est permis par le développement de l'échographie endovaginale, la sonde d'échographie étant placée dans le vagin et en contact même avec la paroi utérine. Cette technique permettra peut-être de réaliser des réductions embryonnaires à des termes plus précoces, vers 7 semaines d'absence de règles.

La prévention est-elle possible ?

Il faut distinguer deux situations totalement différentes : d'une part les procréations médicalement assistées (PMA), et d'autre part les inductions d'ovulation.

Les procréations médicalement assistées

Il est *a priori* très facile d'éviter les grossesses multiples de haut rang en cas de PMA, c'est-à-dire de fécondation *in vitro* (FIV). En effet, en fécondation *in vitro*, on contrôle parfaitement le nombre d'embryons transférés dans l'utérus. On peut replacer un embryon, deux embryons ou trois embryons ou plus selon son choix. Il est bien évident qu'en replaçant quatre embryons dans l'utérus, on prend le risque d'obtenir une grossesse quadruple. Si l'on replace neuf embryons, on prend le risque d'obtenir une grossesse nonuple.

« Pourquoi ne replace-t-on pas toujours un seul embryon lors d'une fécondation *in vitro* ? » On n'obtiendrait alors que des grossesses uniques, et tout serait simple. Cette question appelle deux remarques. La première est que l'on peut replacer un embryon dans l'utérus et obtenir une grossesse gémellaire si cet embryon se divise précocement. Cette éventualité est très rare, mais elle existe. En réalité, le vrai problème est tout autre : le taux de grossesses obtenues après fécondation *in vitro* augmente avec le nombre d'embryons transférés. Si l'on replace dans un utérus quatre embryons, on a plus de chances d'obtenir une grossesse que si l'on en replace trois, et en en replaçant trois, on a plus de chances d'obtenir une grossesse que si l'on en replace deux. En augmentant le nombre d'embryons transférés, on prend, bien sûr, le risque de grossesse multiple.

Donnons quelques chiffres : il a été démontré que le taux de grossesses gémellaires est de 0,4 % après transfert d'un embryon, de 3,7 % après transfert de deux embryons, de 5,7 % après transfert de trois embryons, de 10,2 % après le transfert de quatre.

Deux phénomènes encouragent les médecins à replacer un grand nombre d'embryons.

- D'une part, la concurrence qui existe entre les différentes équipes de PMA. Le taux de succès de chaque équipe est mesuré en nombre de grossesses, en faisant parfois abstraction des conséquences des grossesses multiples. La réussite des équipes pratiquant la fécondation *in vitro* apporte beaucoup de gloire et de clientèle et la survenue de grossesses multiples de rang élevé est un peu la rançon de cette gloire.
- D'autre part, le désir des couples. Les patientes candidates à la fécondation *in vitro* ont derrière elles un long passé de stérilité et de souffrance et sont prêtes le plus souvent à tous les sacrifices pour avoir un enfant. Ces couples exercent parfois une pression importante sur les médecins pour qu'un nombre d'embryons élevé soit replacé dans l'utérus, car ils n'ignorent pas que ce facteur augmente les chances d'obtenir une grossesse.

Comme nous l'explique le docteur Joëlle Belaïch-Allart, spécialiste de la fécondation *in vitro* : « D'autres paramètres que le nombre d'embryons interviennent également sur le taux de grossesses multiples. Plusieurs équipes ont essayé de cerner au mieux ces paramètres afin d'adapter la politique de transfert d'embryons et de diminuer le nombre d'embryons transférés dans les cas les plus exposés aux risques de grossesses multiples. »

En dehors du nombre d'embryons transférés, les autres facteurs sont la qualité même de ces embryons. Si la stérilité est masculine, les ovocytes seront de meilleure qualité et le risque de grossesse multiple est accru. Les autres facteurs sont : l'âge de la femme et le nombre de tentatives de fécondation *in vitro*. Le risque d'avoir une grossesse triple est quasi nul après la quatrième tentative, il est très faible chez une femme de plus de 35 ans et quasi nul chez une femme de plus de 40 ans. Les spécialistes de la fécondation *in vitro* considèrent donc qu'il n'y a pas de contre-indication absolue à replacer un nombre élevé d'embryons. Toutefois, le nombre d'embryons transférés doit être modulé en fonction des critères énoncés ci-dessus.

Les inducteurs de l'ovulation

Comme nous l'avons vu, le risque d'obtenir une grossesse multiple est lié beaucoup plus à l'usage des médicaments inducteurs de l'ovulation qu'aux techniques de PMA.

La prévention des grossesses multiples est théoriquement possible si l'on respecte :

— les indications des médicaments (ne pas confondre impatience et stérilité : il faut savoir attendre) ;
— le bon choix des médicaments utilisés ;
— la surveillance adaptée à chaque type de médicament.

Lorsqu'une patiente vient consulter parce qu'elle a arrêté sa pilule six mois plus tôt et qu'elle n'est toujours pas enceinte, quelle que soit son insistance, quelle que soit son impatience, le médecin doit savoir lui expliquer qu'*a priori* son problème n'entre pas dans le cadre de la stérilité ; le seul traitement est la patience. Dans ce cas, il n'est pas acceptable de prescrire des inducteurs de l'ovulation.

Les inducteurs de l'ovulation ne peuvent être prescrits qu'après un bilan soigneux. Chaque médicament a des indications propres que nous ne détaillerons pas dans cet ouvrage.

Les traitements les plus récents, les plus lourds, les plus sophistiqués sont particulièrement intéressants lorsque les méthodes les plus simples sont en échec et il n'est pas justifié de les utiliser d'emblée. Ces traitements doivent être prescrits sous surveillance hormonale et échographique ; il existe actuellement un consensus pour administrer le citrate de clomifène sans cette surveillance. La surveillance des taux hormonaux et du nombre de follicules entrant en croissance par échographie est absolument indiquée dans tous les autres cas.

Ces règles générales doivent être adaptées car chaque cas est particulier. Chaque femme concernée pourra discuter des protocoles et des doses reçues avec son gynécologue. Le risque de grossesse multiple doit être clairement annoncé et accepté.

Retenons qu'en médecine et en biologie, rien n'est simple, et il peut exister des facteurs non prévisibles et des réponses explosives de certaines patientes. Nous ne pouvons pas éviter totalement les grossesses triples, quadruples et quintuples. Les médecins ne sont pas forcément coupables lorsqu'une telle grossesse survient. Lorsque c'est le cas, une discussion doit avoir lieu entre le médecin et le couple, où sont exposés les risques de ces grossesses de haut rang et ceux de la réduction embryonnaire. Les décisions doivent être prises en fonction de chaque cas particulier. Schématiquement, la décision est relativement simple en cas de grossesse quadruple ou plus : il est préférable de proposer une réduction embryonnaire. La décision est beaucoup plus délicate en cas de grossesse triple, car la poursuite de la grossesse est envisageable. Certains éléments peuvent faire préférer la réduction embryonnaire en cas de grossesse triple, il s'agit du cas où un facteur de risque de prématurité est surajouté (antécédents de prématurité lors d'une grossesse précédente, utérus mal formé ou de taille réduite). En cas de grossesse gémellaire, la réduction embryonnaire n'est pas indiquée.

ACCUEILLIR ET PRENDRE SOIN DES BÉBÉS

Le choc de la grossesse

L'annonce

L'annonce d'une grossesse multiple, terme que nous emploierons pour les grossesses triples et plus, est un choc énorme pour la mère. La nouvelle peut être connue dès la sixième-huitième semaine, mais c'est généralement à la douzième semaine, lors de l'échographie, que la mère apprend la nouvelle. Il peut arriver qu'une grossesse gémellaire soit diagnostiquée à la douzième semaine puis une grossesse triple à la vingt-deuxième semaine. L'échographiste est souvent désarmé : « À l'échographie, je m'aperçois que le médecin fait une drôle de tête, aussi je lui demande ce qui ne va pas. Il affirme que tout va bien, mais qu'il y a quand même un problème. Comme je lui demande lequel, il me répond qu'en fait il y a trois problèmes. Sous le choc, je me suis mise à pleurer. » Peut-on imaginer la réaction du futur père lorsque sa femme lui apprend qu'elle est enceinte de triplés ? « Lorsque ma femme m'a appris la grossesse triple, je lui ai dit que ce n'était pas possible. Je suis resté bouche bée. Quel choc ! Ensuite cela s'est bien passé et j'ai essayé de lui remonter le moral. C'est fait, c'est fait, lui ai-je dit. Maintenant on n'a plus qu'à s'en occuper ! » De nombreux parents se plaignent du manque d'égard du personnel hospitalier peu habitué à accompagner une grossesse triple, ils aimeraient être plus entourés.

Il y a encore quelques années, l'information pouvait être connue au cours de l'accouchement. Une femme enceinte, déjà mère d'un enfant, avait signalé à l'obstétricien, lors d'une consultation de routine, qu'elle sentait le bébé « donner des coups de pied partout », mais malgré cela, elle n'avait pas eu d'échographie. L'accouchement prématuré a eu lieu dans des conditions très difficiles parce que deux des bébés étaient inattendus.

Les réactions de la plupart des familles à une grossesse multiple correspondent plutôt à ce qui a été décrit comme une crise de changement de vie, un tournant. Ce ne sont pas des sentiments d'impuissance, d'anxiété, de frustration ou d'agressivité, qui eux sont plus souvent associés aux crises traumatiques. Les femmes comme leurs conjoints sont très concernés ; si les futurs parents ont été informés à l'avance, ils ont du temps pour se préparer à leur nouvelle situation. Voici quelques réactions parmi les plus fréquentes.

Attendre un enfant est une situation révolutionnaire en soi, mais ici, en plus, il y a quelque chose d'autre que ce qui était attendu au départ. Une femme enceinte de multiples a de nouveaux sentiments, elle est plus choquée : « Je pleurais et je riais tour à tour. » Devenir une mère est un processus entièrement différent de celui de devenir un père. Pour la future mère, il y a en plus un changement physique considérable des formes de son corps, du fait de la prise de poids. La mère peut se sentir « laide » et « pas aimée » par son mari, même si cela n'est pas vrai. L'incertitude des rôles de femme et de mère est accentuée par la pensée de s'occuper et de construire une relation profonde avec plusieurs enfants.

L'homme peut seulement vivre la grossesse à travers la femme. Il n'a aucune expérience de changement physique qui le rendrait différent quand il y a un ou trois enfants. En général, les hommes ne trouvent pas les formes de leur femme disgracieuses, mais si la grossesse provoque chez elle des risques corporels, des douleurs et une grande fatigue, ceci peut activer chez eux des sentiments de culpabilité, car à travers leur virilité masculine ils se sentent responsables.

Toutes les familles planifient d'avoir des enfants, mais très peu envisagent des multiples, voire des jumeaux. Dans les familles dont la grossesse est d'origine spontanée, le diagnostic est totalement inattendu. Lorsque la grossesse survient après un traitement de la stérilité, les futurs parents sont intellectuellement conscients du risque d'une grossesse multiple. Cependant, aucune famille n'est émotionnellement préparée. Il y en a même qui se plaignent de ne pas avoir été correctement informées sur les conséquences d'un traitement hormonal. Certaines femmes ont reçu l'annonce de leur grossesse comme l'expression d'une sorte de fatalité, de punition pour avoir osé braver les lois de la nature qui les avaient faites stériles. « Qu'ai-je donc fait, se disent-elles, pour que cela m'arrive à moi ? » Une mère un peu superstitieuse dit, alors qu'elle-même désirait être enceinte, avoir croisé dans la rue une femme promenant trois bébés. Elle a ensuite assimilé sa grossesse triple à un coup du sort. La perspective d'une famille nombreuse peut ravir les femmes qui souhaitaient depuis très longtemps une grossesse, même si c'est pour elles la « forte dose d'un coup ».

Beaucoup de parents disent avoir des sentiments très positifs pendant l'attente de multiples, une fois l'idée acceptée. Ces réactions positives se caractérisent comme une « richesse », quelque chose « de plus évident et de complètement différent » que d'avoir un seul enfant. Mais si la réaction est trop positive, il peut y avoir un risque de nier la possibilité de futurs problèmes. Beaucoup disent aussi qu'ils « ne voulaient pas, durant la grossesse, faire face au fait » qu'il serait peut-être difficile d'avoir trois enfants.

Les femmes ont peur de ne plus avoir de temps pour les autres enfants de la famille, elles expriment des sentiments d'anxiété et de culpabilité. Pour beaucoup d'entre elles, la réaction positive de leur mari est très importante et renforce leur confiance en elles dans leur identité de femme et de mère. Au fur et à mesure que les enfants grandissent, les mères prennent conscience qu'elles réussissent à bien s'occuper de tous les enfants.

Les hommes ne sont pas aussi inquiets que les femmes. Cependant l'un d'eux, qui attendait des jumeaux, dit sa réaction à la naissance : « Quand le personnel hospitalier m'a dit qu'il y avait trois bébés, j'ai dit : "Non, cela n'est pas vrai. Il y en a deux." Je n'ai jamais compris pourquoi il y avait autant d'activité durant l'accouchement. Le temps s'est effacé. Puis je me suis assis en face des trois lits avec trois bébés et je ne réalisais toujours pas qu'ils étaient les miens. Les journalistes et les reporters de télévision étaient là. C'était très désagréable. Jusqu'au moment où nous avons ramené les bébés à la maison, je n'arrivais pas à comprendre qu'ils étaient trois. »

Les hommes sont plus positifs à l'annonce de la grossesse multiple. Dès le début, ils prennent conscience que leur implication dans la famille sera différente. La mère peut éventuellement s'occuper seule de jumeaux mais, avec des multiples, l'aide du père est indispensable. Parce qu'une grossesse triple est inhabituelle et plus remarquable qu'une grossesse ordinaire ou même qu'une grossesse gémellaire, l'entourage est beaucoup plus compréhensif, tolérant et d'un grand soutien dans un premier temps. Le père reçoit plus d'attention et son rôle est plus important pendant la grossesse. Il acquiert une force intérieure et un sentiment de sécurité qui n'est pas aussi apparent dans une grossesse ordinaire.

On a du mal à réaliser

Ils ont un sentiment d'incertitude, même quand ils ont été bien informés sur les risques possibles de la grossesse et des complications durant l'accouchement, après le diagnostic de multiples. Tous sont prévenus que l'accouchement sera prématuré, que les bébés seront plus petits que les enfants nés uniques, et que l'accouchement lui-même pourrait être plus compliqué que la naissance de jumeaux et de non-jumeaux. Le « syndrome d'incertitude » est plus précis chez la femme et peut être occasionnel chez l'homme. Un père dit : « Je n'ai jamais pensé qu'il y avait un risque ou que quelque chose pouvait arriver aux bébés. »

Une mère témoigne : « Quand on m'a dit, à l'examen échographique, qu'il y avait plusieurs têtes et plusieurs jambes, j'ai pensé que j'avais des jumeaux siamois dans mon ventre, peut-être un monstre avec deux têtes. Je n'ai jamais pensé que je me réveillerais avec trois bébés en bonne santé. »

Contrairement au sentiment de plaisir et de fierté que ressentent la plupart des femmes enceintes de jumeaux, beaucoup de grossesses multiples sont vécues sous le signe de la peur et du sentiment d'irréalité. Peur de ne pas être capable de mettre au monde plusieurs bébés. Seront-ils en bonne santé ? Comme nous l'avons vu plus haut, la future mère n'est pas préparée psychologiquement. Les nombreuses hospitalisations avant la naissance limitent l'activité physique. La déformation importante de leur corps plonge la plupart des femmes dans un état second, comme si leur corps ne leur appartenait plus : « Je ne pensais qu'à mon ventre, qu'à mes bébés, je me considérais à part, comme un légume qui fait pousser son ventre. Je me trouvais horrible. Je me demandais si j'allais retrouver mon état antérieur. »

Lorsqu'elles ont déjà des enfants, les femmes hospitalisées souvent loin de leur domicile se sentent isolées et coupées de leur famille. Les visites sont rares, le futur père est peu présent. Quand elles ne sont pas hospitalisées, elle doivent malgré tout rester allongées à leur domicile. Si la grossesse unique n'est pas une maladie, la grossesse multiple est souvent vécue comme une maladie inattendue.

Je ne sais pas qui bouge

Si les mouvements fœtaux dans une grossesse gémellaire sont bien perçus par les femmes, les mères enceintes de multiples ont de grandes difficultés à localiser clairement chacun des bébés. Les futures mères sentent une multitude de mouvements indifférenciés. Elles ne savent pas très bien qui bouge. Il est plus facile de repérer deux que trois bébés. À l'échographie, vers la fin d'une grossesse triple, l'un des fœtus est souvent décrit comme « caché ». On peut imaginer une situation encore plus complexe pour les grossesses de haut rang.

Certaines futures mères s'efforcent de différencier les bébés en leur attribuant très tôt un prénom : « Célia avait la meilleure place dans mon ventre, je la sentais bien bouger. Aujourd'hui (14 mois), elle est la plus dégourdie, la plus évoluée. Elle touche à tout, elle a soif de découvertes. Laurence était un petit paquet de nerfs, qui ne se manifestait pas souvent, mais très fort pendant un court instant. Maintenant, elle est vraiment hypertonique. Élise, elle, était complètement coincée dans l'utérus, elle bougeait mollement. Elle n'avait pas la même vivacité que ses sœurs. Aujourd'hui, c'est la plus nonchalante, elle demande beaucoup à être prise dans les bras. »

L'accouchement

Le mode d'accouchement qui sera utilisé est aussi une source d'anxiété et de peur chez les futures mères ; il peut se faire par voie naturelle ou par césarienne. Certaines n'en sont informées qu'à la dernière minute, d'autres savent qu'elles vont avoir une césarienne, mais elles ignorent le type d'anesthésie. Une mère dit : « Quand ce fut le moment de l'intervention, j'ai eu peur. J'étais sur le point de m'évanouir et je ne pouvais plus respirer. J'ai dû m'asseoir durant la péridurale et cela n'a eu aucun effet. Je pleurais et pleurais. Alors on m'a anesthésiée. L'accouchement a été dramatique, je me suis sentie trompée. »

Souvent, les femmes hospitalisées sur une longue période voudraient que l'accouchement soit déclenché le plus vite possible, mais les obstétriciens veulent toujours gagner quelques jours de plus pour que la grossesse se rapproche le plus possible du terme normal. Les femmes qui bénéficient d'une péridurale vivent la naissance comme un moment exceptionnel. Elles sont très entourées par une équipe médicale spécialisée qui leur sert de soutien médical et psychologique. Il arrive que les bébés soient placés, dès la naissance, dans la chambre de la mère. Celle-ci profite de ce moment très privilégié pour faire connaissance avec chacun d'eux. Elle s'étonne de voir que les bébés vont bien après avoir entendu tous les risques d'une grossesse multiple. Beaucoup s'attendent à ce que les enfants soient hospitalisés et séparés d'elles pendant une période plus ou moins longue. Ainsi, une mère ayant donné naissance, à 34 SA, à trois garçons pesant respectivement 2 300 g, 2 500 g et 2 200 g ne s'attendait pas à récupérer ses trois bébés au bout de dix jours. Elle a préféré, à la grande surprise du personnel, les confier quelques jours de plus à l'hôpital afin de mieux préparer leur retour à la maison.

Le retour à la maison

Dans la plupart des cas après la naissance, les enfants sont hospitalisés dans un centre de néonatologie. Les parents doivent alors se partager entre les préparatifs du retour des bébés et les visites. Inconsciemment, ils semblent vouloir retarder le retour à la maison. C'est donc bien souvent dans un climat de précipitation que le retour se fait. Pour beaucoup de parents, rien n'est prêt à la naissance : en peu de jours, ils doivent se procurer tout le matériel de puériculture et le mobilier nécessaire pour recevoir les enfants. Il y en a même qui déménagent pendant la période d'hospitalisation des bébés.

Après l'accouchement, la majorité des mères se plaignent d'une fatigue physique importante. Les causes invoquées sont l'absence d'aide, les réveils nocturnes et les siestes trop courtes des enfants qui obligent à repousser au soir le travail ménager. Une autre fatigue décrite comme une « fatigue nerveuse » est ressentie par toutes les femmes. Elle est provoquée par les disputes, les cris, les colères, les manifestations d'opposition et la nécessité de contrôler l'organisation de la maison. Les mères évoquent également la difficulté à réaliser la naissance des enfants. Elles disent : « C'est fou, c'est inimaginable, impossible à réaliser. » Il faudra plusieurs semaines, voire plusieurs mois à certaines d'entre elles, pour intégrer cette réalité. Les mères doivent apprendre à reconnaître chacun des enfants qui doit être individualisé, singularisé par rapport aux deux autres. Celles qui sont sans enfants doivent apprendre à s'occuper des nouveau-nés, elles mettent en place une stratégie particulière pendant les semaines qui suivent l'accouchement. La plupart d'entre elles sont en mauvais état physique. L'hospitalisation prolongée pendant la grossesse rend le retour à la position debout très difficile. L'importante déformation provoquée par la présence de trois fœtus ou plus bouleverse l'image du corps des femmes et provoque, parfois après la naissance, un sentiment d'étrangeté. « J'ai eu du mal à me reconnaître dans la glace, j'ai vraiment eu un choc ! Il fallait que je me retrouve dans mon corps, ce n'était plus le mien », dit une mère après l'accouchement. « Les enfants étaient présents à mon esprit, je savais qu'on avait des enfants, je venais les voir à l'hôpital, mais j'avais besoin de temps pour moi, pour m'occuper de moi et récupérer. »

La difficulté des mères d'entrer en relation avec trois bébés ou plus est aussi source d'anxiété et de dépression. Elles doutent de leur force pour assurer les soins immédiats de plusieurs enfants et assumer les responsabilités éducatives. Dès l'annonce d'une grossesse multiple, les futurs parents ne doivent pas hésiter à s'informer des possibilités offertes en s'adressant à l'assistance sociale de l'hôpital et aussi à l'association « Jumeaux et plus ».

Beaucoup de femmes font état de problèmes psychologiques importants au cours de la première année. Il s'agit essentiellement de symptômes anxiodépressifs. Elles sont stressées et fatiguées. Leur préoccupation majeure porte sur les relations avec les enfants, sur leurs difficultés à répondre à leur demande, mais elles ressentent aussi des tensions au sein du couple, des problèmes financiers et de logement, l'insuffisance de l'aide.

La vie s'organise

« Il y a encore des bébés pour nous à l'hôpital ? » Damien, 2 ans et demi, quinze jours après le retour à la maison de ses trois petites sœurs.

Une étude sur les familles de triplés

La rupture avec le mode de vie antérieur est radicale lors d'une naissance multiple dont les conséquences sont énormes sur la vie familiale. Une enquête sur ces conséquences a été réalisée par l'Association nationale d'entraide des parents de naissances multiples (actuellement l'association « Jumeaux et plus ») auprès de 93 familles ayant des triplés âgés de moins de 3 ans. Les problèmes financiers sont dans 73 % des cas un des soucis majeurs. L'arrêt de travail de la mère, très tôt pendant la grossesse, entraîne une diminution du revenu familial à laquelle s'ajoutent des dépenses dues à l'agrandissement inattendu de la famille. Bien souvent, les parents doivent faire face à des investissements importants concernant le logement et la voiture devenus soudain trop petits, mais toutes les familles ne peuvent pas s'engager dans de telles dépenses.

Plus d'un tiers des familles interviewées souligne aussi l'extrême fatigue de la mère ou des deux parents due à la quantité de soins nécessaires aux bébés (en moyenne vingt-sept biberons par jour les premiers mois pour les triplés) et au manque de sommeil. Les femmes doivent se rendre entièrement disponibles, renoncer à tout ce qu'ont été leurs activités, leurs centres d'intérêts antérieurs. Au début, une travailleuse familiale aide souvent les mères d'enfants multiples pendant la journée, mais les parents sont seuls la nuit pour s'occuper des bébés. Malgré une bonne organisation des soins de maternage, la surveillance permanente des bébés maintient la mère dans une tension nerveuse extrême. L'une d'elles raconte : « La nuit vous devenez agressif, c'est affreux pour les gamins. Je m'en mords les doigts d'avoir voulu balancer mes enfants par la fenêtre. Si mon mari n'avait pas été là je me demande comment ça se serait terminé... » Les parents évoquent aussi des problèmes de santé des bébés dus à des séquelles de la prématurité et d'isolement social. Le phénomène d'isolement est plus fort dans les familles de multiples que dans celles de jumeaux.

L'isolement est d'abord d'origine matérielle. Les familles vivent souvent repliées sur elles-mêmes, entièrement absorbées par une vie quotidienne lourde. Il est difficile de se déplacer avec trois bébés ou plus. L'univers social de la mère peut être aussi interrompu par un arrêt de travail forcé. Les parents d'enfants multiples souffrent également de difficultés psychologiques et sociales majeures. Les mères sortent rarement de chez elles les deux premières années. Ce repliement a pour conséquence l'isolement social. Les amis ne viennent plus, la famille élargie n'apporte plus l'aide et le support attendus. Il semblerait que la naissance de multiples provoque une réaction de peur et de retrait de l'entourage. Les principales difficultés concernent la fatigue et le stress des premiers mois, les tensions au sein du couple, les problèmes financiers et de logement, l'insuffisance de l'aide et les difficultés à répondre à la demande des enfants. Les mères présentent fréquemment des symptômes anxieux ou dépressifs.

Ce livre sera peut-être difficile à lire pour les femmes enceintes. Cependant, il est important à notre avis de mettre en garde sur ce qui pourrait se passer après dans certaines familles. Les parents ne doivent pas ignorer le bouleversement radical que constitue une naissance multiple. Le couple doit être préparé et réfléchir à la réorganisation de la vie familiale. La capacité à surmonter ces événements difficiles et brutaux de la vie dépend aussi de la qualité du soutien de l'entourage.

La vie au jour le jour

Le logement devenu trop petit

Lors de la naissance des enfants multiples, la nécessité de changer ou d'agrandir le logement s'impose pour beaucoup de familles. Dans le cadre des organismes sociaux ou d'une aide de l'employeur, l'attribution d'un logement n'intervient jamais avant la naissance. C'est une des raisons pour lesquelles peu de parents déménagent avant l'accouchement. Bien souvent des solutions provisoires peuvent être mises en place. Par exemple, hébergement dans la famille ou chez des amis le temps de trouver un autre logement. Une maison individuelle avec un jardin est sûrement la solution rêvée par beaucoup de couples, malheureusement non réalisable par tous. Toutefois, il ne faut pas ignorer les problèmes que cela peut entraîner : une mère dit « préférer rester dans son petit trois pièces dans le centre-ville où ses amis peuvent lui rendre visite, plutôt que d'aller s'expatrier en périphérie, loin de toute vie sociale ».

Certains parents sont très imaginatifs pour réaménager le lieu de vie familiale et donner aux enfants un maximum d'espace dans un logement réduit, tout en se préservant un coin privé. Il y a ceux qui aménagent une pièce en chambre à coucher pour les bébés et une autre en salle de jeux, qui peut aussi être transformée en véritable minicrèche. D'autres, qui n'ont pas de pièce en plus, construisent au milieu de leur séjour un parc géant, ou bien mettent une barrière délimitant l'espace de jeux des enfants du « coin parents ». On est loin de la belle chambre de bébé en rose ou en bleu : le côté pratique prend le pas sur l'esthétique, comme le disent avec humour de nombreux parents.

Les déplacements sont difficiles

À cause de la difficulté de se déplacer seules avec trois enfants, les mères subissent un isolement social auquel elles n'étaient pas préparées, qu'elles supportent difficilement et qui va renforcer les problèmes psychologiques évoqués plus haut. Ce n'est pas une poussette double, triple ou un grand landau pour quatre enfants qui peut régler les problèmes de la promenade. Les trottoirs en ville, les portes des squares qui ne sont pas assez larges et les préparatifs interminables pour que tout le monde soit prêt en même temps pour la sortie limitent les courses et les promenades. Certaines mères ne sortent qu'accompagnées d'une autre personne, d'autres optent pour la poussette double et mettent le troisième bébé dans un sac à dos. Une maman dit « utiliser son chien pour surveiller les enfants pendant qu'elle effectue les préparatifs de la promenade ».

Nous savons qu'une naissance multiple constitue pour beaucoup de parents un changement radical dans la vie familiale. L'arrêt de travail de la mère s'impose dans beaucoup de familles comme une solution raisonnable. Beaucoup de femmes aspirent à reprendre une activité professionnelle au-delà des complications matérielles que cela peut entraîner. Une femme qui a une employée de maison à plein temps chez elle explique : « Pour moi, c'était la seule solution pour retrouver mon équilibre. Maintenant je profite des moments où je suis avec eux. J'admire la dame qui s'occupe d'eux toute la journée, je ne pourrais pas être à sa place ! » Dans les milieux socialement favorisés, la mère préfère rester à la maison et prendre des baby-sitters pour s'évader avec son mari et pratiquer des activités de loisirs. Même si la majorité des couples souhaitent mener une vie normale, beaucoup ne peuvent pas le faire. Mais tous reconnaissent que les petites évasions sans les bébés sont les compléments indispensables à leur vie de famille trop bien remplie !

Il faut beaucoup d'amour et de temps

Muriel est mère de quadruplés, voici son témoignage.

« À la naissance de nos quadruplés, nous étions joyeux et comblés, même si cela dépassait nos espoirs en nombre...

Quelques idées inquiétantes sur le budget nous traversaient bien l'esprit, surtout avec un seul salaire... mais nous avions confiance et nous nous disions : "On s'en sortira."

Nous avons rencontré aussi beaucoup de chaleur humaine, familiale, amicale et de solidarité. Du matériel nous a été prêté, des vêtements donnés. Des contacts en milieu hospitalier nous ont soutenus ainsi que l'administration (DDASS – CAF). Nous avons eu des travailleuses familiales jusqu'à ce que nos enfants aient 3 ans.

Et puis, le temps passant, les difficultés financières ont sérieusement commencé. Les loisirs sont inexistants, les journées de douze à quatorze heures font partie de la vie courante. Au cours de nos démarches auprès des services sociaux, des efforts ont été faits pour nous, les premières années, mais ensuite on nous a considérés comme "d'autres familles".

Il faut comprendre que dans nos familles "tout est toujours multiplié par deux, trois, quatre ou cinq" : linge, achats, consommation de chaussures, lessive, eau, clubs, activités, cantine, vacances... Pour élever des enfants, il faut beaucoup d'amour, d'écoute, de temps et, hélas, d'argent. Nous nous excusons d'être bassement matérialistes mais que faire quand on n'a pas assez d'argent (chèques sans provision, découvert permanent, soucis avec la banque et les organismes de crédit) ?

Cette naissance multiple n'a pas été un "choix" et nous avions un budget de Français moyens pouvant élever deux enfants. Cela nous ramène à la période où il n'y avait pas de contraception : les enfants étant là, il faut "faire avec le budget que l'on a". Bien sûr, beaucoup de mères s'arrêtent de travailler pour se consacrer à leurs enfants, ce qui fait un seul salaire pour six personnes à la maison (plus de dépenses et de consommation avec un salaire en moins).

Pour faire face à tous ces soucis d'argent, j'ai repris le travail à mi-temps lorsque les enfants ont eu 7 ans. Cela a donné un souffle au budget pour quelques années, en restant vigilant sur les dépenses (pas de dépanneurs ni de garage, nous faisons tout par nous-mêmes : réparations des machines à laver le linge ou la vaisselle, les lavabos et tuyaux bouchés...).

Nos enfants ont besoin de notre présence affective, de notre calme pour les écouter tous et de parents disponibles pour faire des sorties avec eux (à pied ou en vélo). Nous n'en pouvons plus de leur dire "cela n'est pas possible" dans le choix de leurs activités sportives, culturelles, l'achat d'une paire de chaussures de sport ou la décision de départ en vacances. C'est un paradoxe, dans cette société qui vit dans son confort et ses loisirs, on nous fait de beaux discours sur la dénatalité et nous, les parents en espoir d'enfant avec une intensité qui nous aurait fait abattre des montagnes, nous vivons comme des marginaux. »

Les soins des bébés

L'expérience des parents de triplés durant les premières années est que « la somme de deux plus un est différente de trois ». Leur vie est bouleversée sens dessus dessous et tout évolue autour des enfants. Si l'un a une couche propre, les deux autres sont sales. Entre les changes, il faut s'occuper des repas. Tout ceci de jour comme de nuit, et il reste peu de temps aux parents pour dormir ou se relaxer. Les très jeunes bébés sont généralement fragiles et ils attrapent des maladies qu'ils se repassent les uns les autres. En d'autres termes, le retour à la maison est chaotique pour la plupart des familles avec très peu de périodes de repos en continu. Nourrir et changer les couches occupent des journées entières. Nourrir au sein est impensable pour la plupart des bébés trop petits et trop faibles qui ne tètent pas très bien. Le plaisir est souvent exclu du travail de mère, « puisqu'ils sont là, il faut bien s'en occuper », « c'est la ronde des biberons », « c'est l'engrenage », « c'est le travail à la chaîne ». Une femme explique : « Quand je donne le sein à un bébé, je me dis : "Regarde, c'est ton bébé, tu lui donnes le sein, profites-en", et j'ai en tête : "Après, il faut que je passe à la suivante, que je fasse la lessive, etc." et je n'en profite pas. » Si les soins aux bébés s'accompagnent souvent d'un vécu affectif parfois éprouvant chez les mères de jumeaux, les mères de multiples, passant sans cesse d'un enfant à l'autre, se posent apparemment moins de questions. « On n'a pas le temps de déprimer », dit une mère de triplés.

L'organisation devient essentielle pour les parents dont l'emploi du temps est minuté. « Je suis obligée de les régler sur le même rythme. Il faut compter 1 h 30 pour trois biberons et trois changes. Il ne faut pas prendre de retard dans la journée pour ne pas se coucher trop tard le soir. » Lorsque les bébés ne se réveillent plus la nuit, les repas sont donnés simultanément avec une seule cuillère et une seule assiette pour les trois enfants qui font précocement l'apprentissage des règles de vie communautaire. « On ne s'ennuie pas, j'ai l'impression que cela fait longtemps qu'ils sont là. Avec trois enfants, il ne faut pas paniquer. Quand les trois bébés pleurent, on les laisse pleurer. Je ne peux pas me permettre de courir chaque fois qu'ils pleurent. Je me sens maintenant bien organisée. »

Dès le début, la plupart des familles réalisent très vite que la seule façon de gérer la situation est d'instaurer une routine concernant les repas, changer les couches et les autres tâches. Pour des raisons pratiques, il est impossible de répondre aux besoins individuels de chaque enfant. Tous les parents le savent et en sont malheureux, surtout pendant que le père est au travail et que la mère se retrouve seule lorsque l'aide familiale quitte la maison. Quand les enfants ont entre 1 an et demi et 3 ans s'ajoute un autre problème : ils apprennent à marcher, grimper et courir un peu partout, explorant leur environnement.

En prenant du recul, ce dont se rappellent le plus la plupart des parents c'est le manque de temps pour dormir et se relaxer et aussi l'attention portée sur eux par le monde extérieur. Par exemple, quand elles se promènent, la plupart des familles sont arrêtées par des gens curieux qui pensent que cela doit être fantastique d'avoir des triplés. Une mère dit : « On devient une propriété publique. Les gens pensent qu'ils me connaissent, seulement parce qu'ils m'ont arrêtée une fois pour parler des bébés. Parfois cela est dur, mais on finit par s'y habituer. Tout à coup je comprends comment vivent les gens célèbres. »

Certaines femmes aiment contrôler la situation et mettent un point d'honneur à franchir seules cette difficile épreuve. Pourtant, même en étant hyperorganisée, il est préférable de reconnaître qu'une personne ne suffit pas pour s'occuper de trois bébés ou plus. Les premiers mois, la hantise des mères est plutôt de se retrouver seules avec eux. « On ne peut pas passer une journée seule avec les trois. C'est trop fatigant, ce sont des soins trop fonctionnels, je ne me sens jamais très détendue. »

« On a l'impression d'être impuissant, de ne pas avoir assez de bras. » « Être trois c'est génial, être seule avec eux, c'est l'enfer », résume une mère de triplés. Dans d'autres familles, où le réseau de soutien familial est réellement présent, chaque enfant est nourri à la demande lorsqu'il se réveille parce qu'il y a toujours à la maison quelqu'un de disponible pour s'en occuper. La mère prend alors le temps de se consacrer, avec plus de plaisir, à un seul enfant à la fois. Les parents ne doivent pas hésiter à examiner toutes les possibilités d'aides en plus de celles prévues par les organismes sociaux pour faire face aux besoins des enfants multiples.

La participation du père est indispensable

En règle générale, lorsque le père est partie prenante pour assurer les soins aux enfants après la naissance, les tâches se répartissent spontanément à la maison. Par exemple, la mère donne le biberon du soir ou de la nuit et le père celui du matin. Dans une autre famille, la mère décale les horaires des bébés de manière que le père puisse s'en occuper quand il est à la maison. Les parents se relaient la nuit en cas de maladie d'un des bébés. La répartition des rôles comprend également les temps de loisirs de chacun, comme dans cette famille où la mère fait du théâtre et de la danse pendant que le père prend soin des enfants le soir.

Par la force des événements, il arrive que le père réorganise son activité professionnelle en adaptant son emploi du temps pour être présent un maximum de temps à la maison afin de soulager la mère. D'autres parents préfèrent la reprise de l'activité professionnelle de la mère, chacun s'occupant toujours ensemble des enfants le matin et le soir.

Le soutien moral et la solidarité du père sont des facteurs essentiels quel que soit le degré des tâches de maternage. Ce n'est malheureusement pas possible dans beaucoup de familles. Dans la plupart des cas, les mères rapportent des problèmes conjugaux. Leurs propres difficultés, la fatigue du père qui continue d'exercer son activité professionnelle, le bouleversement radical provoqué par l'arrivée des enfants chez un couple qui a vécu de longues années sans enfant ; tous ces éléments contribuent à déstabiliser l'équilibre du couple.

Il est bien difficile, pour chaque parent, de se retrouver de temps en temps loin des charges familiales. Tout couple a besoin de se parler, de sortir, de s'évader de temps à autre pour un week-end ou des vacances en tête à tête. Il semblerait que les parents de multiples, conscients de ce besoin, s'évadent sans les enfants plus facilement que les parents de jumeaux.

Le rôle déterminant de l'entourage

La qualité du soutien de l'entourage est un facteur déterminant pour maintenir la famille en « bonne santé ». Il peut y avoir à la maison un va-et-vient permanent d'amis et de la famille pour aider à tour de rôle au moment des soins. C'est ainsi que l'on peut voir les bébés passer joyeusement de mains en mains, dans une ambiance détendue et pleine d'humour ; les grands-parents peuvent décider de déménager pour être plus proches des petits ; des sœurs achètent en commun une maison de vacances pour que s'y retrouve le groupe des cousins ; ou bien ce sont les parents d'enfants multiples qui, en dépit des problèmes pratiques que représente une telle expédition, partent tous les vendredis soirs chez les grands-parents afin d'être à leur tour, eux aussi, un peu « pris en charge ». Les services du voisinage peuvent être très pratiques aussi : une voisine peut venir systématiquement aider la mère à habiller et descendre les enfants par l'ascenseur à l'heure de la promenade.

Pour la mère, ce véritable soutien est nécessaire pour éviter l'isolement et le confinement à la maison qui peut entraîner un sentiment de marginalité et d'exclusion sociale. Toutefois, il faut que la mère d'enfants multiples se préserve d'une relation durable de dépendance avec sa propre mère qui pourrait l'empêcher de se sentir mère à part entière.

Il arrive aussi que les grands-parents des enfants multiples vivent trop loin pour faire partie de la chaîne de solidarité. Pour lutter contre l'isolement, ces familles peuvent trouver auprès de l'association « Jumeaux et plus » des informations pratiques, mais aussi une écoute et une compréhension spécifiques sous forme de contacts téléphoniques et de rencontres individuelles. Cet important mouvement associatif est né du sentiment profond qu'avaient les parents d'enfants multiples d'être mal compris. La nécessité de trouver un langage commun, d'avoir un interlocuteur compréhensif, montre bien que l'expérience de la naissance multiple est difficilement échangeable avec « ceux qui ne sont pas passés par là ».

Il se crée souvent un contact durable entre les femmes enceintes d'enfants multiples qui se rencontrent sur le lieu de l'hôpital ; elles se soutiennent mutuellement avant et après la naissance. Une relation se noue parfois avec l'équipe soignante qui a pris en charge la future mère pendant son hospitalisation. Montrer ses bébés à l'obstétricien qui a partagé avec elle cette expérience difficile est à la fois une marque de reconnaissance et une manifestation de fierté. Une mère, le jour de son accouchement, a attribué à ses trois bébés en deuxième prénom celui de l'accoucheur, de l'anesthésiste et de la sage-femme qui l'avaient aidée à les mettre au monde.

Partager cette naissance « hors la norme »

Vivre une naissance multiple est quelque chose d'exceptionnel que les mères ont besoin de partager avec celles qui ont vécu la même expérience. Même si les mères de jumeaux se sentent elles aussi dans une situation particulière, elles n'ont pas ce sentiment d'incompréhension et de marginalité que ressentent toutes les mères de multiples. L'aspect psychologique le plus difficile à affronter pour ces mères est sans doute l'anormalité de leur grossesse. Certaines femmes supportent mal ce qu'elles appellent « l'animalité de leur grossesse ». Par exemple, après la naissance, il est parfois difficile de sortir dans la rue avec des enfants multiples sans provoquer des regards et des commentaires curieux, voire apitoyés. Si cette réaction à l'« exceptionnel » existe chez les autres, elle existe également à l'intérieur de soi. Il est important de reconnaître cet aspect psychologique difficile à vivre et d'en parler pour essayer de le combattre. Le soutien du réseau familial permet à certaines mères de dépasser la nature exceptionnelle de la naissance multiple pour former une vraie famille nombreuse.

Comment les élever ?

Un par un, chacun votre tour

La plupart des mères d'enfants multiples comme beaucoup de mères de jumeaux regrettent de ne pas avoir assez de temps pour s'occuper individuellement de chaque bébé. La situation leur impose d'avoir avec leurs trois bébés un certain type de relation, source de souffrance. Elles disent : « Ce sont des enfants qui sont peu câlinés », « peu pris dans les bras », « ils doivent s'autoconsoler », « on les traite déjà comme des grands, autonomes et raisonnables ». Ceci entraîne chez toutes les mères des sentiments de culpabilité, l'impression de ne pas satisfaire les besoins des enfants et de leur faire trop rapidement sauter les étapes. Néanmoins, on ne retrouve pas les mêmes sentiments de culpabilité et d'égalité que chez les mères de jumeaux. « De temps en temps, il y a des moments durs lorsqu'elles sont toutes les trois fatiguées. Elles ont besoin qu'on s'occupe d'elles en même temps, mais on ne peut pas se partager en trois, il n'y a pas de solution. » « Je regrette parfois de ne pas pouvoir faire comme si je n'en avais qu'un avec les trois. Finalement, je trouve que ce n'est pas plus mal car si je n'avais eu qu'un seul bébé, je suis sûre qu'il aurait été surcouvé. » « J'en suis réduite à gérer des problèmes pratiques et à maintenir l'ordre, c'est tout. » « De temps en temps, rarement, je joue avec eux. La plupart du temps, ils sont livrés à eux-mêmes. C'est comme s'ils étaient abandonnés. »

Curieusement, le désir d'enfant de certaines femmes n'est pas comblé par trois bébés ou plus, et la plupart continuent de rêver d'avoir un jour un enfant avec lequel elles pourront avoir une relation dyadique qu'elles idéalisent. « J'envie vraiment une mère qui n'en a qu'un, elle peut vraiment s'y consacrer », dit une mère. Une autre confie : « Je rêve d'avoir un numéro quatre, mais c'est dans les rêves. Je rêve d'un bébé... c'est pas raisonnable ! » La relation mère-bébé est d'autant plus difficile que celle-ci se constitue en même temps que le besoin de la mère de se préserver de ses enfants rarement désirés, qui brusquement envahissent toute sa vie.

Comparées aux parents de jumeaux, les préoccupations éducatives semblent moins importantes chez les parents d'enfants multiples dans les premières années. Nourrir les enfants, les loger, les habiller et aménager la maison à mesure que les bébés grandissent sont les priorités. À l'inverse des parents de jumeaux, les parents d'enfants multiples ont peu de modèles pour répondre à leurs interrogations. Ils font face aux événements au coup par coup en tâtonnant. Parfois, ils se réfèrent à l'expérience d'autres parents de multiples.

Les nouveaux liens familiaux

Très peu d'études se sont intéressées aux premiers liens intrafamiliaux qui se constituent après une naissance multiple malgré l'intérêt qu'ils présentent. Dans ces familles, on distingue le groupe des parents face au groupe des enfants. Les mères d'enfants multiples observent finement les comportements et les réactions de chaque enfant. Elles remarquent aussi les nouvelles acquisitions. Elles s'adaptent aux différences et répondent de façon individualisée aux besoins de chaque enfant. Malheureusement, bien qu'elles éprouvent un grand plaisir à observer leurs bébés, elles n'ont guère le temps de profiter de leurs progrès et de s'y impliquer. Par exemple, il ne restera qu'un souvenir flou des premiers pas et des premiers mots de chaque enfant. Pour fonctionner avec le groupe, des règles éducatives sont établies par les parents, qui semblent avoir des difficultés à considérer les enfants individuellement. Plus les enfants grandissent, et plus le groupe est soudé face aux parents débordés.

Renée, mère de quadruplés, raconte son expérience. « S'il est vrai que cette naissance nous a apporté des joies extraordinaires, il n'en est pas moins vrai que c'est une aventure quelquefois très difficile à vivre. En effet, les enfants, si sages soient-ils, sont une source perpétuelle de tension et d'énervement (cris, grognements, plaintes, disputes) et il faut une dose inconcevable de patience pour les supporter avec le sourire. Comme il est impossible de s'en prendre aux enfants, c'est au conjoint de supporter les sautes d'humeur de l'autre, et il faut être un couple vraiment très uni et solide pour traverser cette épreuve. Plus il y a d'enfants du même âge, plus la tension est grande. C'est pourquoi je pense que des quadruplés sont le "maximum" que l'on puisse supporter. Je trouve inconscient de laisser une femme continuer une grossesse de plus de quatre enfants, quel que soit son désir, car elle ne peut absolument pas s'imaginer ce qui l'attend. Il ne suffit pas de les mettre au monde, il faut ensuite pouvoir les rendre heureux et harmoniser sa vie de famille.

Quand il y a un ou plusieurs enfants aînés, il faudrait absolument qu'une aide psychologique soit apportée à ces enfants et à leurs parents pour les préparer à ce bouleversement. C'est certainement pour l'aîné(e) que cette nouvelle vie est la plus traumatisante et, dans notre cas personnel, notre fils a eu beaucoup de mal à surmonter ce changement. De plus, il est très difficile d'arriver à lui préserver des moments privilégiés, car le temps manque. Il a eu besoin d'une année d'aide psychologique pour continuer de pouvoir s'épanouir. »

Y a-t-il un enfant préféré ?

Dans les propos tenus par les mères, un enfant se détache toujours du trio. Il est qualifié de façon positive ou négative pour son apparence, son comportement ou son caractère. Cette façon de présenter les enfants : deux et un, « des jumeaux et un enfant », comme l'a dit une femme, existait déjà pendant la grossesse. La mère peut avoir une relation privilégiée avec ce bébé : elle aime parler avec lui, s'en occuper, le prendre dans les bras quand il le réclame. Par exemple, la mère de Célia dit que celle-ci la sollicite plus que ses deux sœurs. « C'est la fille unique, il faut toujours être à côté d'elle, sinon elle pleure. Elle aime bien être dans mes bras, elle se frotte, se colle. Célia ne connaît que sa mère... C'est la fille à sa mère. »

Comme chez les jumeaux, la mère est souvent attirée par le bébé le plus fragile, celui qui est un peu « à la traîne ». Comme en témoigne une mère : « Quand elle est née, Sophie était squelettique. Elle pesait 1 400 g. Je disais à mon mari qu'elle ne vivrait pas. Maintenant il est impossible de la laisser à quelqu'un d'autre que moi, elle refuse même d'être nourrie par son papa. » À l'inverse, le bébé le plus calme, le moins demandeur, est plus ou moins délaissé par la mère.

La préférence de la mère pour l'un de ses enfants est souvent facilitée par la constitution d'une relation gémellaire entre les deux autres enfants, le couple au sein du groupe. Le couple se forme en fonction du sexe (deux filles pour un garçon par exemple) ou de la zygosité (un couple monozygote dans le groupe d'enfants). Si les triplés sont monozygotes, surtout chez les filles, la plus « jeune » est complètement exclue par les deux autres, très intimement liées. Deux d'entre eux de même capacité physique se rapprocheront autour des mêmes jeux. « Laurence et Clotilde jouent le plus souvent ensemble. Elles aiment beaucoup prendre leur bain toutes les deux, se font des câlins, crient, chahutent, se poursuivent à quatre pattes dans le couloir. En revanche, Élise présente un retard moteur qui l'empêche d'avoir la même mobilité que ses deux sœurs ; elle reste souvent dans son lit ou dans les bras de sa maman. »

D'autres relations se créent sur un rapport de force, surtout chez les garçons. Selon les parents, ces couples ne sont pas forcément durables. Les comportements à l'intérieur du groupe changent en fonction du développement de chacun des enfants.

Les autres frères et sœurs

Les enfants aînés sont fréquents dans des familles de multiples. En revanche, les grossesses après les naissances multiples sont assez rares. Les parents sont très conscients des conditions difficiles dans lesquelles les frères et sœurs aînés vivent après la naissance de multiples. Ils avaient toute l'attention de leur mère, et maintenant ils doivent s'adapter à la nouvelle situation. Les aînés, non seulement perdent le privilège de l'attention de leur mère, mais aussi celle de certains de leurs amis. Ils ont un peu honte de les amener à la maison parce que c'est toujours en désordre. Leurs plus jeunes frères et sœurs ne sont jamais laissés seuls, et quand les adultes viennent en visite, les multiples prennent toute l'attention et les aînés se sentent abandonnés.

Quelquefois, en impliquant les aînés dans certains soins aux bébés, leur jalousie et leur sentiment d'abandon peuvent être diminués. Cependant, cela peut aussi créer des problèmes car les multiples sont extrêmement petits quand ils arrivent à la maison. Les parents peuvent empêcher les aînés de prendre soin des bébés de peur qu'ils les blessent ou leur fassent du mal.

Les garçons plus âgés semblent trouver plus difficile de créer un contact émotionnel avec les jeunes bébés, comparés aux filles. Il pourrait y avoir plusieurs explications à cela. Une fille de 4 à 6 ans a souvent établi une relation très proche avec son père et ce dernier peut passer moins de temps avec les triplés. Souvent, les filles aiment jouer le rôle d'une mère et se sentent plus importantes que les garçons.

Les grands-parents jouent un rôle très important chez les aînés. Ils peuvent soulager les parents en prenant soin des aînés et en les invitant à leur rendre visite plus souvent, ainsi les frères et sœurs plus âgés se sentiront plus importants. Cela donne aux parents la possibilité de se consacrer davantage aux multiples. Les problèmes qui peuvent survenir ne doivent pas cacher le fait que les aînés d'une famille de multiples peuvent éprouver beaucoup de plaisir auprès des bébés. Par exemple, dans une famille, un aîné construit une relation intense avec l'un des triplés de même sexe, tandis que les deux autres de même sexe partagent les mêmes intérêts ; il y a ainsi deux paires, l'aîné ne se sent plus l'étranger. Naturellement, les parents se demandent comment leurs aînés vont réagir et se comporter bien avant de leur dire qu'ils attendent des triplés.

Une famille témoigne : « Nous avons annoncé que nous attendions des triplés dès le début de la grossesse à notre fille de 5 ans. Elle est venue avec nous à l'échographie et feuilletait les livres sur le développement des bébés dans le ventre. Pendant le séjour des bébés dans le service néonatal, elle venait avec nous quand cela était permis. Parfois, elle se fatiguait et restait à l'hôpital à jouer pendant que nous étions occupés avec les triplés. Quand les triplés arrivèrent, ils occupaient tout notre temps. Nous nous sentions continuellement coupables de ne plus passer de temps avec elle. Elle changeait les couches et cela lui donnait un sentiment d'être grande et utile. Maintenant que les triplés ont 9 ans, elle se comporte comme leur petite mère et elle se sent très responsable. »

Toutefois, les enfants multiples peuvent être un problème pour les aînés s'ils sont encore bien jeunes quand ils naissent. Ils ne peuvent pas comprendre pourquoi les triplés prennent autant de temps à leurs parents. Les très jeunes enfants doivent aussi avoir l'occasion de voir leurs frères et sœurs à l'hôpital. Cependant, ils s'ennuient vite et il est difficile de s'occuper d'eux dans un centre de néonatologie.

Au-delà des problèmes relationnels, la présence d'enfants aînés dans une famille de multiples crée une certaine dynamique favorable aux échanges verbaux.

Leur ouverture sur l'extérieur

La même classe ou des classes différentes ?

D'autres problèmes surviennent quand les enfants commencent l'école. Il y a trop peu d'enfants multiples pour savoir ce qui est le mieux pour eux, par conséquent les décisions à prendre sont plus difficiles que pour les jumeaux. Dans certaines écoles, il est d'usage de mettre les jumeaux et les triplés dans des classes séparées dès le début.

Quand il y a trois enfants, le problème majeur est aussi de trouver de la place. Le groupe des triplés est parfois composé d'un couple de jumeaux monozygotes et le troisième est dizygote. Doit-on mettre les monozygotes ensemble et le troisième dans une classe séparée ? Doit-on placer les enfants de même sexe ensemble et celui de sexe opposé dans une classe différente ? Doit-on mettre ceux qui sont proches émotionnellement ensemble et les autres dans des classes différentes ?

Un des triplés peut être retardé et réussir moins bien que les autres. Ceci peut être difficile à gérer pour les enseignants quand ils commencent à les comparer l'un à l'autre. Parfois, la paire de monozygotes d'un groupe de triplés est placée ensemble dans l'espoir que cela sera plus facile pour le troisième d'être seul. En général, c'est une mauvaise solution puisque le troisième enfant se sent exclu. Dans ce cas, il est préférable de les laisser ensemble ou de tous les séparer s'il y a plusieurs classes parallèles à l'école. Si les enfants sont placés dans la même classe, ils ne doivent pas s'asseoir l'un près de l'autre et, de préférence, pas à la même table. Une fille d'un groupe de triplés avec une paire de filles monozygotes pourrait déjà se sentir exclue de la relation de ses sœurs et généralement trouvera cette exclusion plus difficile à son entrée à l'école.

Le témoignage de Noémie : « Julien, Arnaud, Lucie sont nés en mai 1979. Nous les avons scolarisés à la rentrée 1982. Pour la première année, aucun problème, nous voulions éviter la prédominance d'un garçon sur l'autre. Arnaud et Lucie furent placés en petite section, Julien dans la section mixte. L'année d'après, ce fut moins heureux, nous avions reconstitué le tandem des garçons pour aider Lucie, mais du coup, elle fut placée dans la section mixte, avec l'institutrice que son frère avait eue l'année précédente. Résultat, elle a choisi de rester "petite" au lieu de progresser avec le groupe des "moyens", ce fut la "petite sœur" protégée par ses "grands" frères. Un désastre que la naissance d'une "vraie" petite sœur dans l'hiver ne fit qu'aggraver. On me parla alors de troubles psychologiques, de psychothérapie, etc. Nous choisîmes une autre solution : changer Lucie d'école pour lui donner une possibilité de devenir elle-même, sans référence à ses frères, et mettre chacun des garçons dans une des classes de "grands" de leur école maternelle. La dernière année de maternelle se passa fort bien pour tout le monde. Nous pensions continuer sur le même modèle : l'école primaire voisine offrant deux cours préparatoires, nous y avons mis les garçons, Lucie continuant là où elle était.

Hélas, pauvres de nous, ce fut un échec ! Trois CP, trois méthodes, trois progressions différentes et chaque soir les exercices de lecture différents, d'écriture pour l'un et rien pour les deux autres, etc. Au bout du compte, en fin d'année, les trois enfants savaient lire, et bien lire. Ils écrivaient bien et avaient acquis tous trois les notions de calcul au programme de leur classe... Les enfants se développent bien, de façon très autonome, chacun selon ses particularités intellectuelles et affectives et, curieusement, ne comparent même pas leurs résultats. »

On n'élève pas les triplés comme les jumeaux

Quelle est la différence entre les jumeaux et les triplés ? Premièrement, il n'est pas possible de comparer la condition des parents de jumeaux et de triplés. Le fait que tous les triplés soient nés prématurément et placés dans des couveuses a souvent pour conséquence l'empêchement du premier dialogue important entre la mère et l'enfant. La peur qu'un des bébés puisse ne pas survivre, a un impact sur les parents et l'intimité entre les parents et leurs enfants. Les soins constants, vingt-quatre heures sur vingt-quatre, que tous les parents de triplés donnent, influent sur leur bien-être psychologique et leurs opportunités de socialiser avec des amis. Le sentiment de solitude et d'isolement est plus fort chez les mères de triplés que chez celles des jumeaux.

Le développement des triplés est également retardé, comparé à celui des jumeaux, particulièrement au niveau du langage. Cela est dû en partie à l'augmentation de la fréquence des triplés nés petits pour l'âge gestationnel – facteur déterminant pour le développement des capacités cognitives des enfants. De plus, il y a moins de contacts et d'intimité entre les parents et les enfants triplés par manque de temps.

Les triplés jouent toujours ensemble. Ils ont toujours un ami proche. Si deux triplés se fâchent, il y a toujours le troisième dans le groupe. Malgré cela, beaucoup d'entre eux expriment une grande dépendance l'un avec l'autre. Dans beaucoup de cas, cela est moins fort que chez les jumeaux, peut-être parce qu'ils sont trois : ils ont plus de choix.

Enfin, les triplés ne devraient pas être dans la même classe à l'école. Néanmoins, ils travaillent mieux que ce que l'on pourrait attendre.

Cinquième partie

La culture et la génétique des jumeaux

Nous vivons sans le savoir dans un monde où les jumeaux sont omniprésents. Les croyances populaires et les théories médicales ont longtemps été imprégnées par la vision mythologique des naissances multiples.

Les jumeaux « sont déjà parmi nous », dans nos mentalités, on parle de double, de couple ; dans la mythologie, tout le monde connaît Romulus et Remus, dans la Bible il y a Adam et Ève, Jacob et Ésaü. La littérature, avec *La Petite Fadette*, le théâtre dans *La Comédie des erreurs*, le cinéma et les chansons avec *Faux semblants*, *Star wars*, *La Couleur pourpre*, *Les Demoiselles de Rochefort*, sont pleins d'histoires de jumeaux. Il en est de même des traditions populaires et des lois avec le droit d'aînesse. Des psychologues, tel René Zazzo dans *Le Paradoxe des jumeaux*, ont analysé leurs relations psychologiques et des études génétiques en particulier ont mis au point une méthode d'étude scientifique des jumeaux.

Ce serait montrer une grande incompréhension de la question gémellaire que de ne pas aborder dans ce guide destiné aux futurs parents de jumeaux, même de façon succincte, certains aspects culturels de la gémellité.

NOTRE CULTURE DES JUMEAUX

Les jumeaux dans les sociétés africaines

Comme pratiquement toutes les sociétés dans le monde, les sociétés africaines considèrent les jumeaux comme des êtres hors du commun.

Des êtres hors du commun

Le statut social des jumeaux en Afrique varie considérablement selon les cultures. Des situations extrêmes et diamétralement opposées ont été décrites. Pour certains groupes ethniques, les jumeaux sont perçus comme positifs, bienfaisants, voire divins. Ils s'opposent à la conception de la gémellité rencontrée chez plusieurs peuples africains qui considèrent les jumeaux comme négatifs, cette aversion pouvant parfois aller jusqu'à un infanticide réparateur. Le démographe Gilles Pison a opéré un classement des groupes ethniques en trois catégories selon leur conception de la gémellité [1].

Les jumeaux vénérés

Dans cette catégorie, Gilles Pison associe en Afrique de l'Ouest, les Dogon et Bambara, les Malinké, les divers groupes Akan, les Ga, les Ewe, les Ouatchi, les Mina. Il y ajoute, plus à l'est, au Nigeria, les Yoruba, les Igala et les Ktab, ainsi qu'au Cameroun, les Banileké, les Banun et les Tikar.

Ces peuples considèrent les naissances gémellaires comme des sources de joie. Les jumeaux apportent la chance. Ils sont la fierté de leur famille. Leurs parents sont vénérés ainsi que les jumeaux eux-mêmes. Ils accèdent parfois à de très hautes fonctions dans la vie publique.

Dans les conceptions africaines, les jumeaux étaient présents à la fondation du monde, les premiers hommes étaient des couples de jumeaux de sexe différent. À la suite de fautes commises par les ancêtres, les hommes durent payer un lourd tribut : la perte de leur jumeau. Selon N. Carthy : « Pour les Dogon, les Bambara et les Malinké (Afrique de l'Ouest), les jumeaux rappellent et incarnent l'idéal mythique. Ils sont comme les représentants d'un état de perfection ontologique, état que les non-jumeaux ont définitivement perdu [...]. La naissance de jumeaux rappelle cette condition heureuse et c'est pourquoi elle est partout célébrée avec joie [2]. »

---

1. G. Pison, « Les jumeaux en Afrique, au sud du Sahara : fréquence, statut social et mortalité », *in* G. Pison, E. Van de Walle, N. Sala Diakanda, *Mortalité et société en Afrique*, Paris, PUF, 1989, p. 245-269 (Cahier de l'INED, n° 124).
2. N. Carthy, « Introduction », *in La Notion de personne en Afrique noire*, Paris, CNRS, 1973, p. 15-32.

Les jumeaux rejetés

En Afrique de l'Ouest, cette catégorie concerne les principaux groupes ethniques du sud-est du Nigeria : les Ibo, les Ibibio, les Isolo et, toujours au Nigeria mais plus à l'ouest, les Edo et les Ife. Les Gbari et les Kamuku, plus au nord, appartiennent également à cette catégorie. Citons enfin les Bénafiab au nord du Ghana comme appartenant à cette deuxième catégorie. Il faut ajouter en Afrique centrale les Ndenbu et les Lélé, les Luba du Zaïre et les Tonga.

Cette deuxième catégorie associe les groupes ethniques qui pratiquent l'infanticide de l'un ou des deux jumeaux. La mère de jumeaux était souvent mise à mort. Dans certains cas, plus favorables, elle était chassée du village et demeurait impure pendant un temps prolongé à l'issue duquel elle devait suivre des rites de purification. Ces conceptions négatives de la gémellité prennent également leur source dans les mythes. En Afrique centrale, par exemple chez les Ndenbu et les Lélé, les naissances multiples font partie du monde animal et, pour cette raison, les jumeaux sont considérés avec aversion. On trouve des correspondances évidentes avec les conceptions populaires en Europe (voir « Les conceptions médicales et populaires », page 249).

Les jumeaux craints

Ce groupe rassemble les ethnies qui ne considèrent les jumeaux ni avec amour, ni avec aversion. Pour ces peuples, les jumeaux sont « à la fois craints et vénérés, craints car ils peuvent être la source de malheur mais vénérés aussi en raison de leurs pouvoirs[1] ». Gilles Pison, dans l'élaboration de cette troisième catégorie, rassemble les populations dans lesquelles des prénoms sont donnés aux jumeaux. Dans la plupart des ethnies de l'Afrique subsaharienne, les jumeaux portent des prénoms particulièrement caractéristiques qui permettent de les identifier en tant que tels. Le plus souvent ils se nomment Adam et Ève sans nécessairement être un garçon et une fille. Il a été établi que dans les ethnies où les jumeaux sont considérés comme malfaisants et doivent donc être supprimés, ils ne reçoivent pas de prénom. Ainsi, l'attribution de prénoms aux jumeaux dans les sociétés africaines est corrélée à l'absence d'infanticide sur l'un des jumeaux ou sur les deux jumeaux dans cette même société.

On remarque que les ethnies de la catégorie 1, c'est-à-dire favorables aux jumeaux, sont présentes dans toutes les régions d'Afrique, excepté l'Afrique du Sud. La deuxième catégorie rassemblant les groupes ethniques pratiquant l'infanticide des jumeaux est bien représentée dans toutes les régions d'Afrique, en Afrique du Sud, en Afrique de l'Ouest et de l'Est. Plusieurs auteurs dans les années 1970 ont opposé les cultures d'Afrique de l'Ouest pour lesquelles les jumeaux incarnent des valeurs positives en relation avec un idéal mythique originel, et les cultures bantoues d'Afrique centrale et d'Afrique du Sud qui voient dans les jumeaux une valeur négative. Les trois conceptions de la gémellité en Afrique,

1. G. Pison, *Mortalité et société en Afrique*, *op. cit.*

qui sont schématiquement favorables, défavorables et intermédiaires, sont extrêmement intriquées géographiquement et peuvent être représentées dans les différentes régions d'Afrique, excepté en Afrique du Sud.

Il est évident que les soins apportés aux femmes enceintes de jumeaux et les conditions de la naissance seront nécessairement différents selon le type de conception du groupe ethnique. Aucune mesure de cet effet de la conception du statut social des jumeaux selon les ethnies, ni de sa répercussion sur la mortalité périnatale, n'a été effectuée à notre connaissance.

Compte tenu de sa haute fréquence en Afrique, la mortalité périnatale des jumeaux influence largement la mortalité périnatale des enfants nés en Afrique.

L'ethnie yoruba et les statuettes ibéji

Une grossesse sur vingt-deux est gémellaire chez les Yoruba.

Cette ethnie compte aujourd'hui plus de vingt millions de personnes et représente la plus grande communauté d'Afrique. La zone peuplée par cette ethnie couvre la partie sud-ouest du Nigeria et, en partie, le sud-est du Bénin.

Les Yoruba, fidèles à leur tradition religieuse, croient à l'immortalité de l'âme et à la réincarnation de chaque être humain. Cela signifie que les âmes des morts reviennent sur terre dans le corps des nouveau-nés, normalement dans leur propre famille, en sautant deux ou trois générations. Croire à la réincarnation signifie que la mort n'est pas un départ définitif, mais simplement un intervalle de temps entre la mort et une nouvelle vie dans un autre corps.

Autrefois, la naissance de jumeaux était expliquée par une double paternité (deux pères différents), qui prouvait en même temps l'infidélité de la mère. Cette croyance engendrait donc le meurtre de la mère et des enfants.

Au cours du XIXe siècle, les Yoruba commencèrent à croire que les jumeaux possédaient des pouvoirs surnaturels et qu'ils étaient capables d'apporter le bonheur, la santé et la prospérité dans leurs familles. On devait donc les traiter avec respect et considération, leur donner les meilleurs aliments, les vêtements et les bijoux les plus beaux, et les combler d'attentions.

À leur naissance, on célèbre une fête, à laquelle prend part tout le village, et même parfois la population des villages voisins. Il s'agit d'une fête en l'honneur de la mère qui a accouché, ainsi qu'en l'honneur de toutes les mères de jumeaux. Une danse, qui leur est exclusivement réservée, est au centre des festivités, et certains mouvements de cette danse illustrent des demandes spécifiques de prospérité, de bonheur et de santé pour les jumeaux.

Dans la langue des Yoruba, *ibeji* veut dire jumeau – *ibi* pour né et *eji* pour deux. Les Yoruba considèrent que les jumeaux ont une seule âme, unie et inséparable. Pour cette raison, si un jumeau meurt, la vie du survivant est mise en danger, car son âme n'est plus en équilibre. La colère du jumeau mort peut faire courir de graves risques à toute la famille, elle peut apporter la maladie et la malchance, mais aussi provoquer la stérilité de la mère. Afin d'éviter ces conséquences néfastes pour la famille, on doit rapidement trouver un moyen pour réunir à nouveau les âmes des jumeaux.

Il est donc nécessaire de consulter le *babalawo*, le prêtre du village, et par la suite de commander une petite figure en bois chez un sculpteur qui sera le siège de l'âme du jumeau défunt. Le *babalawo* tient alors une cérémonie publique qui a pour but de transférer l'âme du jumeau mort dans la figure en bois.

La statuette d'*ibeji* est donc le gardien de l'âme du jumeau mort. Pour cette raison, elle est traitée avec les mêmes soins attentionnés que le jumeau vivant. Lorsque, par exemple, la mère allaite le jumeau vivant, l'*ibeji* est positionnée à l'autre sein ; lorsque l'enfant est nettoyé et lavé, l'*ibeji* est lavée de même et enduite par la suite d'une pâte rougeâtre, appelée *camwood*, qui est un mélange de bois rouge broyé et d'huile de palmier.

Théoriquement, il n'est pas nécessaire de sculpter ces statuettes en bois si les deux jumeaux meurent, car l'union de leurs âmes n'est pas compromise. Mais, dans la croyance yoruba, les jumeaux morts sont dotés de pouvoirs surnaturels, plus puissants que ceux des ancêtres ; par conséquent si les deux bébés meurent, on fait sculpter un couple d'*ibeji* afin d'apporter aux jumeaux des offrandes ou de leur offrir des sacrifices, mais surtout afin qu'ils accordent leur protection à la mère et à la famille entière.

Le soin des *ibeji* est confié à la mère qui, dans certaines tribus, les lave régulièrement, les enduit et les nourrit avec une sorte de pâte de haricots. Elle prend soin de gratter fréquemment la croûte qui se forme sur la bouche des *ibeji* lorsque cette pâte durcit. C'est encore la mère qui, lors de fêtes, de cérémonies ou de visites familiales, porte sur son dos l'*ibeji* en l'enveloppant dans sa tunique, comme s'il s'agissait d'un enfant vivant. Il est très touchant de voir une ou deux petites têtes d'*ibeji* dépasser du bord de la tunique maternelle.

La statuette d'*ibeji* ne représente pas un enfant, comme l'on pourrait s'y attendre, mais un visage d'adulte et un corps nu[1]. C'est le sculpteur qui décide de la forme artistique qu'il donnera à la statuette et il doit sculpter le sexe du ou des jumeaux. Sa hauteur varie entre 20 et 30 cm. Elle est posé sur une base arrondie, ses bras pendent vers le bas, ses jambes sont courtes et sa tête est grande par rapport au corps, avec des coiffures très diverses et élaborées. Souvent, les *ibeji* portent des anneaux en bronze ou en fer autour des poignets et des chevilles, mais aussi des colliers, des bracelets, des chaînes abdominales ou des boucles d'oreilles, en perles de verre, corail ou noyau de palme. Dans certains cas, des décorations, telles que colliers et bracelets, sont travaillées directement dans le bois par le sculpteur.

Mais la « décoration naturelle » la plus importante pour une statuette d'*ibeji* est sa patine, c'est-à-dire la couche plus ou moins épaisse qui recouvre le bois et qui est composée de différents produits avec lesquels elle a été enduite au cours des cérémonies rituelles. Elle peut être parfois si épaisse qu'il est difficile de reconnaître les traits du visage ou même le travail original de l'artiste. Elle fait partie intégrante de l'*ibeji* et ne doit en aucun cas être enlevée.

1. G. Chemeche, *Ibeji, le culte des jumeaux yoruba*, Milan, Cinq continents éditions, 2003.

En cas de nettoyage, il est recommandé d'utiliser avec une grande attention un chiffon ou un pinceau à poils souples.

Chaque tribu, et même chaque famille, a des coutumes rituelles différentes. On trouve parfois des *ibeji* très anciens, sans la patine épaisse provoquée par l'usage. Dans ces cas, les caractéristiques initiales gravées par le sculpteur sont très visibles malgré le vieillissement naturel dû au temps.

Les jumeaux dans l'histoire

Quelques célébrités

Comme la plupart des hommes, la grande majorité des jumeaux est passée de façon anonyme dans l'histoire. Les jumeaux de la Bible, Ésaü et Jacob, ou ceux de la fondation de Rome, Romulus et Remus, appartiennent au monde des légendes.

Dans la littérature latine, Aulu-Gelle rapporte des naissances gémellaires. Tacite dans ses *Annales* rapporte la naissance de jumeaux dans la famille de César. Livia, sœur de Germanicus et femme de Drusus, fils de Tibère, mit au monde des jumeaux dont la naissance honora grandement la famille impériale.

Les jumeaux saints et martyrs de l'histoire du christianisme

Au IIe siècle après la naissance du Christ, une histoire ecclésiastique rapporte le martyre de triplés, Speusippus, Eleusippus et Neleusippus. Au temps de Marc Aurèle, le culte qui leur fut rendu fut comparable à celui des Dioscures. Luigi Gedda, dans son livre *Studio dei gemelli* (publié à Rome en 1951), dresse le catalogue des martyrs jumeaux de la chrétienté. Dès son apparition, la civilisation judéo-chrétienne reçut l'héritage des paganismes indo-européens. Le culte des Dioscures en faisait partie. Les pouvoirs miraculeux précédemment attribués aux Dioscures furent reportés sur les saints chrétiens. Les Dioscures soldats laissaient la place à saint Anis et saint Anile ; les Dioscures bâtisseurs à saint Florus et saint Laurus ; les Dioscures patrons de la culture à saint Cyrille et saint Méthode, inventeurs de l'alphabet cyrillique – d'où dérivent les écritures bulgare, russe et serbe – et traducteurs de la Bible. La religion chrétienne n'attira pas l'attention sur le caractère miraculeux de la naissance gémellaire, mais posa la question de l'identité des jumeaux. Les jumeaux avaient-ils une seule âme ou étaient-ils deux personnes différentes ? La question de l'identité gémellaire née au Moyen Âge se poursuivit jusqu'en 1939 et 1947 avec les travaux théologiques d'Antonio Lanza et de Sertillanges. Le glissement de la fascination des jumeaux se fit donc vers la confusion de leur personne.

À la cour de Charles IX, roi de France, vivaient les jumeaux Nicolas et Claude de Soucy, seigneurs de Sissone et d'Origny. Dès leur plus jeune âge, ils furent placés par leur père à la cour de Navarre comme pages du roi Antoine et de son fils Henri, qui deviendra le futur roi Henri IV. Selon Frédéric Lepage : « Charles IX, que les confusions involontaires laissent sur sa faim, exhibait devant ses courtisans Nicolas et Claude de Soucy avec la délectation qu'emploie un collectionneur d'oiseaux à faire admirer à ses visiteurs un couple de perroquets rarissimes au plumage somptueusement illuminé de mille couleurs. »

Le Masque de fer

En 1770, grâce à l'intervention de Voltaire, la gémellité entre dans l'histoire. Dans ses *Questions sur l'Encyclopédie*, il publie à partir de 1770 les résultats de ses enquêtes sur le Masque de fer. Ce mystérieux prisonnier masqué a passé la plus grande partie de sa vie entre trois prisons : celle de l'île Sainte-Marguerite, la prison piémontaise de Pignerol et la Bastille où il mourut en 1703. Pendant toute sa vie, il fut gardé par le même geôlier, Monsieur de Saint-Mars. Pour Voltaire, comme pour les commentateurs l'ayant précédé, le Masque de fer était considéré comme le détenteur d'un secret d'État d'une telle importance qu'aucun contact entre cet homme et l'extérieur n'était permis. D'autre part, seule une naissance de très haut rang pouvait expliquer les respects qu'on avait eus pour sa vie. Voltaire écrit : « Si on lui permettait de parler à son médecin que couvert d'un masque, c'était de peur que l'on ait reconnu dans ses traits quelque ressemblance trop frappante. » Le bruit courut que le Masque de fer n'était autre qu'un fils d'Anne d'Autriche. En 1790 sont publiés à Londres les mémoires du maréchal de Richelieu pour servir à l'histoire des cours de Louis XIV. Ces mémoires ont été rédigés par le secrétaire particulier du cardinal, l'abbé de Soulavie. Une hypothèse a été proposée comme explication au mystère du Masque de fer. Anne d'Autriche aurait donné à Louis XIII non pas un héritier, mais deux. Le premier enfant était le futur roi Louis XIV, proclamé dès sa naissance héritier du trône de France. Huit heures et demie plus tard, la reine aurait accouché d'un second jumeau. Étant donné les discussions non résolues sur le droit d'aînesse, il fut décidé de soustraire le second jumeau au monde réel. De nombreuses autres hypothèses ont été formulées quant à l'identité du Masque de fer, mais celle d'un frère jumeau de Louis XIV est certainement la plus romanesque et la plus séduisante. Cette hypothèse fut reprise il y a quelques années par Marcel Pagnol dans son étude sur le Masque de fer : « Je crois que son secret, c'était lui-même, c'était son visage caché sous le masque et le mensonge de Louvois ; né huit heures après Louis XIV, il était l'aîné des jumeaux et l'héritier du trône de Louis XIII[1]. » L'histoire du Masque de fer fut à l'origine du drame inachevé de Victor Hugo écrit en 1839, *Les Jumeaux*.

Les jumelles de Louis XV

Louis XV (1710-1774), époux de Maria Leszczynska (1703-1768), eut deux jumelles, Louise-Élisabeth et Anne-Henriette, nées le 14 août 1727. Cabanes, dans son livre *Mœurs intimes du passé*, publié en 1923, rapporte la phrase devenue célèbre de l'obstétricien lorsqu'il vit le sexe du second enfant : « Cela ne vaut pas un dau-

1. M. Pagnol, *Le Secret du Masque de fer*, Paris, Éditions de Provence, 1965.

phin. » Citons une chanson populaire de l'époque composée à l'occasion de la naissance des jumelles :

« Il faudra deux bonnets,
Il faudra deux hochets,
Il faudra deux maris,
Et l'année qui vient deux dauphins. »

Les deux jumelles furent appelées officiellement à la Cour « Madame Première » et « Madame Seconde » et Louis XV, très fier de cette naissance, fit imprimer des médailles commémoratives. Luigi Gedda expose dans son livre *Studio dei gemelli* l'arbre généalogique des Capet où il relève une fréquence très élevée de naissances gémellaires.

Les conceptions médicales et populaires

Les croyances médicales

Avant le XVIIIe siècle, les médecins sont ignorants des mécanismes de la reproduction. Les idées héritées des Anciens sont acceptées. Pour certains, la chaleur du climat favorise les naissances multiples. Pour d'autres, lorsque l'homme est resté longtemps éloigné de sa femme, du fait d'un long voyage, et qu'il revient au foyer, il peut constituer de telles réserves qu'il peut « donner plusieurs enfants d'un même coup ».

Pour Jacques Gelis : « La pensée analogique faisait admettre aisément la naissance de deux enfants "d'une même ventrée" : après tout, l'homme avait été pourvu par la nature de deux "génitoires", et il était bien normal que de temps à autre celles-ci, agissant de concert, fassent coup double d'autant que l'homme des sociétés occidentales – à moins qu'il n'ait été malencontreusement châtré dans son enfance par un chirurgien qui prétendait le guérir d'une hernie – conservait son intégrité physique, à la différence des hottentots qui se faisaient retrancher un testicule pour éviter précisément de produire des jumeaux[1]. »

Pour d'autres auteurs, il existe un parallèle entre le nombre de mamelles et le nombre d'enfants dans chaque espèce animale. Ainsi une femme ne peut pas avoir normalement de triplés, mais il est logique qu'elle puisse avoir des jumeaux. La correspondance entre chaque enfant et chaque sein maternel est une idée hippocratique. Philippe Peu, accoucheur parisien, va plus loin : « Les mamelles se flétrissent et, de dures, fermes et tendues, deviennent molasses et quelques fois douloureuses si la femme fait une fausse couche... Si la femme est grosse de deux enfants et que ces choses arrivent à une de ses mamelles seulement, l'un de ses enfants avortera et c'est ce que j'ai trouvé vrai par expérience[2]. »

La théorie des logettes utérines a séduit de nombreux accoucheurs. On considérait que l'utérus était fait de plusieurs petites logettes destinées à recevoir chacune un fœtus. Laurent Joubert s'est élevé contre cette théorie : « Elle n'a [pas]

1. J. Gelis, *L'Arbre et le fruit, la naissance dans l'Occident moderne (XVIe-XIXe siècle)*, Paris, Fayard, 1984.
2. Ph. Peu, « La pratique des accouchements », Paris, 26 janvier 1694, *in* J. Gelis, *ibid.*

de logettes séparées l'une de l'autre, comme quelques-uns ignorant de l'anatomie ont imaginé et puis écrit leur songe disant qu'il y a trois cellules à la corne droite où se forment les mâles, autant à la senestre pour les femelles, et une au milieu où s'engendrent quelques fois les hermaphrodites [...] qui ont tous les deux sexes. Ce sont des rêveries, tout ce qu'on dit de tels divisions et cabinets, car à la vérité la matrice n'a qu'une cavité, tout ainsi que l'estomac ou la vessie ; et un enfant la remplit toute. » Cette vision de l'anatomie féminine est héritée d'Aristote. Les progrès réalisés au XVIe siècle à partir de la dissection de cadavres permettent de mettre fin progressivement à cette vision purement intellectuelle.

Le temps des fables

L'accouchement « multiple » de la comtesse de Henneberg a défrayé la chronique. La comtesse Margaret, à l'âge de 42 ans, aurait donné naissance à trois cent soixante-cinq enfants, le vendredi saint en l'an 1276. Les enfants furent baptisés dans deux bassins, tous les garçons furent nommés John et toutes les filles Elizabeth. Ils moururent tous ainsi que la mère, probablement en raison d'une hémorragie de la délivrance. La cause de cette naissance multiple de très haut rang est donnée au XIIIe siècle : « Elle se produisit à cause d'une pauvre femme qui portait deux enfants d'une seule gestation sur les bras, à quoi la comtesse, étonnée, déclara qu'elle n'avait pu les avoir d'un seul homme et la quitta avec mépris. À ces mots, la pauvre femme vexée maudit la comtesse avec le vœu qu'elle puisse avoir en une seule gestation autant d'enfants qu'il y a de jours dans toute l'année, ce qui arriva miraculeusement... » L'accouchement de la comtesse de Henneberg a donné lieu à de nombreuses illustrations ; un dessin à la plume réalisé d'après une peinture de la chapelle du château de Thierberg, en Bavière, illustre cette histoire en deux épisodes. Le panneau de gauche montre la comtesse réprimandant la pauvre femme qui porte plusieurs enfants et demande la charité. Le panneau de droite représente le baptême des trois cent soixante-cinq enfants de la comtesse. Une explication plus moderne à cette naissance extraordinaire a été donnée. Il pourrait s'agir d'une grossesse molaire, les vésicules hydropiques du placenta, en grappe de raisin, auraient pu faire croire à de nombreux sacs amniotiques de très petite taille.

Laurent Joubert raconte dans ses *Erreurs populaires*, au XVIe siècle, l'histoire de la demoiselle de compagnie de Madame de Beauville. Cette demoiselle était « une garce belle et gaillarde de laquelle son mari semblait être amoureux. Elle [Madame de Beauville], pour s'en défaire plus honnêtement, la marie. Cette garce, de la première groisse [grossesse] fait trois enfants : de quoi la dame prie la fantaisie que son mari y avait participé, ne se pouvant persuader qu'une femme, d'un seul homme, pût concevoir tel nombre d'enfants... » Joubert confirme la théorie de l'époque : « D'un homme, on ne pouvait concevoir au plus haut que deux enfants, comme l'homme n'a que deux génitoires[1]. » Au XVIe siècle, la théorie des

1. L. Joubert, *Erreurs populaires et propos vulgaires touchant la médecine et le régime de santé*, Bordeaux, S. Milanges, 1579, p. 226-227.

deux génitoires triomphe. Joubert, dans son livre, n'est pas avare d'histoires extraordinaires. Il cite Pic de La Mirandole et raconte l'histoire de Dorothéa, une Italienne digne de figurer au livre des records qui avait accouché en deux fois de vingt enfants : « La première ventrée étant de onze, et son ventre était si important qu'elle le soutenait avec une serviette. » Dans le même ordre d'idée, Joubert rapporte l'expérience du médecin arabe Abulcasis qui avait suivi « une femme qui fit sept enfants en même temps et d'une autre qui avorta de quinze bien formés... ». Ainsi, les observations de naissances multiples de très haut rang, réelles ou imaginaires, occupent la littérature médicale plus que les naissances de jumeaux. Ces naissances extraordinaires sont rapportées avec force détails concernant le moment et le lieu ainsi que le nom de ceux qui les ont observées directement. Déjà les médecins ont le souci de la référence. Le *Journal des savants*, en avril 1684, rapporte « l'histoire d'une femme qui était accouchée de neuf enfants ».

La virilité glorieuse et l'animalité féminine

Avant le XVIIIe siècle, le statut de l'homme et de la femme, face à une naissance multiple, est radicalement différent.

L'homme est glorifié, la naissance multiple est la démonstration de sa virilité quasiment divine. En 1668, le célèbre accoucheur François Mauriceau rapporte les paroles d'un père, nommé Hébert, exerçant la profession de couvreur des bâtiments du roi. Mauriceau raconte : « Il était si bon couvreur que sa femme accoucha, il y a environ vingt-trois ans, de quatre enfants tous vivants pour une seule fois ; ce que sachant, Monseigneur le duc d'Orléans défunt, auprès duquel il était assez bien venu pour son humeur joviale, lui demandant en présence de quantité de personnes et de qualités si il était vrai qu'il était si bon compagnon que d'avoir fait à sa femme ces quatre enfants d'un seul coup. Il répondit tout froidement que oui, et qu'assurément il lui en eut fait une demi-douzaine si le pied ne lui eut point glissé ! Ce qui fit rire à chacun de la bonne façon[1]. »

Jacques Gelis insiste sur la virilité du père comme une constante dans les récits des accoucheurs avant le XVIIIe siècle : « Chahuter le mâle exceptionnel qu'est le père de jumeaux est une coutume répandue dans les villages ; on force à grand bruit la porte du ménage pour célébrer le joyeux événement ! au point, comme le rapporte La Motte, de perturber la nouvelle accouchée dont les vidanges s'effectuent mal tant elle a été effrayée sur le moment par l'irruption d'une troupe tonitruante[2]. »

La femme, quant à elle, n'a pas le beau rôle. La grossesse multiple la plonge dans l'animalité. Une illustration satirique du *Vergier d'Honneur* par André Delavigne en 1510 rapporte la naissance de septuplés. Une servante montre à la mère apparemment très crédule la portée de sept chiots à la place des septuplés qu'elle

1. F. Mauriceau, *Des maladies des femmes grosses et accouchées*, Paris, 1668.
2. J. Gelis, *L'Arbre et le fruit...*, *op. cit.*

vient de mettre au monde et qu'un serviteur emporte. La nouvelle de cette mise au monde canine se répandit comme une traînée de poudre. La faculté de médecine de Strasbourg dut officiellement en nier la possibilité.

Dans plusieurs textes, la mère est comparée à une truie. Citons l'histoire des porcelets d'Arles, que rapporte Laurent Joubert. Une pauvre femme, entourée de plusieurs de ses enfants, faisait la mendicité. Une grande dame lui reprocha ses nombreux enfants « comme procédant de la lascivité et d'être trop adonnée aux hommes [...]. La pauvre femme, qui était femme de bien, fit une imprécation que icelle dame puisse engroisser autant d'enfants qu'une truie fait de petits ; et il advint ainsi par le vouloir de Dieu pour montrer à la noble dame qu'il ne faut imputer à vice ce qui est d'une grande bénédiction ». La noble dame devint enceinte de nonuplés. Après l'accouchement, elle décida de ne garder qu'un seul des enfants et chargea sa servante de la débarrasser des autres. Sur la route, celle-ci rencontra le père, « lui dit que c'étaient des porcelets qu'elle allait noyer, d'autant que la truie ne pouvait en nourrir ». L'homme était curieux et voulu voir les porcelets, ce qui lui permit de sauver ses enfants. Laurent Joubert ajoute qu'« en mémoire de cela, ils furent nommés Porcelets et ont une truie pour armoiries ». La morale est claire, la femme qui refuse la charité est punie par Dieu et se retrouve enceinte de nonuplés. L'autre femme de l'histoire est capable de noyer huit enfants. L'homme a le beau rôle : outre sa virilité extraordinaire, c'est un père qui sauve ses enfants.

Une gravure exécutée par Tempesta en 1612 illustre une naissance septuple survenue en 1304. Un texte situé sous la gravure raconte l'histoire. Le reproche est fait à la mère d'avoir porté sept fils « comme une truie ». La mère est représentée avec trois paires de seins. Selon la tradition hippocratique, il y a parallélisme entre le nombre de mamelles et le nombre d'enfants.

Des vrais jumeaux maléfiques

Comme aujourd'hui, la naissance de jumeaux s'accompagnait autrefois de l'angoisse de voir naître des jumeaux monozygotes, c'est-à-dire qui vont se ressembler. Ces jumeaux identiques, en miroir, sont considérés dans la France du XVIe et du XVIIe siècle comme le résultat d'un maléfice. L'idée est également répandue que la destinée des jumeaux identiques est toujours tragique, comme si, indique Jacques Gelis, « cette ressemblance troublante est fragilisée et allait être à terme la cause de leur disparition prématurée [1] ». Cette idée persiste jusqu'au XIXe siècle.

L'angoisse du double maléfique et de la mort d'un des jumeaux s'ajoute à l'inquiétude des parents face à la charge de travail et aux difficultés matérielles. La lecture de ce qui précède nous montre que ces angoisses sont toujours présentes. Dans les milieux pauvres, la mortalité périnatale est élevée. On a déjà le plus grand mal à garder un enfant unique en vie. Comment faire face à la naissance simultanée de plusieurs enfants ? Par ailleurs, on n'a pas le temps de planifier les difficultés et de s'y préparer car le diagnostic des naissances multiples

1. *Ibid.*

est fait au moment de l'accouchement. Cosme Viardel, le 25 septembre 1669, est appelé rue de Berry pour un accouchement. Viardel aide à mettre au monde une petite fille. Il indique : « Cette pauvre femme croyait être entièrement délivrée, mais sa joie fut de courte durée, car elle fut bien étonnée lorsque je lui dis que ce n'était pas fait et qu'elle avait encore un enfant dans la matrice, dont il fallait l'accoucher. Ce qui l'affligea si sensiblement que j'eus bien de la peine à la consoler, car elle n'avait apprêté des linges et des maillots que pour un enfant. Mais ses voisines furent assez charitables dans cette occasion pour lui apporter ce qui était nécessaire pour l'autre, qui vint une heure après que les eaux furent percées et que j'ai tiré par les pieds[1]. »

Le diagnostic difficile de grossesse gémellaire

L'idée développée par Scholtes en 1972 de faire un diagnostic précoce de grossesse multiple afin de planifier le suivi de ces grossesses n'est pas nouvelle. Une naissance de quadruplés figure sur un tableau peint en 1450 par un artiste de l'école du Haut-Rhin. Les trois premiers enfants sont emmaillotés sur le lit de l'accouchée. Celle-ci tend le quatrième à la sage-femme. La scène est bénie par un saint situé à l'arrière-plan. Au pied du lit, un baquet et un seul berceau ont été préparés pour le nouveau-né indiquant que la naissance des quadruplés n'était pas prévue.

Au XVIIe siècle, les médecins expriment ce désir de diagnostic précoce afin de se préparer à la naissance gémellaire. Toutefois, les éléments de ce diagnostic clinique difficile sont définis de façon variable selon les auteurs. Pour Mauriceau : « La femme se trouve extraordinairement grosse sans qu'il y ait aucun soupçon d'hydropisie. Si on voit une éminence de chaque côté du ventre, et qu'il y ait une ligne un peu moins élevée au milieu, la chose sera presque certaine ; [surtout] si au même instant, on sent plusieurs ou différents mouvements aux deux côtés, et si ces mouvements sont beaucoup plus fréquents qu'à l'ordinaire ; ce qui se fait à cause que les enfants étant pressés, s'incommodent l'un et l'autre et s'excitent à se mouvoir de cette façon. » Mauriceau avait bien observé que « les femmes qui sont grosses de plusieurs enfants sont beaucoup plus incommodées durant tout le cours de la grossesse, elles ont aussi le ventre de tous côtés bien plus tendu en rondeur, et non si fort vers le devant que les autres qui n'en n'ont qu'un ; vers les derniers moments, elles ont toujours les jambes et les cuisses enflées, même quelquefois les deux lèvres de la vulve, et tout le pubis. Quand tout cela est ainsi, on peut être assuré que la femme est très certainement grosse de plusieurs enfants[2]. »

Le diagnostic de grossesse gémellaire semble moins évident à Mauquest de La Motte. Accoucheur de campagne au temps du Roi-Soleil, Mauquest de La Motte nous fait part de ses difficultés : « Elle était si extraordinairement grosse que ceux

1. C. Viardel, *Observations sur la pratique des accouchements naturels, contre-nature et monstrueux*, Paris, 1671.
2. F. Mauriceau, *Des maladies des femmes grosses et accouchées*, *op. cit.*

qui la voyaient marcher dans les rues en étaient étonnés. Son ventre avançait en pointe d'une telle manière qui lui était impossible de voir que bien loin devant elle. Nonobstant quoi, elle marchait d'une vitesse et d'une liberté à faire plaisir, elle ne sentait que peu de mouvements, n'était nullement incommodée et ni ses jambes ni ses pieds n'étaient enflés. Comme c'était sa seconde grossesse, et que celle-ci était très différente de la première, tout son soin fut de s'assurer de moi dans le besoin. Elle comptait d'accoucher dans le mois de juin et elle ne m'envoya chercher que le 24 juillet de l'année 1710. Je la trouvais en arrivant dans sa chambre très pressée de douleurs ; et comme j'allais pour m'assurer de son état, les membranes s'ouvrirent et les eaux sortirent avec une telle impétuosité que j'en fus tout rempli. Quand je voulus la délivrer, comme je trouvais de la résistance, je coulai ma main le long du cordon et je sentis les eaux d'un second enfant qui étaient prêtes à percer les membranes qui les contenaient. À peine eus-je fait deux ligatures au cordon du premier et l'eus coupé, et donné l'enfant à une femme, que ses secondes eaux percèrent comme les premières, et le second enfant suivit. C'étaient deux garçons. Je délivrais la femme d'un seul arrière-faix pour ces deux enfants jumeaux, qui se portèrent très bien ainsi que leur mère [1]. » Ainsi les accoucheurs du XVIIe siècle avaient parfaitement mesuré, grâce à leur expérience, que l'accouchement gémellaire est un accouchement parfois difficile.

Une mortalité importante

Jacques Gelis indique qu'aux XVIe et XVIIe siècles, plus de la moitié des jumeaux meurent pendant la première année de vie. À Mogneneins, dans la Dombe, le taux de mortalité infantile pour les jumeaux est de 683 pour 1 000 dans la première année de vie. Le taux de mortalité périnatale est globalement de 260 pour 1 000. De la même façon, la mortalité maternelle en cas de grossesse gémellaire est au XVIIIe siècle multipliée par trois. Généralement, compte tenu des difficultés socio-économiques, la mère avait rarement assez de lait pour nourrir deux enfants. Le problème est encore plus crucial lorsqu'il s'agissait de triplés. Mauquest de La Motte, après avoir réussi la naissance de trois enfants, indique : « Ils auraient vécu longtemps si la mère avait eu les moyens de les donner à des nourrices ; mais étant trop pauvre, il ne lui en resta qu'un, les autres étaient morts quelques mois après l'accouchement [2]. »

Dans les grossesses de rang élevé, la mort est inéluctable. Le tombeau des septuplés Roemer montre la famille agenouillée autour de six enfants emmaillotés. Le père tient le septième enfant et le présente à Jésus-Christ en croix. L'inscription raconte la naissance des septuplés dans la ville de Hameln en Prusse en l'an 1600 :

> « Un citoyen nommé Thyele Roemer dans notre ville
> Sa femme aussi, Ana Breyers, bien connus ici
> Comme on comptait 1 600 années,

1. J. Gelis, *Accoucheur des campagnes sous le Roi-Soleil, le traité d'accouchement de G. Mauquest de La Motte*, Toulouse, Privat, 1979.
2. *Ibid.*

Le 9 de janvier, à 3 heures du matin,
D'elle deux garçons, cinq petites filles,
Naquirent à la fois.
Ils ont reçu aussi le saint baptême,
et puis le 20 à midi moururent heureux.
Que Dieu leur donne la bénédiction,
Accordée à tous les croyants. »

Le droit d'aînesse pour le premier ou le deuxième ?

Les interrogations sur le droit d'aînesse des jumeaux ont occupé la société civile pendant des siècles. De nombreuses thèses de médecine au XVIIe siècle ont porté sur ce thème. Dans l'Ancien Régime, les successions se règlent selon le droit d'aînesse. Il est donc essentiel dans une fratrie de jumeaux de savoir lequel des deux enfants doit être considéré comme l'aîné. Depuis toujours, deux théories s'affrontent. Soit l'aîné est le premier-né, soit c'est celui qui a été mis le premier au fond de la matrice et donc celui qui naît en second. Sous l'Ancien Régime, l'aîné est le premier-né ou celui qui tente de sortir le premier et présente devant son jumeau un pied ou une main. En cas de procidence d'un membre, on le repère par un fil de couleur afin de savoir, après l'accouchement, lequel des deux enfants doit être considéré comme l'aîné.

Au XVIIIe siècle, la quasi-totalité de l'article « Jumeaux » dans l'*Encyclopédie* de Diderot et d'Alembert, concerne le droit d'aînesse : « La naissance de deux frères jumeaux a fait naître dans la société civile une question insoluble qui est celle du droit d'aînesse. On peut bien décider par la loi (parce qu'il faut une décision, vraie ou fausse) que le premier qui vient au monde sera regardé comme l'aîné ; mais ce qui se passe dans les entrailles de la mère lors de la conception et du terme de l'accouchement est un secret tellement impénétrable aux yeux des hommes qui leur est impossible de dissiper le doute par les lumières de la physiologie. » La chronique fut défrayée par des jumeaux qui se disputèrent avec férocité le titre de duc d'Albany. Pendant des siècles, la coutume populaire fut d'attribuer le droit d'aînesse au second jumeau. Il faut attendre Littré et son *Dictionnaire* en 1873 : « On dit à tort dans le peuple que, de deux jumeaux, celui qui vient au monde le dernier est l'aîné. » Certaines histoires de successions furent d'une complexité extraordinaire. Sue, dont les propos sont rapportés par Frédéric Lepage [1], raconte l'histoire suivante : « En 1759 mourut P. Wagner, négociant londonien. Il laissait une femme enceinte, un héritage de vingt mille livres et un testament. Celui-ci semblait prévoir toutes les éventualités. Si un garçon naissait, l'héritage se divisait ainsi : la moitié pour le fils, un tiers pour la femme et un sixième pour un neveu. Si c'était une fille : la moitié pour la femme, un tiers pour la fille et un sixième pour le neveu. Or l'épouse du négociant accoucha de faux jumeaux, une fille et un garçon ! Que fallait-il faire ? La sagesse des particuliers se révéla insuffisante et les juges furent appelés à la rescousse. Ils durent délibérer pendant des semaines

1. F. Lepage, *Les Jumeaux*, *op. cit.*

avant de constater que le défunt avait voulu que le garçon détienne un tiers de plus que sa mère, la fille un tiers de moins qu'elle et que le neveu garde le reste de l'héritage. Sur vingt mille livres, le jumeau reçut donc neuf mille livres, la femme six mille, la jumelle quatre mille et le neveu mille. Dix mois de débat avaient été nécessaires pour parvenir à ce compte et l'anecdote ne précise pas si les magistrats britanniques eussent gardé leur flegme pour des triplés ou des quadruplés. »

Les mystères du placenta

Viardel écrit : « Il faut remarquer que si une femme accouche de deux gémmeaux qui soient d'un même sexe, il ne doit y avoir qu'un arrière-faix, car ils sont renfermés tous deux dans le même délivre[1], en sorte néanmoins que chacun a ses vaisseaux ombilicaux à part ; mais s'ils sont de divers sexes, c'est-à-dire mâle et femelle, ils seront séparés par diverses membranes et auront chacun son délivre à part ; ce qui semble avoir été fait par une providence admirable de la nature, laquelle semble vouloir inspirer aux hommes, dès le premier moment de leur confrontation, des lois et des règles de chasteté[2]. » Comme Viardel, la plupart des accoucheurs allient à la finesse de leurs observations la lourdeur de leurs conceptions finalistes.

La fin de l'obscurantisme

Pour Jacques Gelis, le XVIIIe siècle marque la sortie de l'obscurantisme : « Une meilleure approche de l'anatomie et de la physiologie, l'étude systématique de cas, l'apparition de la clinique, le développement de la collaboration et l'échange d'informations entre praticiens, tout contribue alors à faire mieux connaître les mécanismes de la fécondation, les conditions de la gestation et de l'accouchement. » L'obstétrique se construit peu à peu. On apprend à reconnaître les grossesses gémellaires et à ne plus se laisser surprendre par la venue au monde d'un second enfant. Jacques Gelis ajoute : « Dans son journal d'accouchements, publié de l'an X à l'an XIII (1800-1803), l'accoucheur messin Pierre Étienne Morlanne donne régulièrement des statistiques et des tableaux concernant son exercice, tant à l'école pratique d'accouchement que dans la ville de Metz. Il compare les résultats avec ceux de l'Hôtel-Dieu de Paris et avec ceux des hospices de Vienne, Copenhague ou Berlin. Une telle approche est loin d'être isolée. Elle s'inscrit dans un vaste mouvement qui donne à l'obstétrique, de la fin du XVIIIe et du début du XIXe siècle une véritable dimension européenne. Et l'intérêt porté aux naissances gémellaires témoigne de ce renouvellement des perspectives. »

1. Délivre : placenta.
2. C. Viardel, *Observations sur la pratique des accouchements…, op. cit.*

Les jumeaux dans la mythologie et la Bible

La mythologie grecque et romaine

Apollon et Artémis, l'accouchement difficile du second jumeau

Léto était fille du Titan Cœos. Zeus fut sensible à ses charmes. Enceinte de Zeus, elle fut victime de la jalousie d'Héra, épouse de Zeus, qui la fit poursuivre par le serpent Python et ordonna à toutes les terres de ne donner à Léto nulle part un asile. Cherchant un endroit où elle pourrait accoucher, Léto parcourait désespérément le monde. Poséidon, dieu de la mer, eut pitié d'elle alors qu'elle ressentait les premières douleurs et il fit sortir de la mer une île flottante : Délos. Léto se réfugia sur cette île où elle souffrit pendant neuf jours et neuf nuits avant de mettre au monde des jumeaux, Apollon et Artémis, à l'ombre d'un olivier. Au moment de la naissance, l'île se fixa comme le centre du cercle des îles cycladiques. Artémis, que les Romains appelèrent Diane, fut la première à venir au monde. Après sa naissance, elle fut témoin des difficultés de l'accouchement du second jumeau. Cette naissance fut si compliquée que, d'après la légende, Artémis dut aider sa mère pour permettre à Apollon de venir au monde. Artémis en fut traumatisée à tel point qu'elle demanda à son père Zeus le privilège de rester vierge éternellement, ayant pris les hommes en horreur. Zeus l'arma d'un arc et de flèches et fit d'elle la déesse de la chasse. Après cette expérience malheureuse de l'accouchement de sa mère, Artémis restera à jamais sévère et cruelle. La mort atroce des hommes qui osèrent l'approcher comme Actéon, Orion, et Opis en témoigne[1].

Atrée et Tyeste, les jumeaux de l'horreur

Télémados et Pélops étaient deux enfants jumeaux d'Agamemnon et de Cassandre. À son tour, Pélops avec son épouse Hyppodanie eut des jumeaux, Atrée et Tyeste. Aidés par leur mère, Atrée et Tyeste tuèrent leur demi-frère, Chrysippos, que leur père avait eu avec une nymphe. Ils furent chassés par leur père Pélops qui les maudit. Ils se rendirent à Mycène où, après quelque temps, ils finirent par accéder au pouvoir. La malédiction paternelle avait fait d'eux des ennemis. Un seul pouvait régner. Atrée prit le pouvoir. Pour compliquer les choses, la femme d'Atrée était devenue la maîtresse de Tyeste. Ayant appris cette trahison, Atrée fit semblant de se réconcilier avec son frère et l'invita à sa table. Il fit manger à Tyeste ses propres enfants qu'il avait assassinés. À la fin du repas, Atrée montra à son frère les têtes et les bras des enfants assassinés. Tyeste n'eut plus qu'une idée en tête, se venger et devenir roi à la place d'Atrée. D'un oracle, il apprit que

1. P. Commelin, *Mythologie grecque et romaine*, Paris, Garnier Frères, 1960.

seul un fils incestueux conçu avec sa propre fille Pélopia réussirait à chasser Atrée. Il profita du sommeil de Pélopia pour lui faire un enfant qu'il appela Égisthe. Pour compliquer encore plus la situation, Atrée épousa Pélopia et réussit à faire croire à Égisthe qu'il était son père tout en voulant le pousser à assassiner Tyeste. Égisthe ne fut pas dupe. Il tua Atrée et rendit le trône à son véritable père, Tyeste. Toute la dynastie des Atrides sera marquée par la haine des jumeaux, Atrée et Tyeste.

Cette légende des Atrides exprime les difficultés de la mise en place, dans les sociétés primitives, des structures sociales et des structures de la parenté.

Protéos et Acrisios, rivalité et partage

Dans cette légende, la rivalité entre les jumeaux trouve une solution moins sanglante. C'est la solution de l'alternance, aujourd'hui bien connue en politique. Acrisios et Protéos s'entre-déchiraient déjà dans le ventre de leur mère, à la manière de Jacob et Ésaü, les enfants de Rebecca. La première alternance fut imposée par le roi Abas qui légua de son vivant son royaume à Protéos et Acrisios, en leur demandant de gouverner à tour de rôle selon des cycles de cinquante mois. Toutefois, l'alternance est un art difficile souvent mal accepté par celui qui doit partir. La guerre éclata. Aucun des deux jumeaux ne fut capable de vaincre l'autre. Une autre solution fut trouvée : le partage du royaume. Mais le partage géographique des terres s'avéra aussi complexe que le partage du temps. Une troisième solution fut décidée : un seul roi régnerait selon le droit d'aînesse et la grâce de Dieu. On trouve encore une fois le thème du droit d'aînesse et de l'importance d'être né le premier. Le thème de la superfécondation apparaît ici, l'un des jumeaux étant sacré car fils d'un dieu, l'autre étant profane car fils d'un mortel.

Toute une série de mythes gémellaires que nous ne développerons pas dans cet ouvrage reprend ce thème des jumeaux sacrés et des jumeaux profanes. Ces légendes illustrent la recherche laborieuse de l'ordre social.

Pour René Zazzo : « Ces jumeaux appartiennent à l'imaginaire, ils sont justification des symboles. Symbole de la rivalité portée à son comble comme leur fraternité elle-même. [...] Les jumeaux sont au départ à égalité de droit et de force. C'est justement cette égalité qui donne toute son intensité à la rivalité. L'égalité doit être détruite. »

Castor et Pollux, les jumeaux de pères différents

C'est sous le nom de Dioscures que l'on désigne Castor et Pollux dans la mythologie. Ils sont fils de Léda, mais ils n'ont pas le même père. Castor est le fils du mortel Tyndare, Pollux est l'enfant du divin Zeus. Ils sont les frères de Clytemnestre et d'Hélène. Ce sont les jumeaux inséparables comme en témoigne l'iconographie qui les représente main dans la main et toujours ensemble. Jamais ils ne se quittent.

Ils naquirent à Sparte et prirent la tête d'une expédition contre Athènes afin de délivrer leur sœur Hélène enlevée par Thésée et enfermée dans la citadelle d'Aphidna. Parmi leurs nombreux exploits, ils firent partie de l'équipage de Jason dans sa conquête de la Toison d'or. Castor et Pollux excellaient dans tous les sports, ils obtinrent aux Jeux olympiques les plus hautes distinctions. Ils inventèrent la danse.

La naissance et la mort des Dioscures sont exemplaires. Leur naissance révèle une curieuse histoire de généalogie gémellaire et annonce le terme scientifique de la superfécondation, c'est-à-dire la fécondation par deux pères différents. Tyndare était le roi de Sparte. Il fut chassé de son royaume par des usurpateurs et se réfugia chez le roi d'Étolie dont il épousa la fille Léda. Une nuit, après s'être uni à Léda, Tyndare s'endormit d'un profond sommeil. Léda vit alors venir à elle un grand cygne blanc qui n'était autre que Zeus déguisé. Selon les légendes, Léda accoucha d'un ou de deux œufs d'où sortirent Pollux et Hélène, enfants de Zeus, et Castor et Clytemnestre, enfants de Tyndare. Il est remarquable de noter que Tyndare avait deux demi-frères, Apharée et Leucippos. Apharée eut avec son épouse Aréni des jumeaux : le premier, Idas, était le fils de Poséidon, le second, Lyncée, était le fils d'Apharée. Leucippos eut à son tour deux jumelles, Hiloera et Phoebé. L'une d'elles était fille d'Apollon.

À l'âge adulte, les histoires de famille se compliquent et tournent mal. Idas et Lyncée, cousins de Castor et Pollux, se fiancèrent à leurs cousines Phoebée et Hiloera. Les Dioscures, Castor et Pollux, eurent la mauvaise idée d'enlever les deux sœurs jumelles Phoebé et Hiloera. Les fiancés, furieux, donnèrent la chasse aux deux ravisseurs. Le combat fut terrible et Castor fut tué. Pollux, le héros immortel, fut blessé et arraché à la vie terrestre par son père Zeus. Pollux ne parvenait pas à se consoler de la mort de son frère, il voulut le garder dans ses bras. Zeus finit par accorder à Pollux la possibilité de partager son immortalité avec son frère jumeau. Ainsi, même la mort ne put les séparer.

Le culte des Dioscures s'étendit sur toute la Grèce et l'Italie.

Héraclès et Iphiclès, héros et mortel

Amphitryon était le fils d'Alcée, roi de Tirynthe. Pour avoir tué accidentellement le père d'Alcmène, il fut banni de la cité et se réfugia à Thèbes. Il demanda la main d'Alcmène qui accepta de l'épouser à une condition : qu'il vengeât la mort de ses frères tués par les fils du roi Ptérélas. Amphitryon dirigea une expédition contre les meurtriers dans l'île de Taphos. Une fois sa mission remplie, il rejoignit Alcmène. Celle-ci était fille d'Électryon, roi de Mycènes. Pendant l'absence d'Amphitryon, elle fut séduite par Zeus qui avait pris le visage d'Amphitryon. À son retour, Amphitryon apprit l'infidélité d'Alcmène et voulut l'immoler par le feu. Elle fut sauvée par Zeus. Alcmène eut deux fils : Iphiclès, fils d'Amphitryon, et Héraclès, fils de Zeus. Héraclès était un héros immortel, Iphiclès un simple mortel. Il n'avait ni le courage ni la force de son frère. Lorsqu'ils étaient enfants, Héra voulut se venger d'Alcmène et de Zeus en faisant piquer les deux enfants par deux serpents. Lorsqu'il vit les deux reptiles, Iphiclès eut très peur et se mit à hurler. Héraclès, n'écoutant que son courage, étrangla les deux serpents et sauva ainsi la vie de son frère Iphiclès. Chacun connaît le destin lumineux d'Héraclès et ses douze travaux. La vie d'Iphiclès est moins connue, il fut très attaché à son frère Héraclès et l'accompagna en particulier dans l'expédition contre les habitants d'Orchomène. Il mourut près de son frère pendant la guerre contre les fils d'Hyppocoon.

Romulus et Remus, la création de Rome

Silius Procus était le roi d'Albe la Longue. Il était le descendant d'Énée. Il eut deux fils, Minutore, son héritier légitime, et Amulius. Amulius fit un coup d'État et envoya Minutore en prison. Il écarta la nièce de Minutore, Rhéa Silvia, en l'obligeant à se consacrer au culte de Vesta. Le dieu Mars séduisit Rhéa Silvia. De leurs amours naquirent des jumeaux, Romulus et Remus. Amulius mit à mort Rhéa Silvia pour avoir renoncé à son vœu de virginité et abandonna les jumeaux sur le Tibre, fleuve impétueux alors en crue. Au lieu de s'engouffrer dans les flots, le panier d'osier s'échoua sur une berge. Une louve qui avait perdu ses petits découvrit les deux petits enfants. Elle les allaita, les protégea comme s'il s'agissait de ses louveteaux. Les jumeaux furent plus tard adoptés par un berger, Faustulus, et son épouse, Acca-Laurentia. Lorsqu'ils devinrent adultes, Romulus et Remus se livrèrent au brigandage et à quelques mauvaises actions. Remus fut arrêté et emprisonné. Romulus se rendit à Albe et rétablit sur le trône son grand-père Minutore, après avoir tué l'usurpateur Amulius. Les jumeaux de nouveau réunis quittèrent Albe. Leur projet était de fonder une ville nouvelle au bord du Tibre à l'endroit où leur corbeille d'osier s'était échouée sur la berge. Un désaccord survint entre les deux frères quant à l'emplacement exact de la future ville. Ils furent départagés par les oracles, favorables à Romulus. Remus sembla se résigner. Toutefois, lorsque Romulus creusa dans le sol un sillon avec sa charrue symbolisant les contours de sa future ville et interdisant à quiconque de franchir ce sillon, Remus, par provocation, sauta par-dessus le sillon. Romulus tua Remus. Sa ville s'appellera Rome.

Les jumeaux bibliques

Adam et Ève, la gémellité originelle

L'Ancien Testament ne désigne pas explicitement Adam et Ève comme des jumeaux. C'est à partir de la même chair que Dieu crée deux êtres séparés et de sexes opposés. Il existe deux traditions bibliques dites « sacerdotale » et « yahviste ». Le dédoublement a lieu au sixième jour de la Création. La finalité est la rupture de l'isolement de l'homme : « Il n'est pas bon, dit Yahvé, que l'homme soit seul. Il faut que je lui fasse une aide qui lui soit assortie. »

Dans la tradition sacerdotale, un seul verset est consacré au dédoublement :

> « Dieu créa l'homme à son image,
> à l'image de Dieu il le créa,
> homme et femme il les créa. »

Dans la version yahviste, le dédoublement fait l'objet de huit versets. Tous les détails de l'intervention sont fournis : sommeil d'Adam, extraction d'une de ses côtes, fermeture de la plaie, création d'Ève. Selon René Zazzo : « Cette chirurgie manque de poésie, et puis, il me paraît désobligeant pour Ève de n'être à l'origine qu'un morceau de son homme. » Le mythe d'Adam et Ève provient probablement d'un mythe fondateur beaucoup plus ancien, celui de l'androgyne, c'est-à-dire d'une première créature à la fois homme et femme portant en elle-même l'origine de l'humanité. L'idée d'androgyne se retrouve dans la plupart des mythes de la Création. L'idée a pu se nourrir de l'observation de la nature. Les créatures bisexuées sont innombrables dans le règne animal et dans le règne végétal. L'apparition d'êtres sexués constitue une révolution dans l'histoire de la vie. Parmi les espèces asexuées comme les bactéries, la vie se maintient par divisions cellulaires successives. Chaque être vivant est la reproduction d'un autre, c'est-à-dire sa copie. Un tel processus s'est poursuivi depuis l'origine de la vie. Dans ce système, la vie se reproduit suivant un continuum. La mort n'existe pas. La reproduction sexuée est d'apparition plus tardive. Ce n'est plus la division, mais la fusion de deux cellules en une seule. Selon André Langaney[1], ce n'est plus la re-production, mais l'innovation. Chaque être devient singulier et mortel. L'invention de la mort accompagne l'invention de la sexualité.

Jacob et Ésaü, la rivalité fraternelle

Le récit biblique illustre le thème de la rivalité entre jumeaux. Ils sont les premiers jumeaux de la Bible. Isaac était le fils d'Abraham. Il épousa Rebecca à l'âge de 40 ans. Rebecca était stérile. Sensible à ses prières, Yahvé lui permit de devenir enceinte malgré son âge avancé. Elle sentit deux enfants bouger dans son ventre. Rapidement, Rebecca prit conscience que ses jumeaux *in utero* étaient entrés en lutte. Elle alla consulter Yahvé : « S'il en est ainsi, lui dit-elle, à quoi bon vivre ? » Ce signe de la lutte entre les jumeaux dans l'utérus maternel est éprouvé par de nombreuses femmes enceintes. René Zazzo l'a appelé le « syndrome de Rebecca ». Dans la légende biblique, il s'agit d'une véritable « annonciation » de la réalité qui existera entre les jumeaux au cours de leur vie. Elle se retrouve dans d'autres légendes, en particulier dans la mythologie grecque.

Yahvé répondit à Rebecca : « Il y a donation en ton sein, deux peuples issus de toi se sépareront, un peuple dominera l'autre, l'aîné servira le cadet. » Nous retrouvons ici le thème gémellaire classique du droit d'aînesse. C'est l'origine d'un deuxième combat entre les jumeaux au moment de l'accouchement. Selon les critères de la Bible, l'aîné est le premier-né. Ésaü vient au monde le premier, mais Jacob essaie de le retenir par le talon (d'où le nom de Jacob, *ageb* signifie « talon » en hébreu). Ésaü a réussi à sortir le premier, mais Jacob ne s'avoue pas vaincu. En vieillissant, Ésaü devient un chasseur et Jacob un berger sédentaire. Un jour, Ésaü rentre totalement épuisé d'une partie de chasse et demande à son frère de lui donner à manger. Jacob pose alors une condition : « Vends-moi d'abord ton droit d'aînesse. » Ésaü préfère cette solution plutôt que l'épuisement et la mort. Une fois le droit d'aînesse obtenu, Jacob le restaure de pain et d'un plat de lentilles. C'est ainsi que les Israélites, descendants de Jacob, asservirent les Édonites, descendants d'Ésaü. Isaac avait vieilli et était devenu aveugle. Sur son lit de mort, il voulut bénir son fils préféré, Ésaü. Jacob réussit, par ruse, et avec la complicité de Rebecca, à prendre la place de son frère et à se faire bénir. Lorsqu'il comprit qu'il avait été trompé, Isaac dit à Ésaü : « Voilà que j'ai fait de lui ton maître et

1. A. Langaney, *Le Sexe et l'innovation*, Paris, Le Seuil, 1979.

lui ai donné tous ses frères pour serviteurs ; je l'ai pourvu de froment et de vin nouveau. Pour toi que puis-je faire, mon fils ? Voici : loin des gras terrains sera ton habitat et loin de la rosée qui descend du ciel. De ton glaive tu vivras et ton frère tu serviras, mais, à force de vagabonder, tu arracheras le joug de dessus ton cou. » Ésaü voulut tuer Jacob qui s'enfuit chez Laban, frère de Rebecca. Plus tard, les deux frères se retrouvèrent. L'affrontement des deux peuples fut évité, car les deux frères tombèrent dans les bras l'un de l'autre et pleurèrent. Jacob engendra le peuple d'Israël, le peuple élu. Les descendants d'Ésaü ne bénéficièrent pas de la bénédiction divine.

René Zazzo se passionne pour le personnage de Rebecca. « C'est elle, écrit-il, qui m'intéresse le plus pour l'éclairage de la rivalité fraternelle, du mythe gémellaire. Elle a elle-même une valeur de mythe. Elle est la mère d'un seul amour, d'un seul enfant. Ésaü sera totalement sacrifié à Jacob son favori. Favori est bien peu dire. L'autre semble ne pas exister pour elle, sinon comme un obstacle à supprimer. Isaac est le détenteur du verbe avec ses bénédictions par procuration divine. Rebecca est la ruse, le mensonge [...], c'est presque une métamorphose de Jacob par Ésaü qu'elle opère pour tromper Isaac. » René Zazzo ajoute : « Ésaü et Jacob, les premiers jumeaux de la Bible, répliques d'Abel et de Caïn, les premiers enfants d'Ève, nous montrent la fraternité telle qu'elle est, crûment, en poussant à son paroxysme le sentiment de rivalité, jalousie, toujours sans doute mêlé, plus ou moins, au sentiment d'amour. »

Les jumeaux dans la littérature

Pour Frédéric Lepage, « les jumeaux littéraires évoluent dans un paysage de désordres et d'épreuves qu'ils doivent traverser de part en part avant d'en ressortir transformés. Telle est la structure littéraire à laquelle ils obéissent dans tous les cas. » Frédéric Lepage définit les cinq épreuves de l'initiation gémellaire : le quiproquo, la quête, l'affrontement, la séparation, la fuite et la poursuite[1].

René Zazzo, lui, nous fournit d'autres clés pour aborder le monde des jumeaux dans la littérature : « Le double et le couple, avons-nous répété à satiété, ce sont les deux thèmes, les deux expériences de la gémellité selon les variations contradictoires de notre regard. Le couple est la prise en compte d'une solidarité, d'une duplicité unitaire, familière et banale, fût-elle un paradoxe quand on l'observe chez les jumeaux identiques. Le double est un produit[2]. »

Nous ne ferons ici qu'évoquer les jumeaux dans la littérature en fonction des auteurs et des thèmes gémellaires les plus fréquemment rencontrés.

1. F. Lepage, *Les Jumeaux*, *op. cit.*
2. R. Zazzo, *Le Paradoxe des jumeaux*, *op. cit.*

D'Eschyle à Lewis Carroll, le conflit

Dans la tradition de Jacob et Ésaü, bien souvent, les jumeaux littéraires s'affrontent.

Certains jumeaux ne sortiront jamais de ces querelles, d'autres trouveront la voie de leur individualité, dans d'autres cas enfin la querelle conduit au meurtre, comme dans l'histoire d'Étéocle et Polynice, frères ennemis, fils d'Œdipe et de Jocaste, qui s'entre-tuèrent. Leur histoire est racontée dans de nombreuses pièces : *Les Sept contre Thèbes* d'Eschyle, les *Phéniciens* de Pyplide, les *Phéniciens* de Sénèque, *La Thébaïde* de Stace, *Antigone* de Rotrou, la *Thébaïde* de Racine. Les luttes et les conflits entre jumeaux sont retrouvés en filigrane dans *De nobles cousins* de Shakespeare et dans *La Petite Fadette* de George Sand.

Plus récemment, Alice doit faire face aux querelles des jumeaux Tweedledee et Tweedledum dans *De l'autre côté du miroir* de Lewis Carroll.

De Ménandre à Jean Giraudoux, la comédie du double

Le temps des quiproquos

Les tragédies grecques d'Euripide et d'Eschyle mettent en scène les légendes archaïques. La comédie est venue plus tard. C'est avec Ménandre que naît la comédie de caractère. Ménandre ouvre une nouvelle voie et Plaute, auteur comique latin, sera l'un de ses successeurs. Plaute est l'un des premiers auteurs de théâtre à mettre en scène les vrais jumeaux. C'est lui qui invente les personnages dont le nom deviendra un nom commun : Sosie. Le mécanisme de la plupart des comédies de Plaute est la fausse identité. Les Ménechmes sont les premiers vrais jumeaux au théâtre. Leur ressemblance parfaite est un prétexte pour les tourner en ridicule, une source de malentendus, de quiproquos, d'erreurs. Ce théâtre n'a qu'un but : faire rire. On est loin des interrogations métaphysiques sur l'identité des jumeaux. René Zazzo signale dix-huit imitations des *Ménechmes* dans l'histoire de la littérature. L'une des plus connues est *La Comédie des erreurs* de Shakespeare. Si on en croit Jean Giraudoux, le record des *Ménechmes* est battu avec *Amphitryon* dont trente-sept versions différentes auraient précédé *Amphitryon 38*.

Amphitryon

Il existe deux traditions distinctes d'Amphitryon.

La plus ancienne commence en Grèce avec Homère chez lequel on retrouve en filigrane l'histoire d'Amphitryon. Les grands tragédiens Eschyle, Sophocle et Euripide ont tous les trois écrit une tragédie sur ce thème. Aucun de ces textes ne nous est parvenu. L'histoire provient d'un des mythes fondamentaux de la littérature indo-européenne. Il raconte l'histoire de l'union d'un dieu avec une mortelle. De cette union naîtra un être extraordinaire et supérieur, un héros, qui sera envoyé sur la terre pour y accomplir des prodiges, sous la forme des douze travaux. L'union de Zeus et d'Alcmène n'a donc à l'origine aucune signification particulière. Les jumeaux Héraclès et Iphiclès, qui naîtront des amours d'Alcmène, ne sont pas des sujets de comédie.

Toutefois, la deuxième tradition apparaît assez rapidement, elle trouve son apogée avec l'*Amphitryon* latin de Plaute et dans notre littérature avec *Les Deux Sosies* de Rotrou et *Amphitryon* de Molière. Pour ces auteurs, Iphiclès est souvent oublié et la naissance d'Héraclès est brièvement mentionnée. La pièce de Molière s'apparente à la deuxième tradition d'Amphitryon. Cette tradition est née avec Plaute et s'est poursuivie au Moyen Âge, elle illustre la liaison coupable entre Jupiter et Alcmène.

La structure d'*Amphitryon* de Molière est entièrement organisée sur le modèle du double. Les dialogues réunissent en fonction des thèmes les six personnages en les opposant deux par deux. Les thèmes eux-mêmes sont doubles et peuvent se regrouper deux par deux.

Comme le montre Roland Morisse [1], les dialogues se répartissent en deux groupes, les dialogues de l'amour et les dialogues de l'aliénation.

Les dialogues de l'amour regroupent deux types de dialogues :

— les dialogues entre amants de Jupiter-Alcmène d'une part et de Mercure-Cléanthis d'autre part ;

— les dialogues entre époux, Amphitryon-Alcmène d'un côté, Sosie-Cléanthis de l'autre.

Les dialogues de l'aliénation regroupent également deux thèmes :

— les dialogues du dédoublement ; il s'agit de la confrontation d'un mortel et de son double divin : Jupiter et Amphitryon d'une part et Mercure et Sosie d'autre part ;

— les dialogues de la servitude où sont confrontés le maître et l'esclave : Amphitryon et Sosie, Amphitryon et Mercure.

Ainsi l'*Amphitryon* de Molière est construit selon un mode binaire, avec des symétries, des parallélismes et des dialogues en miroir. L'action principale est centrée sur la ressemblance entre Jupiter et Amphitryon et sur le quiproquo qui en découle.

D'autres successeurs de Plaute reprendront le problème du double et du quiproquo avec cette fois-ci des jumeaux, des jumeaux authentiques, citons *Les Jumeaux vénitiens* de Carlo Goldoni et *Les Jumeaux de Brighton* de Tristan Bernard.

De Shakespeare à Michel Tournier, la recherche du jumeau perdu

Ce thème est illustré par Shakespeare dans *La Comédie des erreurs*. Il faut rappeler que Shakespeare et sa femme Ann Hataway ont donné naissance à des jumeaux, Hamnet et Judith, en 1595. Hamnet est mort à l'âge de 11 ans, abandonnant au monde sa sœur jumelle qui ne se remit jamais de cette séparation. *La Comédie des erreurs* date de l'année de la naissance de Hamnet et Judith. Cette première comédie de Shakespeare met en scène des jumeaux monozygotes

1. Molière, *Amphitryon*, par Roland Morisse, Paris, Larousse, « Petits Classiques », 1975.

qu'aucun détail physique ne permet de différencier. Le destin vient à les séparer. Commence alors une longue quête qui ne prend fin qu'avec les retrouvailles, chaque jumeau retrouvant à la fois l'autre et soi-même.

Le thème est repris par l'écrivain japonais Yasunari Kawabata, prix Nobel de littérature en 1968, dans son roman *Kyoto*. L'enfant trouvé Chieko, après des années heureuses, se pose la question de ses origines. Elle finit par découvrir l'existence d'une sœur jumelle. Les deux sœurs en quête l'une de l'autre finissent par se rencontrer, se connaître et fusionner. C'est dans cette indispensable fusion gémellaire que chacune d'elles renaît en tant que personne.

Michel Tournier dans *Les Météores* raconte l'histoire de frères jumeaux, Jean et Paul. Leur ressemblance est totale, on les appelle Jean-Paul. Les « frères-pareils » vivent une vie heureuse pendant leur enfance en Bretagne. Arrivés à l'âge adulte, ils donnent des signes de désunion. Paul incarne le gardien de la cellule gémellaire alors que Jean fait tout pour en sortir, fasciné par la diversité de la vie qu'offrent les « sans-pareils ». Afin de briser la chaîne qui l'unit à son frère jumeau, Jean décide de se marier. Paul fait échouer le mariage. Jean est désespéré. Il part seul en voyage de noces à Venise. Paul se lance à sa poursuite, entreprenant un voyage qui le conduit à Djerba, Reykjavik, Vancouver et Montréal. À travers ce voyage initiatique autour du monde, Michel Tournier illustre le terme général du couple humain. Le cas particulier de jumeaux monozygotes apporte un éclairage surprenant. Michel Tournier serait-il le jumeau littéraire de René Zazzo ?

Edgar Allan Poe, la mort d'un jumeau

Edgar Poe, comme Shakespeare, était père de jumeaux. Les jumeaux d'Edgar Poe étaient des enfants illégitimes, des bâtards nés en 1830. Un des jumeaux avait 3 ans lorsqu'il est mort. Ces enfants de la « faute » allaient hanter l'écrivain. On peut se demander si *La Chute de la maison Usher* et sa fin apocalyptique ne constitue pas un exorcisme.

Robert Musil, l'inceste gémellaire

Les personnages du roman de Musil sont un frère, Ulrich, et sa sœur, Agathe, qui ne sont pas des jumeaux authentiques, mais qui se considèrent comme tels. Ce sont des jumeaux imaginaires. Ils se rencontrent tardivement à la mort de leur père, après avoir été séparés pendant leur enfance : « Pour la première fois, l'idée lui vint que sa sœur était une répétition, une modification irréelle de lui-même. » Agathe dit à son frère : « Quand tu discutes ainsi avec moi, il me semble que je me regarde dans les débris d'un miroir. » Ils vivent une « utopie gémellaire » qui les conduit vers l'inceste : « Tout en eux était clair, nulle vision. Plutôt une clarté démesurée [...] c'était merveilleusement simple ; avec les forces limitatrices s'étaient perdues toutes les limites et comme ils ne percevaient plus aucune limitation d'aucune sorte, ni en eux, ni dans les choses, ils ne formaient plus qu'un seul être. » Cet amour est sans lendemain. Comme le remarque René Zazzo, il ne s'agit pas de jumeaux réels comme si la gémellité était une circonstance aggravante au délit d'inceste. Enfin, l'inceste décrit n'est pas un véritable inceste, car il ne comporte ni tabou ni remords.

Hergé, les jumeaux de pères différents

Nous avons déjà rencontré le thème de la double paternité des jumeaux dans cet ouvrage. Le phénomène, bien qu'exceptionnel, a été authentifié de façon scientifique, en particulier par l'étude des groupes HLA. Ce thème est richement développé dans le mythe de Castor et Pollux ou dans celui d'Héraclès et Iphiclès (voir plus haut).

Parmi les nombreux mystères qui planent sur l'œuvre d'Hergé, *Les Aventures de Tintin*, il en est un, et non des moindres, soulevé par la différence d'orthographe dans les noms des frères jumeaux policiers, Dupont et Dupond. Chacun connaît la minutie d'Hergé et son sens de la précision. Cette différence n'est pas due au hasard. Hergé aurait eu toutes les facilités pour imaginer des prénoms se ressemblant ou en miroir, s'il l'avait souhaité. Or, il introduit une différence dans le nom de famille.

Le psychanalyste Serge Tisseron a publié en 1985 un ouvrage qui s'est révélé prémonitoire. À partir d'une relecture des *Aventures de Tintin*, il a émis l'hypothèse que ces aventures contenaient l'histoire d'un secret auquel Hergé lui-même avait été confronté pendant son enfance[1]. Cette théorie de Serge Tisseron a été confirmée en 1988 à la mort d'Hergé[2]. Il existe effectivement un secret dans la filiation d'Hergé. Le mystère tourne autour du grand-père de l'auteur des *Aventures de Tintin*, Alexis Rémi. Celui-ci avait un frère jumeau monozygote, Léon. Deux journalistes belges, Thierry Snolderen et Pierre Sterckx, écrivent à propos du père d'Alexis et de Léon : « Ils sont nés d'une fille-mère, Marie Dewigne, qui a toujours préservé le secret et qui travaillait chez une dame de la noblesse. Toute la famille se pose pourtant des questions : pourquoi la baronne de Dutzeel a-t-elle à tout prix voulu unir par un mariage blanc sa servante à l'un de ses ouvriers, un certain Rémi ? » Ainsi, l'hypothèse que les jumeaux (et donc le père d'Hergé) pouvaient être des bâtards, dont le vrai père était un homme illustre, semble extrêmement probable. En 1992, dans *Tintin et les secrets de famille*, Serge Tisseron se livre à une relecture profonde de l'œuvre d'Hergé. Il pose la question : « Comment se nomme le père des jumeaux policiers ? Est-ce Dupond... ou Dupont ? Les jumeaux n'auraient-ils pas finalement deux pères ? [...] Il n'est pas difficile de voir dans cette orthographe la même enseigne visuelle – par un travail identique à celui du rêve – du secret familial autour des "deux pères" d'Alexis et Léon, le géniteur secret et l'ouvrier agricole Rémi[3]. »

Pour Serge Tisseron, l'incapacité permanente et ridicule des Dupondt à rechercher une vérité qui leur échappe en permanence est la traduction de l'incapacité de l'enfant pour découvrir le secret de famille concernant sa généalogie. Nous ne pouvons pas reprendre ici l'éblouissante démonstration de Serge Tisseron dans sa totalité ; nous ne donnerons qu'un seul de ses arguments : « Leur fameux "je dirais même plus", suivi d'une affirmation toujours cocasse, ne résonne-t-il pas

1. S. Tisseron, *Tintin chez le psychanalyste*, Paris, Aubier, 1985.
2. T. Snolderen et P. Sterckx, *Hergé, biographie*, Bruxelles, Casterman, 1988.
3. S. Tisseron, *Tintin et les secrets de famille*, Paris, Aubier, 1992.

lui-même comme l'écho caricatural du "je t'ai déjà dit que...", suivi d'une explication embarrassée et confuse de la part d'un parent gêné par une question enfantine portant sur un secret ? [...] Ainsi les Dupont et Dupond sont-ils porteurs, mieux que tout autre personnage de la saga hergéienne, du secret douloureux de la famille Rémi. Par l'ambiguïté de leurs patronymes, ils témoignent de la question du nom du géniteur de ces jumeaux, et par leurs comportements, ils attestent des efforts de compréhension et d'organisation du monde qui ont dû être ceux d'Alexis et de Léon, soumis au secret du fait des préjugés de leur mère. »

LA GÉMELLOLOGIE, MÉTHODE D'ÉTUDE DES JUMEAUX

Les vrais jumeaux ne sont pas identiques

La gémellologie recouvre l'ensemble des études scientifiques entreprises sur les jumeaux. Elle a été définie en 1952 par Luigi Gedda comme « un corpus de connaissances et une branche de la génétique » et tient compte d'une approche aussi bien scientifique que culturelle. Toutefois, plutôt que la définition d'un véritable domaine scientifique, le terme de gémellologie désignait à l'origine une méthode. En comparant les « vrais jumeaux » (monozygotes, MZ) aux faux jumeaux (dizygotes, DZ), les scientifiques de la fin du XIXe siècle ont cru trouver le moyen idéal pour apprécier ce qui relève, d'une part, du patrimoine héréditaire, et d'autre part, de l'acquis sous l'influence de l'environnement. On estime qu'il y a environ trente mille gènes dans chaque être humain. Près d'un tiers de ces gènes diffèrent d'un individu à l'autre, par conséquent le nombre de combinaisons possibles est inestimable. Chaque être humain est génétiquement distinct, tout individu est unique. À la lumière de la diversité génétique humaine, on comprend mieux la fascination exercée par la population gémellaire qui est une exception par rapport au caractère génétique unique de chaque individu. C'est un Français, Camille Dareste, qui formula l'hypothèse en 1874 (Société d'anthropologie) que les jumeaux MZ provenaient d'un œuf unique alors que les jumeaux DZ provenaient de la fécondation de deux ovocytes différents. Galton, en 1875, définit la « méthode des jumeaux ». Il proposa qu'en comparant la ressemblance et/ou la dissemblance d'un trait spécifique chez les jumeaux MZ et DZ, il serait possible de quantifier les effets génétiques et du milieu *(nature vs nurture)*. Selon sa théorie des deux facteurs (hérédité et milieu), les jumeaux MZ devraient être semblables à tous égards : « Le même être en deux exemplaires. » Ces travaux ne furent pas suivis d'études supplémentaires jusqu'en 1905, quand Thorndike rendit compte de ressemblances gémellaires dans des tests cognitifs des jumeaux en général. Il était en fait convaincu que tous les jumeaux étaient de même type. Ce n'est qu'en 1920 qu'il devint évident que, contrairement aux croyances précédentes, les jumeaux étaient de deux types différents. La méthode classique des jumeaux comparant les jumeaux MZ aux jumeaux DZ prit finalement forme en 1924. Les travaux des années 1950 (Zazzo, Price) ont constitué un tournant essentiel dans les études sur la gémellité. Jusqu'à cette date, le cas des jumeaux était principalement considéré comme un « dispositif expérimental » exceptionnel permettant d'étudier les rapports entre hérédité et milieu. Price montre que les jumeaux MZ ne sont génétiquement pas identiques, et Zazzo nous permet de comprendre que les jumeaux MZ ne se ressemblent pas psychologiquement.

Les gènes ne déterminent pas tous les comportements

On peut se poser les questions suivantes.

- Pourquoi les dissemblances entre vrais jumeaux ont-elles été si longtemps ignorées, minimisées, alors que depuis les années 1950, on savait que les « vrais jumeaux » ne sont jamais « le même être en deux exemplaires » ?
- Pourquoi ces dissemblances ont-elles tant de mal à s'imposer même encore aujourd'hui ?

La réponse à ces deux questions est relativement simple. Les études sur les jumeaux n'ont malheureusement pas seulement un intérêt scientifique, mais aussi idéologique.

L'hypothèse que les facteurs génétiques influencent le comportement humain est très vieille. Les jumeaux MZ ont été placés bien malgré eux au cœur de ce débat *nature vs nurture*. Il est indéniable que les jumeaux MZ sont « une fascinante expérience de la nature ». Ils semblent fournir la plus simple et la plus puissante méthode pour « quantifier » l'influence des facteurs environnementaux et génétiques sur les caractéristiques humaines. En fait, l'hypothèse sur l'héritabilité des comportements humains ou des maladies est fondée principalement sur les études de jumeaux. Selon l'hypothèse déterministe biologique, partagée par de nombreux chercheurs en génétique appliquée aux comportements, il y aurait une « forte héritabilité » pour la plupart des comportements déviants, des maladies chroniques et, bien entendu, les traits psychologiques tels que la personnalité, les capacités intellectuelles, le succès ou l'échec académique, l'intelligence et le quotient intellectuel (QI). Bref, les données sur les jumeaux seraient la preuve scientifique irréfutable que la quasi-totalité des traits humains sont génétiquement héréditaires. Les jumeaux MZ serviraient donc de « preuve scientifique » à l'hypothèse que tout comportement humain serait fortement déterminé par nos gènes.

Il est difficile de partager ce type de conclusion. En effet, les estimations d'héritabilité publiées en génétique du comportement sur les jumeaux ne distinguent pas, en règle générale, les différentes catégories (monochorionique, MC et dichorionique, DC) des jumeaux MZ. Les nouvelles recherches en médecine, obstétrique et gynécologie montrent de plus en plus que les jumeaux MZ ne sont pas aussi identiques que le prétend la méthode classique des jumeaux, utilisée par les experts en comportements humains. Ces études sur les différences chez les jumeaux MZ, quoique encore très peu nombreuses, soulèvent une question dont la portée ne saurait être sous-estimée. En effet, si les vrais jumeaux ne sont pas « identiques », alors l'analyse classique qui consiste à comparer les MZ aux DZ est caduque. Il nous semble utile ici de faire une brève revue des études sur les dissemblances observées chez les « vrais jumeaux ».

Les différences chez les vrais jumeaux

L'identité génétique a une grande influence sur l'interprétation des analyses des comportements. La plupart des jumeaux MZ sont phénotypiquement très semblables, mais il y a un très grand nombre de paires d'entre eux qui ne sont ni génétiquement ni phénotypiquement « identiques » pour tous les caractères tels que les traits morphologiques, physiologiques, comportementaux et même biologiques.

Les différences génétiques

La méthode des jumeaux, appliquée à la recherche médicale, révèle de nombreuses différences chez les vrais jumeaux. La concordance chez les jumeaux MZ n'est jamais totale, ce qui témoigne d'un effet du milieu. Deux vrais jumeaux peuvent différer sur le plan génétique ou épigénétique (répertoire des anticorps et des lymphocites T, la répartition des mitochondries, les mutations somatiques et l'inactivation du chromosome X chez les filles).

La théorie interactionniste entre gène et environnement nous rappelle qu'il est important de comprendre que les gènes se développent différemment dans différents environnements. C'est ce que l'on appelle la *norme de réaction*. Tout génotype a une norme de réaction, signifiant qu'il y a un nombre de phénotypes possibles qui se développeront en fonction d'un nombre illimité d'environnements. Par conséquent, il semblerait que c'est un non-sens de parler de jumeaux phénotypiquement identiques, si ces jumeaux identiques se développent différemment en dépit de leur « identité génétique identique ».

Les différences biologiques

En principe, sur la base du pourcentage de gènes en commun, chaque type de jumeaux devrait se ressembler plus que les individus non apparentés, la ressemblance des MZ devrait être plus élevée que celle des DZ. La ressemblance entre les MZ-monochoriaux (MZ-MC), selon l'hypothèse que l'on formule, devrait être soit plus élevée, soit plus faible que celle entre les MZ-dichoriaux (MZ-DC). Il semblerait que ces conditions ne soient pas remplies dans les données publiées par les chercheurs travaillant sur les MZ. Nous savons que partager le même utérus ne signifie pas que chaque fœtus de chaque jumeau se développe dans des conditions identiques.

Il est bien établi que le syndrome transfuseur-transfusé (STT) est une complication de la grossesse gémellaire MZ-MC (très rarement de la grossesse gémellaire

DZ) qui fait que, dans certains cas, des jumeaux considérés génétiquement identiques, naissent dans un état nutritionnel différent. L'ensemble des travaux sur les différences chez les vrais jumeaux nous permet d'utiliser la méthode des jumeaux sous un angle nouveau.

En effet, ces recherches remettent scientifiquement et fondamentalement en question la méthode classique des jumeaux puisque l'on observe que les cojumeaux MZ-MC se ressemblent moins que les cojumeaux MZ-DC et que les groupes de jumeaux MZ-DC sont différents des MZ-MC.

La variable la plus étudiée est le poids de naissance. Si on se réfère à cette littérature, on observe un effet « chorion » pour le poids de naissance, lequel reste présent pour les mesures anthropométriques tant au niveau prénatal que postnatal : les cojumeaux MZ-MC se ressemblent moins que les cojumeaux MZ-DC.

Plusieurs études montrent des différences importantes entre les jumeaux MZ-MC et les jumeaux MZ-DC sur des paramètres biologiques fœtaux (diamètre bipariétal et cervelet) et sur des paramètres non biologiques fœtaux (fémur et diamètre abdominal). Les jumeaux MZ-MC sont plus discordants que les jumeaux MZ-DC sur les traits biologiques et anthropométriques.

Plusieurs études intéressantes font également apparaître un effet « chorion » sur certains traits cognitifs, les jumeaux MZ-MC se ressemblent plus comparés aux jumeaux MZ-DC. Ces différences intergroupes et intrapaires chez les « vrais jumeaux » sont importantes pour comprendre les études gémellaires. Les jumeaux MZ-MC sont plus discordants que les jumeaux MZ-DC sur certains traits biologiques et anthropométriques durant la période prénatale, tandis que l'on observe l'effet inverse pour certains traits cognitifs postnatals.

Dans la méthode classique des jumeaux, la différence entre MZ et DZ peut suggérer l'effet de facteurs génétiques. Une telle estimation suppose, cependant, que la chorionicité et le type de gémellité ont été précisés : c'est-à-dire distinguer les différents types de zygosité et de chorionicité avant de commencer toute recherche utilisant la méthode des jumeaux.

Parmi les environnements qui créent des inégalités de milieu chez des jumeaux génétiquement identiques, la situation chorionique n'est à l'évidence qu'un des exemples qu'il faut continuer d'étudier, mais il y a également lieu de chercher d'autres situations qui créent des inégalités de milieu au cours de la période prénatale et postnatale. En fait, la méthode des jumeaux nous force à mieux définir ce que nous entendons par « génétiquement et phénotypiquement identique » quand nous affirmons que les « vrais jumeaux » sont concordants ou discordants.

ÉPILOGUE

Quel est le futur des jumeaux et des grossesses multiples ? Nous ne sommes malheureusement pas en mesure de le connaître avec certitude à la fin de cet ouvrage. En revanche, nous pouvons délimiter pour un futur proche les champs et les thèmes des recherches dans le domaine de la gémellité.

Dans la prise en charge des grossesses multiples, des progrès sont attendus dans le domaine de la prévention de la prématurité. L'enjeu est fondamental. La mise au point de nouveaux médicaments contrôlant les contractions utérines et de nouvelles techniques de prévention sont indispensables.

Dans le domaine de la psychologie, des travaux de recherche sont encore nécessaires afin d'explorer certaines périodes de la vie, comme l'adolescence, et surtout la vie intra-utérine chez les jumeaux. La connaissance des jumeaux est actuellement avancée, en grande partie grâce aux travaux de René Zazzo. Un effort comparable devrait être accompli dans les années à venir concernant les enfants issus de grossesses multiples de rang élevé et les conséquences de ces grossesses sur les familles. Nous pensons en particulier aux relations complexes qui peuvent exister entre des enfants triplés, ou aux impacts de la réduction embryonnaire au niveau des mères et des enfants, qui n'ont pas encore été mesurés avec précision.

Dans le domaine de la recherche en génétique, l'étude des jumeaux constitue un outil utile pour la compréhension de l'être humain en général, à travers l'étude des maladies, mais aussi des problèmes de biologie de la reproduction, de chronobiologie de la croissance et du vieillissement, de la différenciation sexuelle... Un nouveau champ de la méthode des jumeaux pourrait s'ouvrir avec son application aux jumeaux avant la naissance, comme moyen d'évaluation des facteurs liés à l'hérédité et à l'environnement intra-utérin.

À côté de ces progrès, d'autres sont attendus concernant la prévention des naissances multiples lors des traitements de l'infertilité. Cette maîtrise du nombre d'embryons nous conduira-t-elle à voir progressivement les grossesses gémellaires remplacer les grossesses simples lorsque tous les risques auront disparu ?

En vérité, les auteurs de cet ouvrage n'en sont pas vraiment certains. Mais qui nous empêche d'en rêver ?

Informations pratiques

POUR EN SAVOIR PLUS

Nous espérons que la lecture de ce livre et surtout l'émerveillement éprouvé devant vos enfants vous donneront envie de devenir des spécialistes en gémellologie. Pour cela, il nous a semblé intéressant de conseiller quelques lectures.

Des revues

Il en existe assez peu. La seule revue scientifique consacrée à la gémellologie est écrite en anglais. Il s'agit de *Twin Research*. Vous pouvez vous y abonner si vous le souhaitez (Australian Academic Press, 32 Jeays Street Bowen Hills, QLD 4006 Australia).

Vous pouvez aussi vous abonner aux bulletins des associations ; nous vous recommandons particulièrement deux publications en langue française :

— *Jumeaux Magazine*, revue associative, édité par Sabine Herbener, responsable régionale de l'Association Jumeaux, Ballallaz 18, 1820 Montreux, Suisse.

— *Multipl'Infos*, le bulletin de la fédération « Jumeaux et plus », 28, place Saint-Georges, 75009 Paris, France.

Des livres

Vous connaissez tous le best-seller :

— *Le Paradoxe des jumeaux*, de René Zazzo, Paris, Stock, 1984.

Si vous voulez en savoir plus :

— *Les Jumeaux, le couple, la personne*, de René Zazzo, Paris, PUF, 1960, 1991, 2001.

— *Reflets de miroir*, de René Zazzo, Paris, PUF, 1993. On apprend dans ce livre comment et à quel âge tout jumeau parvient à se distinguer de son cojumeau, pourtant physiquement identique, dans le reflet du miroir.

Nous vous conseillons également vivement la lecture de :

— *Les Jumeaux*, enquête de Frédéric Lepage, Paris, Robert Laffont, « Réponses », 1980.

Sur les grossesses multiples, il existe quelques ouvrages en plus du livre que vous êtes en train de lire :

— *Les Jumeaux, de la conception à l'école*, de Régine Billot, Paris, Balland, 1997. Régine Billot est mère de jumelles de 7 ans et raconte son expérience de la grossesse, de l'accouchement et des premières années.

— *Des jumeaux, quelle aventure !*, de Muriel Decamps, Paris, Édition Josette Lyon, réédition 2004. Conseils judicieux d'ordre pratique et conseils psychologiques.
— *Jumeaux de sexes différents*, de Claire Salvy, Paris, L'Harmattan, 1992. Le seul livre qui parle spécifiquement de ces fratries en français !
— *Des jumeaux et des autres*, de C. Savary et C. Gross, Genève, Georg Éditeur, 1995. Perspective ethnologique.
— *Les Jumeaux, mode d'emploi*, de J. Poland et P. M. Malmstrom, Paris, Marabout, réédition 2003. Les jumeaux, avec des trucs et astuces, à la mode américaine.
— *Les Jumeaux, du pareil au même*, Mylène Hubin-Gayle, Paris, éditions Découvertes Gallimard, 1998. Un petit livre bourré d'informations et de documents sur les jumeaux.
— *Les Nouvelles Grossesses*, de Jean-Claude Pons, Paris, PUF, « Questions », 1995. Accorde une large place aux grossesses multiples et au désir de jumeaux.

Pour connaître tout ou presque tout sur le sujet, vous pouvez lire :
— *Les Grossesses multiples*, de Jean-Claude Pons, Christiane Charlemaine et Émile Papiernik, Paris, Flammarion, « Médecine-Sciences », 2000. Il s'agit d'un ouvrage collectif destiné aux *spécialistes*. Les auteurs associés à cet ouvrage mettent à votre disposition une somme d'informations importante : acquisitions les plus récentes en matière d'obstétrique et d'épidémiologie des grossesses multiples, sans oublier les aspects médicaux et psychologiques.

Si vous lisez l'anglais, nous vous conseillons vivement la lecture de :
— *Not all are alike. Psychological Profile of Twinship*, de Barbara Shave Klein, Wesport, Praeger, 2003.
— *Twins from Fetus to Child*, d'Alessandra Piontelli, New York, Routledge, 2002.
— *Twins : and What They Tell us About Who are we*, de Laurence Wright, New York, J. Wiley, 1997. Un ouvrage sur l'environnement social et psychologique des jumeaux.

Et pour les spécialistes :
— *Multiple Pregnancy. Epidemiology, Gestation and Perinatal Outcome*, d'Isaac Blickstein et Louis G. Keith, Taylor et Francis, Londres-New York, Parthenon Book, 2005.
— *Multifetal Pregnancy*, de Roger B. Newman et Barbara Luke, Philadelphie, Lippincott Williams and Wilkins, 2000.

Enfin, si vous êtes parents de triplés, quadruplés ou plus, et que vous voulez vraiment tout savoir, nous vous conseillons :
— *Three, Four and More, a Study of Triplet and Higher Order Births*, il s'agit d'un ouvrage collectif coordonné par P. J. Botting, A. J. Macfarlane et F. V. Price, Londres, HMSO, 1990.

Si vous n'êtes pas rassasiés et si vous lisez l'italien, nous vous conseillons de rechercher chez les bouquinistes romains un livre malheureusement épuisé. Ce pavé constitue la bible de la gémellologie. Il s'agit de :
— *Studio dei gemelli*, de Luigi Gedda, Rome, Edizioni Orizzonte Medico, 1951.

Si vous êtes intéressés par une approche plus culturelle, nous vous conseillons plusieurs essais :

- *Dom Juan et le double*, de Otto Rank, Paris, Payot, 2002.
- *La Violence et le Sacré*, de René Girard, Paris, Grasset, 1972. Toutes les recherches classiques en gémellologie sont exposées dans ce livre et vous trouverez en plus une somme de connaissances sur les mythes gémellaires, la place des jumeaux dans la littérature et dans l'art.
- *Mythe et littérature sous le signe des jumeaux*, de Jean Perrot, Paris, PUF, 1976.
- *Les Jumeaux dans tous leurs états*, de Fernand Leroy, Bruxelles, De Boeck Université, 1995.
- *Le Roman des jumeaux, esquisses de mythologie*, par Georges Dumézil, Paris, NRF, « Bibliothèque des sciences humaines », 1994.

Pour vous détendre, nous vous conseillons quelques lectures plus littéraires :

- *Les Météores*, de Michel Tournier, Paris, Gallimard, 1999.
- *Amphitryon 38*, de Jean Giraudoux, Paris, Grasset, 1996. Vous pouvez également lire les trente-sept versions précédentes, en particulier celle de Molière.
- *Le Secret du Masque de fer*, de Marcel Pagnol, Paris, De Fallois éditions, 1998.
- *L'Homme sans qualités*, de Robert Musil, Paris, Le Seuil, 1995.
- *Les Jumeaux de Black Hill*, de Bruce Chatwin, traduit par Marion et Georges Scali, Paris, Grasset, 1993.
- *La Petite Fadette*, de George Sand, Paris, Gallimard, « Folio Classique », 2004.
- *À l'est d'Éden*, de John Steinbeck, Paris, Librairie Générale française, 1996.

Des films

- *L'Autre*, de Robert Mulligan (1972).
- *The Dark Mirror*, de Robert Siodmak avec Olivia de Havilland (1946).
- *Jumeaux*, de Ivan Reitman avec Arnold Schwarzenegger et Dany DeVito (1988).
- *Les Trois font la paire*, de Sacha Guitry (1957).
- *Faux-semblants*, de Davis Cronenberg (1988) risque de vous donner une image un peu fausse des jumeaux et des gynécologues.
- *Star wars, épisode 3. La revanche de Scythes*, de George Lucas, se termine par la naissance de jumeaux dizygotes, Luke et Léïa, qui seront les héros des épisodes 4, 5 et 6.

Sites Internet

www.jumeaux-et-plus.assoc.fr pour accéder à d'autres sites francophones et internationaux.

FÉDÉRATION « JUMEAUX ET PLUS »

Historique et présentation

La fédération « Jumeaux et plus » est née en 1979, sous la dénomination Association nationale d'entraide des parents de naissances multiples (ANEPNM). En raison de la structuration locale des organismes prestataires d'allocations familiales, puis des lois de décentralisation confiant l'aide sociale et le suivi de la petite enfance aux conseils généraux, la forme d'association nationale s'est révélée inadaptée à l'action d'entraide des familles ayant des enfants issus de naissances multiples (ADEPNM). Dès 1983, le processus de transformation de l'ANEPNM en fédération constituée d'associations départementales s'initia. Il dura jusqu'en 1992.

Pendant ces neuf ans coexistèrent et coagirent l'ANEPNM et les ADEPNM. En 1992, les domaines d'action de chacune des composantes furent précisés :

— domaine national pour la fédération ;

— actions locales et relais des actions nationales pour les ADEPNM.

En 1998, afin de faire coïncider sa réalité et son nom, l'ANEPNM devint la fédération nationale « Jumeaux et plus, l'Association ».

Notre fédération tire son originalité du fait qu'elle ne regroupe que des parents d'enfants issus de naissances multiples, désireux d'agir sur les conditions d'éducation de leurs enfants, de faire évoluer la législation dans un axe familial, d'informer les familles des conséquences et des risques d'une naissance multiple.

En 2002, la fédération nationale « Jumeaux et plus, l'Association » devient la fédération « Jumeaux et plus » et, par décret au *JO* du 23 juillet 2003, est reconnue d'utilité publique.

Entraide morale, matérielle et information

Elle a pour objet de faire reconnaître les spécificités des parents d'enfants issus de naissances multiples, de contribuer au développement de la vie associative concernant ces familles, d'encourager les recherches en ce qui concerne les parents d'enfants issus de naissances multiples, d'intenter une action en justice si la défense des intérêts moraux et matériels de ces familles le nécessite.

Créée par six familles en 1979, la fédération comptait, au 31 décembre 2004, 15 861 familles adhérentes, réparties dans soixante-dix associations départementales. L'ensemble du territoire français est aujourd'hui couvert.

Fondements théoriques

Depuis 1979, la fédération défend le concept de simultanéité des charges. On peut visualiser ce concept sous forme de schémas généraux (*cf.* A), mais aussi en l'illustrant par un exemple chiffré (*cf.* B).

Ce concept de charges simultanées ne recouvre pas uniquement les charges financières, mais aussi les charges éducatives, les charges de maternage, le surcroît de fatigue lorsque les enfants sont en bas âge.

Les efforts des familles répartis dans le temps (A)

Pour cette présentation schématique, nous avons choisi de nous arrêter à l'âge de 20 ans pour les enfants, âge théorique de l'autonomie, mais également âge actuel de fin de versement des prestations familiales.

Famille de 2 enfants nés à 3 ans d'intervalle.

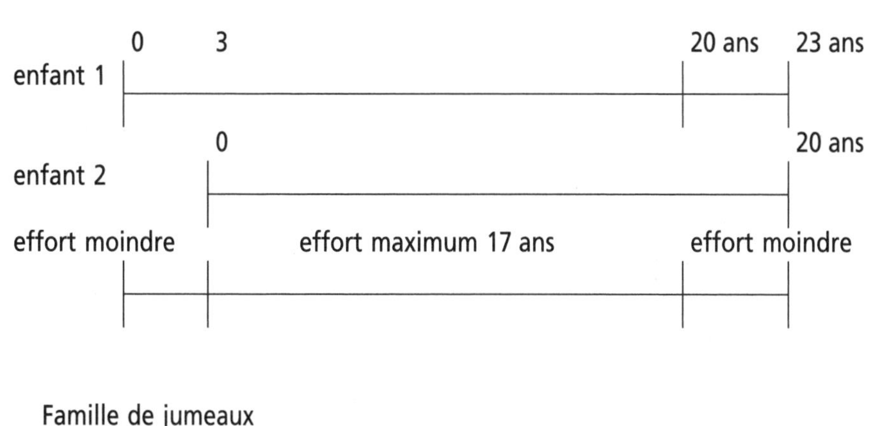

Famille de jumeaux

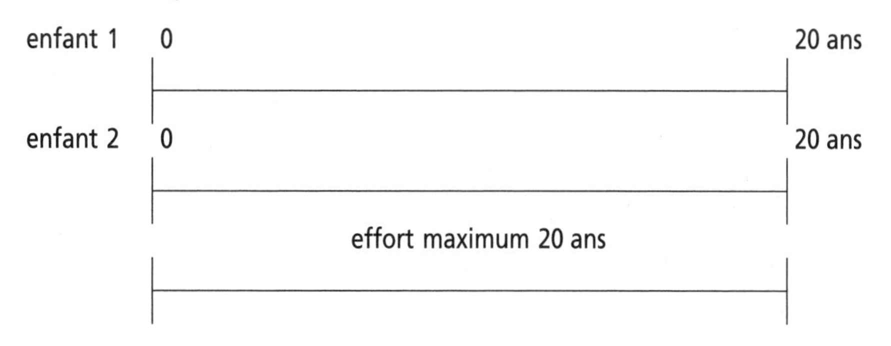

Famille de 3 enfants nés chacun à 3 ans d'intervalle

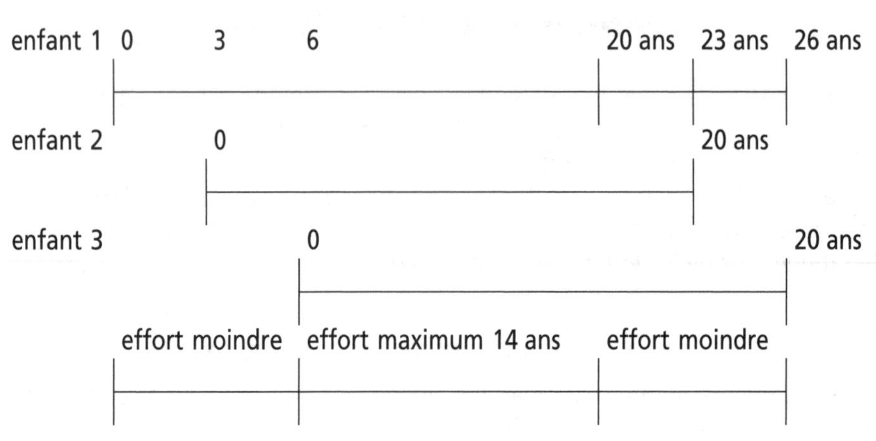

Famille de triplés

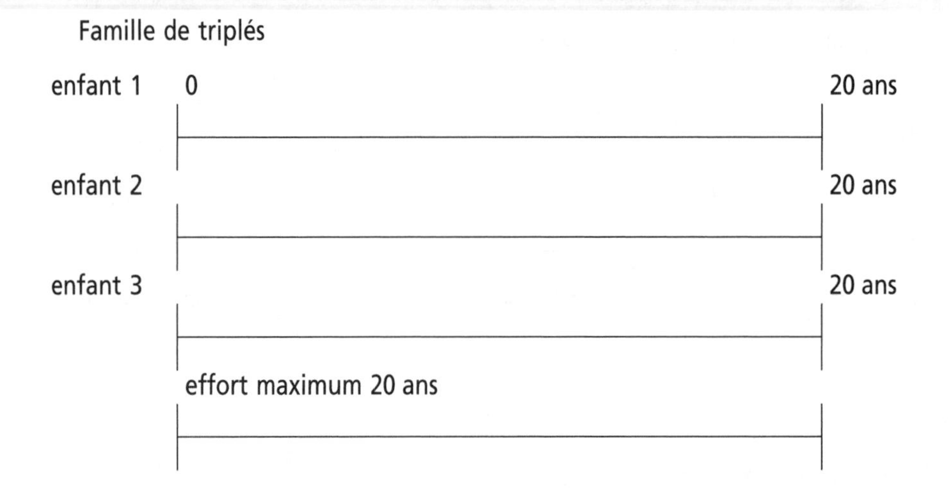

La charge supportée par les familles de multiples est toujours une charge maximale, sans effet de montée en charge progressive ou de redescente graduelle. Les familles de naissances multiples subissent toujours les effets couperets.

Étude chiffrée du coût d'un enfant unique ou multiple (B)

On peut illustrer ce concept par une étude financière chiffrée sur le coût du nourrisson, né seul ou multiple.

On doit ajouter à cette étude le temps consacré au maternage :

— 4 heures pour un enfant seul ;
— 8 heures pour des jumeaux ;
— 12 heures pour des triplés.

On ne peut convertir ce temps en valeur matérielle, mais l'investissement (argent, temps) consacré aux multiples est plus important que pour des grossesses simples.

	Un enfant		Jumeaux		Triplés	
Matériel (prix minima)	1 lit 1 landau poussette 1 transat 1 trousseau 1 siège auto	110 € 150 € 75 € 120 € 95 €	2 lits 1 landau poussette jumeau 2 transats 2 trousseaux 2 sièges auto	220 € 560 € 150 € 240 € 190 €	3 lits 1 landau poussette triple 3 transats 3 trousseaux 3 sièges auto	330 € 950 € 225 € 360 € 285 €
Sous-total		550 €		1 360 €		2 150 €
Entretien	Lait Couches Eau minérale	52,50 € 45 € 15 €	Lait Couches Eau minérale	105 € 90 € 30 €	Lait Couches Eau minérale	157,50 € 135 € 45 €
Coût mensuel de 0 à 3 mois		112,50 €		225 €		337,50 €
Total jusqu'aux 3 mois de l'enfant		887,50 €		2 035 €		3 162,50 €
Coût par enfant		**887,50 €**		**1 017,50 €**		**1 054,17 €**

Les demandes de la fédération

Du fait d'une prématurité beaucoup plus forte que pour des grossesses uniques et des risques et séquelles associés, nous demandons que chaque famille attendant des multiples soit informée des risques encourus, qu'il lui soit proposé systématiquement une orientation vers un centre spécialisé en naissances multiples et que le suivi médical soit effectué par un personnel formé aux particularités d'un accouchement multiple.

La famille doit être informée des conditions matérielles de l'endroit où la mère va accoucher : présence d'un(e) anesthésiste, de pédiatre(s) exerçant dans l'établissement, présence d'un service de néonatologie, risque de transfert des enfants.

En 1994, certaines de nos demandes sur l'allongement du congé maternité et l'allocation pour jeune enfant (APJE) ont été prises en compte dans la loi « famille ». Puis en 2001, avec l'obtention de l'allongement du congé paternité et enfin, en 2004, lors de la mise en place de la PAJE (prestation accueil du jeune enfant), nous avons été en partie entendus. Mais il y a encore beaucoup à faire. Nous ne présentons ici que certaines de nos motions.

Allocation de libre choix

La « loi famille » a allongé la durée du versement de l'APE (allocation parentale d'éducation) pour les familles de triplés jusqu'aux 6 ans des enfants. Depuis janvier 2004, cette allocation est devenue l'« allocation de libre choix » cumulée avec une « allocation de base ».

Nous demandons la possibilité pour les familles de jumeaux à partir du rang 2 d'obtenir également l'allocation de libre choix cumulée avec les allocations de base *jusqu'au sixième anniversaire des enfants.*

La durée de l'allocation de libre choix et celle du congé parental d'éducation doivent être systématiquement alignées.

Congé parental d'éducation (CPE)

Dans tous les cas d'allongement de la durée du versement de l'allocation de libre choix, et en particulier pour celle déjà en vigueur pour les triplés, il est nécessaire d'allonger simultanément les droits à congé parental.

Aide à domicile

L'aide à domicile est indispensable, mais reste à moduler en fonction du nombre d'enfants nés ainsi que du nombre et de l'âge des autres enfants de la famille.

Un effort doit être fait par les Caisses d'allocations familiales (CAF) pour que la situation difficile des parents ne soit pas accentuée par une fatigue encore plus importante.

Collaboration avec la Protection maternelle et infantile (PMI)

La fédération souhaite que les représentants des associations locales puissent être associés aux équipes de suivi PMI lorsqu'elles prennent en charge des familles de naissances multiples.

Garde des enfants

La halte-garderie et la crèche sont deux structures qui permettent aux parents un moment de repos et offrent aux enfants un moment de socialisation. Nous souhaitons que les collectivités locales ou territoriales, gestionnaires de ces structures, pratiquent des tarifs adaptés aux moyens des familles en tenant compte de la simultanéité des charges.

Par ailleurs, nous insistons sur le fait d'uniformiser les aides au sein de la CNAF (Caisse nationale d'allocations familiales) afin d'éviter les grosses disparités existant d'une CAF à l'autre.

Législation actuelle en faveur des multiples

Lors du vote de la « loi famille » du 25 juillet 1994, certaines mesures concrètes ont été prises en direction des familles ayant des enfants multiples, prenant en considération les difficultés spécifiques qu'elles rencontrent. Lors du changement des prestations CAF en 2004, la fédération a également été entendue, mais ce n'est pas suffisant.

En matière de naissances multiples, les congés et les prestations d'aides sont encore inférieurs à ceux qui seraient calculés pour des naissances simples. La simultanéité des coûts d'éducation implique que les charges supportées par les familles sont élevées. Le système de compensations de charges ne prend pas ce fait en compte.

Congés de maternité et de paternité

En cas de grossesse gémellaire, ils sont de 12 semaines avant la date prévue d'accouchement et de 22 semaines après la date prévue d'accouchement, soit un total de 34 semaines.

En cas de grossesse triple ou plus, ils sont de 20 semaines avant la date prévue d'accouchement et de 22 semaines après la date prévue d'accouchement, soit un total de 46 semaines.

Le congé de paternité depuis 2001 est de 3 + 11 jours de congés à la naissance d'un seul bébé, soit 14 jours en cas de naissance simple, et de 3 + 11 + 7, soit 21 jours en cas de naissances multiples, et ce quel que soit le nombre d'enfants nés.

Prestation accueil du jeune enfant (PAJE)

Elle est soumise à conditions de ressources, elle comprend la prime à la naissance, l'allocation de base, un complément de libre choix d'activité et un complément de libre choix de mode de garde. Cette prestation remplace l'APJE (allocation pour le jeune enfant), l'AGED (allocation de garde d'enfants à domicile), l'AFEAMA (l'aide à la famille pour l'emploi d'une assistante maternelle agréée) et l'APE (l'allocation parentale d'éducation).

Au cours du septième mois de grossesse, la prime de naissance d'un montant de 826,10 € (montant au 1er avril 2005) est attribuée autant de fois qu'il y a d'enfants à naître. L'allocation de base est attribuée par famille, mais en cas de naissances multiples, il est versé autant d'allocations de base que d'enfants nés lors du même accouchement. En cas de cessation d'activité, le complément de libre choix est de 347,42 € par mois (montant au 1er avril 2005). Il se cumule avec les allocations de base.

Congé parental d'éducation (CPE) et complément de libre choix d'activité

Les conditions pour bénéficier du complément de libre choix d'activité sont :

— pour la naissance de jumeaux rang 1, il faut avoir travaillé au moins 2 ans dans les 4 dernières années avant la naissance ;

— pour tous les autres cas avec naissances multiples, il faut avoir travaillé 2 ans dans les 5 dernières années avant la naissance.

En cas de naissance gémellaire, la durée d'allocation complément de libre choix d'activité et du congé parental est de 3 ans maximum. En cas de naissances triples et plus, il existe la possibilité d'allocation complément de libre choix d'activité jusqu'aux 6 ans des multiples.

Attention

Le congé parental d'éducation reste jusqu'aux 3 ans des multiples, ce qui entraîne une obligation de démissionner de son travail, si l'on veut continuer à bénéficier du complément de libre choix d'activité.

Quelques montants de prestations familiales au 15 avril 2005 :
Prime à la naissance (versée au 7e mois de grossesse) : 826,10 €
Allocation de base (versée dès le mois de naissance des enfants) : 165,22 € par enfant
Complément de libre choix d'activité : 347,42 €
Avec cessation totale d'activité :
• 677,86 € par mois pour un parent de jumeaux (un complément de libre choix + 2 allocations de base)
• 843,08 € pour un parent de triplés
Pour une reprise d'activité au plus égale à 50 %
• 555,03 € pour un parent de jumeaux
• 720,25 € pour un parent de triplés
Pour une reprise d'activité entre 50 et 80 %
• 459,99 € pour un parent de jumeaux
• 625,21 € pour un parent de triplés

Aide à domicile

En ce qui concerne l'attribution d'heures de travailleuses familiales et les tarifs, les familles concernées doivent se renseigner auprès de leur CAF (ou de l'organisme prestataire des allocations familiales), au service d'action sociale du conseil général de leur département et auprès des associations de travailleuses familiales (appelées désormais TISF : technicienne d'intervention sociale et familiale).

Il y a une forte variabilité entre les départements en ce qui concerne le financement des heures de prise en charge de l'aide à domicile : heures gratuites dans certains départements, ou tarifs selon le quotient familial et la composition de la famille dans d'autres.

La circulaire CNAF de 1979 préconise un minimum de 80 heures d'aide à domicile pour chaque enfant issu de naissances multiples.

Pour le financement, les mutuelles complémentaires prennent généralement en charge une partie du restant dû par la famille.

Gardes d'enfants

Il y a obligation pour toutes les structures collectives (subventionnées par la CAF) de pratiquer un tarif dégressif à partir du deuxième enfant gardé dans la même structure.

Aides financières

Diverses primes de naissance (pré- et postnatales) sont octroyées dans certains départements :
— par le conseil général ;
— par la CAF (en prime extralégale) ;
— par quelques municipalités ;
— par des mutuelles.

Extrait de la circulaire n° 52-79/CNAF

Objet : Mesures particulières à mettre en œuvre, au titre de l'action sociale, en cas de naissances multiples.

Le conseil d'administration de la CNAF a examiné la situation des familles dans lesquelles interviennent les naissances multiples.

En effet, ces familles se trouvent confrontées à d'importantes difficultés d'ordre psychologique et matériel, en particulier dans les cas de naissances de triplés, quadruplés, quintuplés.

Il est donc apparu nécessaire de leur apporter, de manière systématique, une aide supplémentaire au titre de l'action sociale des Caisses d'allocations familiales.

Ces interventions s'ajouteront à celles relevant des Directions départementales des Affaires sanitaires et sociales (DDASS), qui feront l'objet d'une prochaine circulaire du ministère de la Santé et de la Famille.

Afin d'éviter la dispersion des actions, la concertation entre les divers organismes appelés à intervenir auprès de ces familles s'avère particulièrement indispensable.

Les objectifs à poursuivre

Ils devraient être les suivants :

— prévoir une intervention rapide et adaptée à la situation propre à chaque famille ;

— permettre aux nouveau-nés de recevoir les soins d'hygiène et éventuellement médicaux dont ils ont besoin ;

— sauvegarder pour la famille concernée - parents et enfants déjà au foyer - une vie quotidienne équilibrée ;

— respecter les aspirations de la famille quant à sa nouvelle organisation de vie, en lui laissant la libre détermination de ce qu'elle souhaite, et en l'aidant à le réaliser ;

— veiller tout particulièrement à ce que l'aide apportée soit suffisamment prolongée.

S'adapter aux situations des familles

Les situations des familles qui attendent - ou dans lesquelles interviennent - des naissances multiples sont très diverses, par le nombre d'enfants déjà au foyer, le rapprochement des naissances, le niveau économique, le désir de travail de la mère, les conditions de logement, l'entourage familial, etc. C'est pourquoi il est difficile d'édicter des mesures précises.

Aussi il est proposé que les conseils d'administration des Caisses d'allocations familiales, qui sont les mieux à même de le faire, apprécient ponctuellement, en concertation avec la famille et les services de la caisse, la nature et les modalités de l'aide à apporter.

Les mesures à mettre en œuvre par la CAF peuvent relever de l'intervention des services sociaux, d'une aide financière, de l'aménagement de la réglementation, concernant en particulier les prêts d'équipement ménager et mobilier et le logement.

Solliciter les services sociaux

Travailleuses familiales et aides ménagères

Une travailleuse familiale pourra intervenir gratuitement, de façon prioritaire, avec un crédit d'heures important. Il conviendrait d'éviter le changement trop fréquent de travailleuse familiale, afin de favoriser les meilleures relations de celle-ci avec les parents et les enfants. Une aide ménagère pourra, dans certains cas, compléter ou prolonger l'intervention de la travailleuse familiale.

Aide financière

Les Caisses d'allocations familiales pourront attribuer « une allocation pour naissances multiples », afin de permettre aux parents de recourir, suivant leurs besoins et leurs désirs, à l'aide d'une personne pour les seconder dans les soins aux enfants, de jour comme de nuit, et dans l'entretien du foyer (membre de la famille, assistante maternelle, employée de maison, etc.).

Cette aide financière pourra être versée soit sous forme d'une subvention globale, compensatrice des allocations prénatales, pour permettre l'installation des enfants aux foyers, soit sous forme d'une allocation mensuelle.

La création d'un comité scientifique

En 2003, la fédération a décidé de la création d'un comité scientifique à titre permanent, en vue de la réalisation des objectifs qu'elle s'est fixés : informations et défense des intérêts des parents d'enfants issus de naissances multiples. Les attributions du comité scientifique sont de nature consultative et assujetties à proposition sur des questions scientifiques auprès du conseil d'administration de la fédération.

Le comité scientifique et médical a pour vocation, par ses avis, d'aider la fédération « Jumeaux et plus » à prendre des décisions dans les domaines qui relèvent de la connaissance de la gémellité et de la défense des familles ayant des multiples.

La finalité du conseil est de formuler des recommandations et d'apporter des informations sur la gémellité, tant dans la prise en charge des grossesses de multiples que dans le développement biopsychosocial des enfants issus de naissances multiples. En ce sens, avec la collaboration du comité scientifique, la fédération a rédigé des demandes auprès de l'HAS (Haute Autorité en santé) pour que soient publiées des RPC (Recommandations pour la pratique clinique) sur le suivi des grossesses multiples, comme cela a été fait dans plusieurs pays, tel le Canada, afin d'harmoniser le suivi des grossesses multiples au niveau national. Par ailleurs, la fédération a édité avec le soutien du comité scientifique une plaquette d'information concernant la prématurité.

C'est également dans ce sens que le comité scientifique a organisé la première journée d'informations scientifiques sur la gémellité à destination des parents d'enfants issus de naissances multiples mais également pour toutes les personnes désireuses de s'informer sur le sujet.

Il donne son avis sur les éléments scientifiques des recherches concernant la gémellité. Dans ce cadre, il est consulté sur l'organisation et la mise en œuvre des recherches entreprises par la fédération ou entreprises en relation avec la fédération. Il formule des avis sur la pertinence de ces programmes de recherche, sur leurs niveaux et leurs lacunes éventuelles, en les situant par rapport aux autres études françaises ou internationales.

Le comité scientifique et médical examine les évolutions des sciences et des techniques liées à la gémellité. Il peut être consulté sur la diffusion de cette information, tant au sein qu'à l'extérieur de la fédération.

Il participe au développement des relations de la fédération « Jumeaux et plus » avec la communauté scientifique au niveau français et international. C'est donc une interface entre les familles ayant des multiples et le corps médical et scientifique.

Il est composé de représentants du monde médical ou de la société civile dont les recherches et/ou les publications sont en relation avec la gémellité, choisis en raison de leur compétence. Ce sont des médecins, obstétriciens, généticiens, psychologues, pédiatres, mais aussi des parents de multiples et des jumeaux adultes qui offrent bénévolement de leur temps au comité scientifique et à la fédération.

Les associations départementales « Jumeaux et plus »

Les adresses ci-dessous peuvent changer d'une année sur l'autre[1] et il est recommandé de s'adresser au secrétariat fédéral[2] pour connaître l'association « Jumeaux et plus » de son département.

■ **Ain**
37 B, chemin du Raffour Évron
01100 Martignat
Tél. 06 71 06 80 00

Siège social : Maison départementale des organismes familiaux
12 *bis*, rue de la Liberté – BP 93
01003 Bourg-en-Bresse Cedex

■ **Aisne**
89, rue du Pont
02310 Saulchery
Tél. 03 23 70 15 65

Siège social : Mairie - 02310 Saulchery

■ **Allier**
22, rue Notre-Dame
03100 Montluçon
Tél. 04 70 28 37 66

Siège social : même adresse.

■ **Hautes-Alpes**
La Montagne de Pelleautier
05000 Pelleautier
Tél. 04 92 57 97 26

Siège social : Mairie de Tallard
1, place du Général-de-Gaulle
05130 Tallard

■ **Alpes-Maritimes**
7, place Méjane
06560 Sophia Antipolis
Tél. 04 92 96 05 44

Siège social : 2, rue de la Tour-Magnan
06000 Nice

■ **Aube**
Maison de l'UDAF
34, rue Louis-Ulbach – BP 138
10004 TROYES Cedex
Tél. 03 25 46 17 31

Siège social : même adresse.

1. Mise à jour au 15 février 2005.
2. Adresse : 28, place Saint-Georges, 75009 Paris, Tél. 01 44530603 ; e-mail : infos@jumeaux-et-plus.asso.fr

■ **Aude**
10, rue Paul-Vieu – Bât. E
11100 Narbonne
Tél. 04 68 41 20 54

Siège social : UDAF de l'Aude
Rue Vaucanson
11850 Carcassonne Cedex 09

■ **Aveyron**
Salvignanes
12220 Roussennac
Tél. 06 65 43 29 79

Siège social : même adresse.

■ **Bouches-du-Rhône**
143, avenue des Chutes-Lavie
13013 Marseille
Tél. 04 91 10 06 32

Siège social : même adresse

■ **Calvados**
11, rue Pierre-Corneille
14440 Douvres-la-Délivrande
Tél. 02 31 74 79 07

Siège social : UDAF de Caen
12, rue de Courtonne
14000 Caen

■ **Charente**
UDAF les Chaumes de Crage – BP 1220
16602 Angoulême Cedex
Tél. 05 45 21 14 01

Siège social : UDAF
10, rempart de l'Est – BP 1220
16006 Angoulême Cedex

■ **Côte-d'Or**
11, impasse Docteur-Gressard
21000 Dijon
Tél. 03 80 42 80 46

Siège social : Maison des associations - BP 7
21068 Dijon Cedex

■ **Côtes-d'Armor**
11, Hent Park Haleg
22300 Lannion
Tél. 02 96 47 25 33

Siège social : UDAF
53, boulevard Hérault
22000 Saint-Brieuc

■ **Dordogne**
14, cours Saint-Georges
24000 Périgeux
Tél. 05 53 02 42 80

Siège social : Mairie de Saint-Astier
Rue Jules-Ferry
24110 Saint-Astier

■ **Doubs**
Maison de la Famille
12, rue de la Famille
25000 Besançon
Tél. 06 80 02 14 41

Siège social : même adresse.

■ **Drôme**
1278, rue Henri-Dunant
07500 Guilherand
Tél. 04 75 57 47 66

Siège social : UDAF
2, rue La Pérouse
26000 Valence

■ **Essonne**
19, rue Anthonioz-de-Gaulle
91200 Athis-Mons
Tél. 01 69 38 57 26

Siège social : UDAF
315, square des Champs-Élysées
91000 Évry

■ **Eure-et-Loir**
2, place du Chapitre
28300 Clévilliers
Tél. 02 37 32 09 65

Siège social : Mairie de Lucé
5, rue Jules-Ferry
28110 Lucé

■ **Finistère**
Maison pour Tous
5, quai Robert-Alba
29150 Châteaulin
Tél. 02 98 81 44 10

Siège social : même adresse.

■ **Gard**
Les jardins de Védian
1, impasse Queyrolles
30420 Calvisson
Tél. 04 66 51 46 20

Siège social : UDAF
60, rue André-Siegfried – BP 3063
30002 Nîmes Cedex 6

■ **Haute-Garonne**
10, rue Sainte-Geneviève
31500 Toulouse
Tél. 05 61 13 80 32

Siège social : 18, avenue des Mazades
31200 Toulouse

■ **Gers**
Senous
32270 Aubiet
Tél. 05 62 65 93 04

Siège social : même adresse.

■ **Gironde**
14, rue Paul-Camelle
33000 Bordeaux
Tél. 05 56 32 77 00

Siège social : UDAF
25, rue Francis-Martin
33000 Bordeaux

■ **Hauts-de-Seine**
UDAF – BP 30
92211 Saint-Cloud Cedex
Tél. 01 47 58 07 37

Siège social : même adresse.

■ **Hérault**
2 *ter*, boulevard Frédéric-Mistral
34740 Vendargues
Tél. 04 67 61 98 05

Siège social : même adresse.

■ **Ille-et-Vilaine**
12, rue du Général-Nicolet
35200 Rennes
Tél. 02 99 51 99 71

Siège social : Maison des Multi'Loustics
« Le local »
12, rue du Général-Nicolet
35200 Rennes

■ **Indre-et-Loire**
82, rue de la Morinerie
37700 Saint-Pierre-des-Corps
Tél. 02 47 44 83 32

Siège social : même adresse.

■ **Isère**
23, rue Victor-Hugo
38430 Moirans
Tél. 04 76 35 21 12

Siège social : Maison de la Famille
25, rue Voltaire
38200 Vienne

■ **Jura**
11, rue Confise
39270 Orgelet
Tél. 03 84 51 44 27

Siège social : UDAF
4, rue Edmond-Chapuis
39000 Lons-le-Saunier

■ **Landes**
55, rue de Saint-Pierre
40000 Mont-de-Marsan
Tél. 05 58 06 27 74

Siège social : UDAF
2, rue Dulaurier – BP 149
40003 Mont-de-Marsan Cedex

■ **Loire**
Les Trâches
43600 Sainte-Sigolène
Tél. 04 77 22 12 30

Siège social : même adresse.

■ **Haute-Loire**
UDAF
12, boulevard Philippe-Jourde
43000 Le Puy-en-Velay
Tél. 04 71 76 85 97

Siège social : même adresse.

■ **Loire-Atlantique**
Place du Calvaire
Les Mortiers
44120 Vertou
Tél. 02 40 46 10 33

Siège social : 35A, rue Paul-Bert
44039 Nantes Cedex 04

■ **Loiret**
5, place René-Cassin
45140 Ingre
Tél. 02 38 43 82 04

Siège social : Mairie d'Ingre
45140 Ingre

■ **Maine-et-Loire**
39, rue du 8-Mai
49124 Saint-Barthélemy-d'Anjou
Tél. 02 41 93 06 30

Siège social : même adresse.

■ **Manche**
35, allée des Platanes
50110 Tourlaville
Tél. 02 33 22 53 37

Siège social : UDAF
Rue Léon-Jouhaux
50000 Saint-Lô

■ **Marne**
BP 37
51766 Reims Cedex
Tél. 06 17 13 68 28

Siège social : même adresse.

■ **Mayenne**
La Morinière
Route d'Andouillé
53240 La Baconnière
Tél. 02 43 91 73 55

Siège social : UDAF
Rue des Docteurs Guérin et Calmette –
BP 1009
53000 Laval

■ **Meurthe-et-Moselle**
47, rue Raymond-Poincaré
54136 Bouxières-aux-Dames
Tél. 03 83 26 12 17

Siège social : Comité d'Expansion
Place Ferri
54710 Ludres

■ **Morbihan**
Céline Le Meledo
87, rue de la Bergerie
56700 Hennebont
Tél. 02 97 85 54 65

Siège social : même adresse.

■ **Nord**
27, rue des Marquillies
59480 La Bassée
Tél. 03 27 62 71 48

Siège social : Centre social d'Annappes
2, rue des Genêts
59650 Villeneuve-d'Ascq

■ **Oise**
BP 7
60240 Liancourt-Saint-Pierre
Tél. 03 44 47 63 03

Siège social : 13, rue de Chaumont
60240 Liancourt-Saint-Pierre

■ **Orne**
Mairie
61100 Saint-Georges-des-Groseilliers

Tél. 02 33 66 09 35

Siège social : Maison des Associations
61100 Saint-Georges-des-Groseiliers

■ **Pas-de-Calais**
Bâtiment A702
Rue du Cap-Blanc-Nez
Parc d'entreprises EUROCAP
62231 Coquelles
Tél. 03 21 00 93 03

Siège social : même adresse.

■ **Puy-de-Dôme**
13, rue Vivaldi
63430 Pont-du-Château
Tél. 04 73 87 38 89

Siège social : UDAF
2, rue Bourzeix
63000 Clermont-Ferrand

■ **Pyrénées-Atlantiques**
46, allée des Morlàs
64000 Pau
Tél. 06 63 38 13 83

Siège social : même adresse.

■ **Hautes-Pyrénées**
15, rue Pierre-Bonnard
65000 Tarbes
Tél. 05 62 34 09 40

Siège social :
18, rue du Pic-du-Midi
65000 Tarbes

■ **Bas-Rhin**
6, rue de Marlenheim
67000 Strasbourg
Tél. 03 88 22 21 63

Siège social : Maison des Associations
1 A, place des Orphelins
67000 Strasbourg

■ **Haut-Rhin**
4, rue de la Synagogue
68540 Bollwiller
Tél. 03 89 48 11 14

Siège social : UDAF
Rue Camille-Schlumberger
68000 Colmar

■ **Rhône**
Stéphanie Bury
108, rue Maryse-Berliet
69008 Lyon
Tél. 04 72 76 94 51

Siège social : UDAF
12 *bis*, rue Jean-Marie-Chavant
69007 Lyon

■ **Saône-et-Loire**
5 *ter*, rue Berthe-Morisot
71230 Saint-Vallier
Tél. 03 85 58 38 20

Siège social : UDAF
4 *bis*, boulevard de la Liberté
71000 Mâcon

■ **Sarthe**
UDAF
67, boulevard Winston-Churchill
72019 Le Mans Cedex
Tél. 02 43 86 65 40

Siège social : même adresse.

■ **Savoie**
125, rue du Mâconnais
73000 Chambéry-le-Haut
Tél. 04 79 96 05 22

Siège social : UDAF
Place du Forum – BP 948
73000 Chambéry

■ **Haute-Savoie**
Mairie
74140 Sciez
Tél. 04 50 85 15 94

Siège social : UDAF
3, rue Sommeiller
74000 Annecy

■ **Paris**
2, rue Henri-Ranvier
75011 PARIS
Tél. 01 43 70 03 31

Siège social : même adresse.

■ **Seine-Maritime**
47, rue Ferrer
76600 Le Havre
Tél. 02 35 26 00 06

Siège social :
7, rue Victor-Lesueur
76290 Montvilliers

■ **Seine-Maritime (Rouen)**
6, impasse des Hautes-Terres
76770 Houpeville
Tél. 02 35 59 85 23

Siège social : même adresse.

■ **Seine-et-Marne**
UDAF
13, boulevard Chamblain
77008 Melun Cedex
Tél. 06 85 79 66 16/01 60 06 60 42

Siège social UDAF « Jumeaux et plus 77 » :
même adresse.

■ **Seine-Saint-Denis**
60, allée Gambetta
93250 Villemonble
Tél. 01 41 50 02 03

Siège social : UDAF
69, rue d'Anjou
93011 Bobigny Cedex

■ **Deux-Sèvres**
36, rue André-Bellot
Chaban
79180 Chauray
Tél. 05 49 33 07 03

Siège social : UDAF
171, avenue de Nantes – BP 8519
79025 Niort Cedex

■ **Somme**
10, rue Haute-des-Tanneurs – BP 1015
80010 Amiens Cedex 1
Tél. 03 22 44 19 64

Siège social : même adresse.

■ **Tarn**
4 *bis*, rue Bernissard
81150 Marssac-sur-Tarn
Tél. 05 63 53 28 77

Siège social : UDAF
13, rue des Cordeliers
81000 Albi

■ **Var**
82, rue Émile-Zola
83200 Toulon
Tél. 04 94 06 33 47

Siège social : même adresse.

■ **Vaucluse**
10, avenue de la Gare
84420 Piolenc
Tél. 04 90 29 73 18

Siège social : même adresse.

■ **Vendée**
Céline Cauneau
1, rue des Cèdres
85170 Le-Poire-sur-Vie
Tél. 02 51 06 49 14

Siège social :
29, rue de la Brachetière
85170 Le-Poire-sur-vie

■ **Vienne**
4, rue des Fauvettes
86000 Poitiers
Tél. 05 49 51 71 78

Siège social : UDAF
24, rue de la Garonne
86000 Poitiers

■ **Haute-Vienne**
4, rue André-Dexet
87350 Panazol
Tél. 05 55 80 09 37

Siège social : UDAF
50, avenue d'Auvergne
23000 Guéret

■ **Vosges**
53 D, rue du Hohneck
88250 La Bresse
Tél. 03 29 25 68 81/06 78 81 44 26

Siège social : même adresse.

■ **Val-de-Marne**
10 A, quai Beaubourg
94100 Saint-Maur-des-Fossés
Tél. 01 55 96 39 88

Siège social : même adresse.

■ **Val-d'Oise**
58, rue du Petit-Sol
95800 Cergy
Tél. 01 30 38 94 70

Siège social :
5, rue du Lendemain
95800 Cergy

■ **Yonne**
6, rue Millot-Vinot
89550 Héry
Tél. 03 86 47 81 12

Siège social : UDAF
39, avenue de Saint-Georges
89015 Auxerre Cedex

■ **Yvelines**
Ferme des Ébisoires
Rue Paul-Langevin
78340 Plaisir
Tél. 01 30 54 04 89

Siège social :
BP 444
78004 Versailles Cedex

ASSOCIATIONS DANS LE MONDE

La gémellité est un monde fascinant. Ceci explique peut-être la multitude d'organismes divers qui existent autour des jumeaux, des multiples, de leur entourage et des interlocuteurs incontournables des milieux professionnels concernés.

Ces structures, de très simples à fort complexes, forment une gamme étendue d'associations au sens large. Les naissances gémellaires et multiples sont devenues un critère de regroupement de personnes partageant un même besoin biomédical. L'effet jumeau étonnera encore et fera avancer le débat sur le clonage d'embryons humains ou sur les droits de l'enfance. La portée de ce mouvement social révèle un renversement démographique et statutaire en faveur des « nés d'une même ventrée » (L'Hote, 1995 ; Savary et Gross, 1995).

Un aperçu restreint de leur nombre et de leur répartition géographique. En France : environ 60 associations et clubs. Au Canada : environ 64 associations anglophones et francophones. En Angleterre : plus de 220 associations. En Belgique : au minimum 4 structures. En Suisse : une vingtaine d'organismes qui couvrent trois des quatre langues utilisées dans le pays. Presque tous les pays d'Europe ont une ou plusieurs associations. Nous ne croyons pas que le Vatican en ait une, mais allez savoir, peut-être un jour... L'Amérique du Sud et le continent africain ont très peu d'associations.

On peut les répartir en trois grands groupes : les associations de parents, les associations de jumeaux et les associations de professionnels. Elles ont souvent des dénominations à rallonge, dont finalement l'acronyme est connu. Exemples : MBF, ISTS, POMPA, AMBA, TAMBA, CNJC, ZEC, ASMB, APJTRM, ITA, NOMOTC...

Association de professionnels : International Society of Twin Studies (ISTS)

Organisation apolitique, multidisciplinaire, scientifique, ses buts sont la recherche, l'information publique concernant les jumeaux et les multiples par le biais d'études pour le bénéfice des jumeaux, de leur famille et de la recherche scientifique en général. Elle a été fondée en 1974, lors du premier congrès international à Rome. Les membres peuvent être des individus ou des associations. La société publie un journal qui paraît quatre fois par an depuis janvier 1998 : *Twin Research*. Entre-temps, il y a des *Newsletters*. Tous les trois ans, ISTS organise un grand congrès où tous les membres sont invités, et régulièrement aussi des ateliers de travail concernant la méthodologie et les naissances multiples.

Les scientifiques ciblés par *Twin Research* sont des gynécologues-obstétriciens, néonatologistes, pédiatres, biologistes, épidémiologistes, généticiens, psychologues, démographes et statisticiens.

Pour la majorité de ces professionnels, la collaboration avec les associations de parents et de jumeaux est une réalité. À tel point que l'ISTS a une « section » particulière dénommée COMBO (Council of Multiple Birth Organisation) qui les réunit. En mai 1995, les membres ont voté une déclaration des droits et une charte des « besoins » pour les jumeaux et multiples. Elles permettent de stimuler le développement de prestations spécifiques pour les familles et rappeler les particularités de ce vécu spécifique.

Associations de parents

L'aide aux (futurs) parents, après l'annonce de l'arrivée de plusieurs bébés, est bienvenue : partage, entraide matérielle, compréhension, écoute, documentation, rencontres, réunions, visites, aides spécifiques, revendications, soutien moral, etc.

■ **ABC Club (Allemagne)**
Pour les parents de naissances multiples, avec des rencontres et un bulletin quatre fois par an.

■ **POMBA (Parents of Multiple Birth Association) (Canada)**
Fondée en 1978, elle regroupe 5 500 familles réparties dans 64 clubs et apporte un soutien aux familles avant, pendant, et après la naissance par le biais de *Newsletters*. Bénévolat uniquement. Un registre est établi.

■ **Svenstra Twillingklubben (Swedish Twin Society) (Suède)**
Fondée en 1993, informations et conseils pour les familles par le biais d'un magazine. Trois mille familles membres, avec l'aide de professionnels et une employée.

■ **JTMA (Japon)**
Fondée en 1968, 4 000 familles membres, sections de coordination dans les grandes villes, cette association couvre tout le pays ; groupe senior pour les mamans dont les jumeaux sont devenus adultes ; bulletin de 40 à 60 pages publié, une grande réunion annuelle, ligne téléphonique.

■ **Association Jumeaux (partie francophone de la Suisse)**
Créée en 1987, 300 familles membres. Toutes les personnes intéressées peuvent adhérer. Entraide, échanges et informations concernant les jumeaux et multiples. Publication d'un bulletin quatre à cinq fois par an et, de temps à autre, organisation de réunions régionales. L'aide des professionnels helvétiques arrive lentement.

■ **« Naissances multiples », « Jumeaux, jumelles… et pourtant bien différents » (Belgique)**
Pour les parents, il y a une probabilité assez grande de revendications de toutes sortes qui peuvent être un moteur de réunions associatives et d'adhésion à une cause commune régionale ou nationale. Exemples : délai de congé prolongé pour les périodes pré- et postnatales, aides financières concrètes, rabais octroyés pour l'achat en grande quantité, congé parental allongé, diminution de la fiscalité, priorité pour l'obtention d'un logement plus grand, obtention d'heures de travail à domicile, location/prêt de matériel, etc.

Associations de jumeaux

Elles accueillent également des fratries de multiples. Pas de revendications, mais l'envie de partager, de savoir que l'on n'est pas le seul couple à vivre cette situation, souvent avec la possibilité (non obligatoire) de participer à des études scientifiques. Souvent, aussi, de nombreux contacts avec les journalistes et les médias.

■ **CJE : Club de jumeaux européen (France)**
Fondé en 1983 : partager avec les autres ce qui fait la richesse de leur quotidien.

■ **Association internationale des jumeaux et triplés (Canada)**
Fondée en 1980, organisme à but non lucratif, visant à promouvoir les intérêts sociaux, culturels, intellectuels et spirituels des membres.

■ **Club hongrois**
Fondé à la suite d'une « convocation médicale ». Réunions d'abord mensuelles, puis de plus en plus espacées. Soirées à thèmes ou dansantes ou journées d'activités groupées (Metneki, 1997).

■ **Zwillings Verein (Suisse)**
30e rencontre annuelle en 2005.

Ces associations et clubs ne sont pas des ghettos. Ils permettent des échanges fructueux. La composition des « associés » est parfois bien mélangée et le classement ci-dessus est un peu aléatoire. Les attentes de part et d'autre sont nombreuses et le travail à accomplir, bénévolement pour la majorité, est encore riche pour l'avenir.

Autres registres ou manifestations

Registres des jumeaux en Europe

Il y en a 16 qui comportent de 250 à 70 000 couples de jumeaux. Ils sont répartis dans 9 pays. Ils regroupent des jumeaux de tous les âges.

Dans l'un de ces registres, il y a une série de 90 couples qui sont étudiés depuis 60 ans ! Dans un centre, c'est une série d'athlètes qui ont participé aux recherches. Les pays du Sud sont sous-représentés.

Les registres font progresser la science à travers de nombreux domaines.

Festivals et rencontres internationales de jumeaux et multiples

Le plus médiatisé et attirant le plus grand nombre de participants est Twinsburg (États-Unis). Il permet aux jumeaux de se « montrer » à la mode américaine. Il a été créé en 1976.

Pleucadeuc en France en est, en 2005, à sa 12e édition avec environ 500 fratries participantes. Ambiance de fête avec spectacles, jeux, animations, stands, soirée dansante et photo de groupe.

Au Canada, il vient de s'en créer un avec la participation d'environ 3 000 couples. Pleine réussite depuis la première édition (1998).

Rencontres internationales de triplés, quadruplés et quintuplés

C'est une initiative du ABC Club (Allemagne) et les réunions ont eu lieu à l'occasion des inaugurations des nouveaux télésièges (de 3 et 4 places !) à Savognin (Suisse). Organisés sur des week-ends entiers. En 1985, il y avait 33 triades présentes. En 1988, 43 triades, 5 fratries quadruples et une fratrie quintuple participaient aux slaloms parallèles. En soirée, conférence, musique et danse au programme. Le dimanche était réservé aux contacts familiaux.

Magazines commerciaux

Zwillinge (allemand), *Twins World* (anglais). Il n'y en a plus en français en 2005, après une expérience courageuse entre 2000 et 2002.

Coordonnées

— ISTS, secrétariat général : Jennifer Harris, Dept. of Genes and Environment, Division of Epidemiology, The Norwegian Institute of Public Health, P.O. Box 4404, Nydalen, N-0403 Oslo, Norway et Behavioral and Social Research Pro-

gram, The National Institute of Aging, Gateway Building, Room 533, 7201 Wisconsin Avenue, Bethesda, MD 20892-9205, USA. E-mail : harrisje@nia.nih.gov ou Jennifer.harris@fhi.no
— Association Jumeaux, Sabine Herbener, Ch. de Ballallaz 18, CH-1820 Montreux (Suisse), tél. 021/963 1021, site Internet : www.jumeaux.com (pas commercial), e-mail : s.herbener@freesurf.ch ou info@jumeaux.com
— CJE, Marie Vier, 6, rue Gare, 77570 Château-Landon (France), tél. 01 64 78 79 45

Autres associations

■ **ABC Club**
Bethlehemstrasse, 8 - 30451 Hannover - Allemagne - Tél. 0511-2151945

■ **Naissances multiples**
Avenue Hulet, 17 - 1332 Genval - Belgique - Tél. 02-652 01 81

■ **Jumeaux, jumelles...**
Liliane Huberty - Rue du Travail, 52 - 4420 Montegnée - Belgique
Tél. 04-234 40 95

■ **Multiple Birth Families Association**
Anciennement Ottawa Twin's Parents Association - P.O. BOX 5532, Station F - Ottawa, Ontario K2C 3M1 - Canada - www.mbfa.ca

■ **Naissances multiples Canada**
Case postale 432 - Wasaga Beach Ontario L9Z 1A4 - Canada
www.multiplebirthscanada.org

■ **Tamba**
2, The Willows Gardner Road - Guildford - Surrey GU1 4PG
Tél. 08 70 770 33 05 - www.tamba.org.uk

ACHAT OU LOCATION DE MATÉRIEL

Certains équipements collectifs ne sont pas prévus pour les familles d'enfants multiples (trottoirs et ascenseurs trop petits par exemple). En fonction de chaque famille, il est important de bien réfléchir au choix d'un matériel de puériculture adapté. C'est un des rôles des associations que de conseiller et d'aider à l'acquisition ou au prêt de matériel qui convienne à chaque famille. Il est important de prévoir vos achats.

Landau et poussette

Bien réfléchir à son usage : rentrera-t-il dans l'ascenseur, dans la voiture, dans l'immeuble, à la place de jeux... Le cas est différent selon que l'on habite en ville ou à la campagne.

Comparer plusieurs types de modèles : « côte à côte », « face à face », pliage, longueur, largeur, poids, maniabilité, modulable, etc.

Penser à l'achat de matériel d'occasion. Visiter les bourses organisées par les associations.

Deux nacelles/sièges distincts dans l'inclinaison sont préférables à un seul nacelle/siège/hamac double.

Autres solutions : 1 landau simple et 1 porte-bébé/écharpe, puis une poussette d'enfants d'âges rapprochés (= 1 seul enfant peut être en position allongée).

Version triple : bien se renseigner, voir si on peut réellement allonger les bébés.

Version quadruple : euh... Les parents choisissent deux modèles jumeaux !

Berceau et transat

Préférer dès la naissance un berceau ou un lit pour chaque enfant, même si les bébés sont petits et peuvent « tenir » dans le même espace. De même, pour le transat ou baby-relax : en prévoir 2. Les nacelles de poussette, les couffins et les coques auto ne servent pas de lit !

Parc

L'expérience montre que son utilisation est de courte durée car les enfants manquent vite de place et se gênent dans un parc de dimension standard. Il existe aussi chez certains fabricants des « aires de jeu » toutes faites avec des panneaux modulables. La plupart des parents adoptent plutôt un aménagement particulier de leur maison (construction d'une barrière « sur mesure » par le papa bricoleur, par exemple) afin d'offrir aux enfants un espace plus grand tout en préservant le leur ! Un « attrape-nigaud » commercial : le modèle double ou jumeaux qui n'est pas plus grand que le modèle standard, mais plus cher !

Siège auto

Deux, trois, quatre sièges auto individuels. Vérifier que tout rentre bien à l'arrière surtout si un enfant aîné doit aussi s'y asseoir. Dans tous les cas, penser à la sécurité.

Certains modèles sont adaptables sur le châssis de la poussette double/multiple. Pratique, mais l'emploi doit alors rester de courte durée (le bébé n'est pas en position allongée dans un siège coque, sauf rares exceptions).

Annexes

LES DIFFÉRENTS NIVEAUX DE MATERNITÉ

Pathologies prises en charge selon le niveau de la maternité

Maternités de niveau I

Elles assurent la prise en charge des grossesses en cas d'absence de risque identifié (90 % des parturientes), et des soins pédiatriques courants :
— surveillance des enfants eutrophiques,
— dépistages usuels,
— allaitement maternel.

En cas d'apparition d'une pathologie maternelle et/ou fœtale la parturiente sera orientée vers une structure adaptée.

Elles doivent également pouvoir prendre en charge immédiatement une détresse néonatale, dans l'attente de son transfert.

Maternités de niveau II

Elles concernent les grossesses à haut risque fœtal ; le service de néonatologie doit prendre en charge les nouveau-nés dont le risque pédiatrique est défini comme suit :
— nouveau-nés hypotrophes à terme de poids > 1 500 g,
— nouveau-nés de mère diabétique,
— enfants présentant un syndrome de sevrage,
— difficultés d'alimentation,
— hypocalcémie,
— souffrance fœtale aiguë sans caractère de gravité,
— prématurés > 32 SA sans pathologie respiratoire notable,
— infection néonatale avec état hémodynamique conservé,
— nécessité d'une surveillance en raison d'une pathologie ou d'un traitement maternel particulier,
— nouveau-nés venant d'un service de réanimation néonatale.

Le service de néonatologie doit pouvoir prendre en charge une ventilation assistée et débuter un traitement adapté en attendant le transfert.

Maternités de niveau III

Leur mission est d'accueillir les grossesses pathologiques *à très haut risque* materno-fœtal. Les unités de réanimation néonatale prendront en charge :
— les prématurés < 32 SA et/ou de poids < 1 500 g,
— les syndromes apnéiques graves du prématuré,
— les défaillances cardiovasculaires néonatales,
— les iso-immunisations graves,
— les convulsions néonatales,
— les syndromes hémorragiques.

Les décrets du 9 octobre 1998 incitent les établissements pratiquant l'obstétrique, la néonatologie et la réanimation néonatale à s'inscrire dans le cadre de réseaux de soins régionaux favorisant la coopération entre ces structures. L'adhésion à un réseau est fondée sur le volontariat. Actuellement, toutes les maternités de France travaillent ensemble, dans le cadre de réseaux de périnatalité. Ce système permet aux enfants de naître dans des maternités adaptées à leur niveau de risque (voir « Les trois niveaux de soins des maternités », page 38).

LE DIAGNOSTIC DE ZYGOSITÉ

Pourquoi déterminer la zygosité à la naissance ?

Déterminer la zygosité à la naissance peut être réalisé dans plusieurs buts.

- *Satisfaire une curiosité* bien légitime, de la part des parents.
- *Intérêt psychologique* : comme l'indique le docteur Derom, « chaque individu doit pouvoir s'identifier, ce qui signifie en particulier se situer par rapport à son entourage[1] ». Ainsi vis-à-vis de son jumeau, de ses parents, de l'entourage et surtout vis-à-vis de lui-même, il semble essentiel qu'un jumeau connaisse sur le plan génétique la nature du lien gémellaire. Certains auteurs insistent sur l'intérêt éducatif de la reconnaissance précoce du type de gémellité.
- *Intérêt scientifique* : l'étude de jumeaux est une branche de la génétique. La connaissance de la zygosité pourrait permettre des études beaucoup plus précises en médecine et en anthropologie.
- *Intérêt médical* : les premières transplantations d'organes se sont faites entre jumeaux monozygotes. La susceptibilité à certaines maladies présente un déterminisme héréditaire et devant la maladie d'un jumeau le risque de l'autre dépend de sa zygosité.

Comment déterminer la zygosité à la naissance ?

Le sexe

Les jumeaux de sexes différents sont évidemment dizygotes.

Les membranes ovulaires

La placentation et sa relation avec la zygosité sont décrites dans « Les faux jumeaux ont-ils toujours deux placentas ? », page 19. Les membranes ovulaires sont analysables pendant la grossesse par l'échographie et après la naissance lors de l'examen du placenta. On distingue :

1. R. Derom, R. Vlietinck, C. Derom, M. Thiery, « Comment différencier les jumeaux mono- et dizygotes ? », *Prog. Neonat.*, 1988, 8, p. 245-256.

— le placenta monochorial, soit diamniotique soit monoamniotique : les jumeaux sont toujours monozygotes ;
— le placenta dichorial : les jumeaux sont soit dizygotes, soit monozygotes. Deux tiers des jumeaux monozygotes ont un placenta monochorial.

L'avis du spécialiste :

« L'examen des membranes ovulaires permet donc un diagnostic précis dans un nombre substantiel de cas. C'est aussi le seul moyen certain d'identifier les jumeaux monozygotes. Toutes les autres méthodes ne permettent de conclure à la monozygosité qu'avec une probabilité plus ou moins grande, probabilité qui peut s'approcher de la certitude, mais ne l'atteindra en principe jamais. »

Professeur Robert Derom, Gand, Belgique

Les marqueurs génétiques

Deux différences entre marqueurs génétiques établissent la preuve de la dizygosité. On ne peut conclure que si deux marqueurs sont différents, car la différence au niveau d'un seul marqueur peut être liée à une erreur de laboratoire. Si la différence au niveau d'un seul marqueur est trouvée, l'examen doit être répété. Si un ou plusieurs marqueurs génétiques sont identiques, la probabilité de monozygosité doit être calculée.

Les marqueurs utilisés sont les groupes sanguins et l'ADN placentaire.

Pour l'analyse des groupes sanguins, un échantillon de sang doit être prélevé à la naissance au cordon dans la veine ombilicale, dans un des vaisseaux sanguins visibles sur la surface fœtale du placenta, ou par une prise de sang chez le nouveau-né. Les groupes courants sont étudiés : ABO, Rhésus, MNS, Kell P et Duffy.

Le placenta est riche en ADN. L'extraction et la purification ne présentent pas de grandes difficultés techniques. La détermination de la zygosité par l'analyse de l'ADN offre plusieurs avantages par rapport aux méthodes classiques :
— le tissu placentaire, riche en ADN, peut être conservé au congélateur pendant longtemps ; l'analyse peut donc être différée ;
— le nombre de polymorphismes est illimité. La précision du diagnostic de zygosité peut être augmentée à volonté.

Chez les jumeaux plus âgés pour lesquels on ne dispose pas de tissu placentaire, l'ADN peut s'extraire de différents tissus ; grâce aux techniques d'amplification du génome, l'ADN extrait d'échantillons de salive buccale permet de faire le diagnostic de la zygosité.

Le coût moyen du phénotypage érythrocytaire (groupes sanguins) exécuté en double détermination approche 250 euros par couple de jumeaux. Le coût d'un diagnostic reposant sur l'étude de l'ADN est estimé à 300 euros par couple de jumeaux. Toutefois, aucun laboratoire français n'offre ce diagnostic aux parents ou aux jumeaux intéressés.

Dans les études scientifiques, la détermination de l'ADN placentaire est trop coûteuse pour être exécutée chez tous les sujets. Les méthodes les plus simples doivent être mises en œuvre dans un premier temps : sexes, étude des membranes ovulaires, et groupes sanguins. En effet, à quoi bon étudier l'ADN placentaire de deux jumeaux de sexes différents ?

Si l'on tient compte du nombre de chorions et des différences de sexe, il est possible de préciser la zygosité (c'est-à-dire de distinguer les MZ et DZ) dans près de 60 % des cas. Si on ajoute l'étude des groupes sanguins, ce sont 80 % des jumeaux qui peuvent être caractérisés à la naissance. Le problème se pose donc pour les 20 % des cas restants. C'est sur ces 20 % qu'on appliquera les techniques de biologie moléculaire.

Il existe d'autres techniques pour effectuer le diagnostic de zygosité.

Les moins performantes et les moins coûteuses reposent sur les dermatoglyphes (empreintes digitales) ou des échelles comportementales (questionnaires) effectués chez des enfants ou des adultes.

Comment déterminer la zygosité pendant la grossesse ?

On ne cherche pas à faire ce diagnostic dans la pratique médicale habituelle car il n'existe pratiquement aucun intérêt médical à connaître la zygosité pendant la grossesse.

On pourrait facilement le faire à partir d'un prélèvement de liquide amniotique ou de trophoblaste. Mais pourquoi prendre le risque d'un avortement lié aux prélèvements pour un examen sans intérêt médical pendant la grossesse ?

En revanche, la notion de chorionicité ou type placentaire est utile et même indispensable pour l'obstétricien qui suit une grossesse gémellaire. La connaissance de la zygosité n'apporterait rien de plus. Toutefois, l'information concernant les sexes est disponible très tôt grâce à l'échographie, de même que le type chorial.

Les jumeaux de sexes différents sont DZ. Les jumeaux monochoriaux, qu'ils soient bi- ou monoamniotiques, sont MZ.

Quant aux jumeaux de sexe identique et de placenta bichorial : mystère... Il faudra attendre pour savoir...

Questionnaire de ressemblance des jumeaux à 3 mois

En 1975, une équipe de chercheurs a construit un questionnaire de zygosité destiné à être rempli par les parents et portant sur les comportements de l'enfant. Nous avons réalisé une version française de ce questionnaire adapté à des enfants de 3 mois. Sa validité a été déterminée à partir du diagnostic biologique et nous pouvons considérer que ce questionnaire fonctionne assez bien. Il a été mis au point pour les besoins d'une étude qui s'intitulait « Projet Romulus ». Vous pourrez vous amuser à le remplir 3 mois après la naissance de vos enfants. Toutefois, nous ne prétendons pas rivaliser avec l'ADN.

Date : ....

Nom : ....

Dates de naissance des jumeaux(elles)

A : prénom : .... date :.......................

B : prénom : .... date : ....

Poids à 3 mois : A .... g B .... g date pesée : ....

Taille à 3 mois : A .... cm B .... cm date mesure : ....

---

a – Les jumeaux se ressemblent-ils beaucoup dans leur aspect général (ils se ressemblent comme « deux gouttes d'eau ») ?

OUI ☐ NON ☐

---

b – Les jumeaux se ressemblent-ils :

- normalement comme de simples frères et sœurs ? .... ☐
- plus que comme de simples frères et sœurs (ils se ressemblent de manière frappante) ? .... ☐

---

c – Les jumeaux ont-ils :

- la même couleur de cheveux ? .... ☐
- la même couleur des yeux ? .... ☐
- la même forme des lobes d'oreilles ? .... ☐
- la même forme du nez ? .... ☐

---

d – Ont-ils déjà été pris l'un pour l'autre par des membres de la famille ou des amis ?

OUI ☐ NON ☐

Si OUI, précisez :

- le père .... ☐
- la mère .... ☐
- d'autres membres de la famille .... ☐

Ont-ils déjà été pris l'un pour l'autre par des personnes étrangères à la famille ?

OUI ☐ NON ☐

---

e – Les jumeaux se ressemblent-ils tellement qu'on ait eu besoin d'utiliser des marques extérieures pour ne pas les prendre l'un pour l'autre ?

OUI ☐ NON ☐

---

f – Vous-même, pensez-vous que ce sont :
- des jumeaux « vrais » (issus du même œuf) ? ☐
- des « faux jumeaux » (issus de 2 œufs) ? ☐
- je ne sais pas ? ☐

---

g – Au fur et à mesure que vos enfants grandissent, comment évoluent leurs ressemblances ?
- ils deviennent de plus en plus semblables ☐
- ils deviennent de plus en plus différents ☐
- ils se ressemblent tout autant ☐
- ils sont tout autant différents ☐

---

h – Vous a-t-on donné, à la maternité, des informations sur le placenta (une ou deux poches, etc.) ?

OUI ☐ NON ☐

---

i – Pensez-vous qu'il soit important de savoir si les jumeaux sont « vrais » ou « faux » ?
- pour les parents OUI ☐ NON ☐
- pour les jumeaux eux-mêmes OUI ☐ NON ☐

---

j – Qui a rempli le questionnaire ?
- la mère ☐
- le père ☐
- autre (qui ?) ☐

GLOSSAIRE

Aménorrhée : absence de règles.

Amnios : membrane limitant à sa face interne la cavité amniotique de l'œuf, accolée au chorion.

Anastomose : communication entre deux vaisseaux sanguins. On distingue les anastomoses entre deux artères ou entre deux veines, ou entre une artère et une veine. Les anastomoses placentaires se rencontrent dans les grossesses monochoriales, mais pas dans les grossesses bichoriales.

Biamniotique : la cloison séparant les deux fœtus comporte deux amnios. La grossesse est alors soit monochoriale, biamniotique, la cloison est fine et faite de deux feuillets accolés (amnios), ou épaisse faite de quatre feuillets accolés (deux chorions et deux amnios), la grossesse est alors bichoriale, biamniotique.

Bichoriale : la cloison séparant les deux fœtus se compose de quatre feuillets : deux amnios et deux chorions.

Blastocyste : chez les mammifères, stade embryologique de développement de l'œuf qui est creusé d'une cavité et correspond au moment de l'implantation dans la paroi utérine.

Chorion : chez les mammifères, membrane extérieure de l'œuf accolée à l'amnios.

Dizygote : qualifie chacun des deux jumeaux provenant de deux zygotes différents et par conséquent ne possédant pas un patrimoine héréditaire identique.

Fécondation *in vitro* : cette technique est la réalisation de la fécondation, c'est-à-dire de la rencontre entre l'ovocyte et le spermatozoïde au laboratoire. Le ou les embryons obtenus sont replacés dans l'utérus. Ce replacement a pour nom transfert embryonnaire.

FSH : Follicle Stimulating Hormone. Hormone sécrétée par l'hypophyse à la base du cerveau et commandant la maturation de l'ovocyte.

Gamète : terme générique désignant toute cellule reproductrice sexuée, mâle ou femelle, avant la fécondation.

Gémellité : développement simultané de deux embryons.

Gémellologie : ensemble des études scientifiques entreprises sur les jumeaux.

Hypotrophie : insuffisance de poids et de taille par rapport à l'âge gestationnel.

Longueur craniocaudale (LCC) : distance comprise entre le sommet du crâne et les fesses chez l'embryon au premier trimestre de la grossesse. Mesurée en échographie, la longueur craniocaudale est en relation très précise avec l'âge gestationnel ; sa mesure permet donc de déterminer la date théorique de début de la grossesse à plus ou moins trois jours.

Lyse : destruction.

Monoamniotique : grossesse caractérisée par la présence d'un seul amnios et donc par l'absence de cloison séparant les deux fœtus.

Monochoriale : grossesse caractérisée par la présence d'un seul chorion. On distingue les grossesses monochoriales monoamniotiques (absence de cloison séparant les deux jumeaux) et les grossesses monochoriales biamniotiques (présence d'une cloison fine séparant les deux jumeaux et composée de deux amnios).

Monozygote : qualifie chacun des deux jumeaux provenant d'un seul zygote secondairement dédoublé pour former deux embryons qui possèdent par conséquent le même patrimoine héréditaire.

Prématurité : enfant né viable avant la date théorique de l'accouchement.

Retard de croissance intra-utérin (RCIU) : ce retard de croissance aboutit à un poids de naissance trop faible comparé aux chiffres des tables de poids réalisées à partir de grossesses uniques.

Syndrome transfuseur-transfusé (STT) : pathologie affectant les grossesses monochoriales dans 15 % des cas, caractérisée par le passage de sang au niveau des anastomoses d'un jumeau (transfuseur) vers l'autre (transfusé).

Trophoblaste : couche périphérique extra-embryonnaire du blastocyste qui permet l'implantation de l'œuf fécondé à la suite de la lyse de la muqueuse utérine, et constitue ultérieurement la couche superficielle des villosités placentaires.

Vanishing twin **:** on parle de *vanishing twin* en cas de disparition spontanée d'un embryon ayant eu une activité cardiaque ; cette définition exclut le cas de l'œuf clair ou de fausse couche très précoce avant activité cardiaque.

Villosités choriales : villosités s'ébauchant dans l'espèce humaine vers le quinzième jour de la gestation. Elles s'arborisent puis hérissent toute la surface du chorion depuis la fin de la troisième semaine jusque vers la fin du deuxième mois, moment à partir duquel elles ne continuent à se développer que dans le placenta alors que le reste du chorion devient lisse.

Zygote : mot d'origine grecque, signifie œuf.

BIBLIOGRAPHIE

AKERMAN B. A., *The Psychology of Triplets, in* A. C. Sandbank, New York, Routledge, 1999, p. 100-118.

ANCEL P.-Y., « Menace d'accouchement prématuré et travail prématuré à membranes intactes : physiopathologie, facteurs de risque et conséquences », *J. Gynecol. Obstet. Biol. Reprod.*, 2002, 31 (supplément au n° 7), p. 5S10-5S21.

ARABIN B., BOS R., RIJLAARSDAM R. *et al.*, « The Onset of inter human contacts : longitudinal ultrasound observations », *Early Twin Pregnancies. Ultrasound Obstet. Gynecol.*, 1996, 8, p. 166-173.

AUDIBERT F., VIAL M., TAYLOR S. *et al.*, « Régionalisation des soins périnatals et transfert *in utero* », *Presse Med.*, 1999 ; 38 (28), p. 2109-2112.

BELAISCH-ALLART J., « Peut-on vraiment prévenir les grossesses multiples hors FIV ? », *in* J.-C. Pons, C. Charlemaine et É. Papiernik (éd.), *Les Grossesses multiples*, Paris, Flammarion, « Médecine-Sciences », 2000.

BENACHI A., et PONS J.-C., « Is the route of delivery a meaningful issue in twins ? », *Clin. Obstet. Gynecol.*, 1998, 41, p. 31-35.

BILLOT R., *Le Guide des jumeaux. De la conception à l'adolescence*, Paris, Balland, « Guide », 2002.

BOMSEL-HELMREICH O. et AL-MUFTI W., « Mécanismes des grossesses gémellaires et multiples », *in* J.-C. Pons, C. Charlemaine et É. Papiernik (éd.), *Les Grossesses multiples*, Paris, Flammarion, « Médecine-Science », Paris, 2000, p. 3-9.

CABROL D., PONS J.-C. et GOFFINET F., *Traité d'obstétrique*, Paris, Flammarion, « Médecine-Sciences », 2003.

CARTRY N., « Introduction », *in La Notion de personne en Afrique noire*, Paris, CNRS, 1973, p. 15-32.

CHANGEUX J.-P. et DANCHIN A., « Selective stabilisation of developing synapses as a mechanism for the specification of neuronal networks », *Nature*, 1976, 23-30 décembre, 264 (5588), p. 705-712.

CHARLEMAINE C., DUYME M., GUIS F., CAMOUS B., BROSSARD Y., AURENGO A., LE GROUPE ROMULUS, Frydman R. et Pons J.-C., « Twin differences and similarities of birthweight and term in the french Romulus population », *Acta Genet. Med. Gemellol.*, 1998, 47, p. 1-12.

CHARLEMAINE C., DUYME M., AUBIN J. T., GUIS F., MARQUISET N., DE PINIEUX I., BROSSARD Y., STRUB N., JARRY G., LE GROUPE ROMULUS, FRYDMAN R. et PONS J.-C., « Twin zygosity diagnosis by mailed questionnaire below age twelve months », *Acta Genet. Med. Gemellol.*, 1997, 46, p. 147-156.

CHARLEMAINE C., DUYME M., CAPRON C., EMOND M., LE GROUPE ROMULUS, FRYDMAN R., VILLE Y. et PONS J.-C., « Fidélité de la mesure du diamètre bipariétal et application à des données gémellaires », *Bull. et Mém. de la Société d'anthropologie de Paris*, n.s.t. 8, 1996, 1-2, p. 27-42.

CHARLEMAINE C., DUYME M., VILLE Y., AURENGO A., TREMBLAY R., FRYDMAN R. et PONS J.-C., « Fetal biometrics parameters, twin type and birth weight difference : a longitudinal study », *European Journal of Obstetrics & Gynecology and Reproductive Biology*, 2000, 93, p. 27-32.

CHARLEMAINE C. et PONS J.-C., « What monozygotic twins tell us about genetic determinism ? », *Race Gender Class*, 1998, 5, p. 12-40.

CHARLEMAINE C., PONS J.-C. et DUYME M., « Les jumeaux identiques sont-ils identiques : mythes et approches scientifiques », *Neuropsychiatrie de l'enfance et de l'adolescence*, 1998, 46 (1-2), p. 7-19.

CHARLEMAINE C., DUYME M., DUBREUIL E., CLAUZEL J.-P., BROSSARD Y., AURENGO A., VILLE Y., LE GROUPE ROMULUS, FRYDMAN R. et PONS J.-C., « Biparietal diameter in twins at gestational weeks 18-22. Differences and similarities », *The Journal of Reproductive Medicine*, 1997, 42, p. 725-730.

CHEMECHE G., *Ibeji, le culte des jumeaux Yoruba*, Milan, Cinq continents éditions, 2003.

CHITRIT Y., FILIDORI M., PONS J.-C., DUYME M., PAPIERNIK É., « Perinatal mortality in twin pregnancies : a 3-year analysis in Seine-Saint-Denis (France) », *Eur. J. Obstet. Gynecol. Reprod. Biol.*, 1999, 86, p. 23-28.

COMMELIN P., *Mythologie grecque et romaine*, Paris, Garnier Frères, 1960.

DEROM R., VLIETINCK R., DEROM C. et THIERY M., « Comment différencier les jumeaux mono- et dizygotes ? », *Prog. Neonat.*, 1988, 8, p. 245-256.

GAREL M. et BLONDEL B., « Problèmes psychologiques et sociaux posés par la naissance de triplés : bilan à un an », *Contracept. Fertil. Sex.*, 1993, 31, p. 57-63.

GAREL M., CHAVANNE E. et BLONDEL B., « Devenir des mères de triplés deux ans après l'accouchement. Résultats d'une étude longitudinale », *Contracept. Fertil. Sex.*, 1994, 22 (6), p. 414-417.

GARITTE C., « Le langage des jumeaux. Une spécificité langagière en voie de disparition », *Le Journal des psychologues*, 2001, 188, p. 38-43.

GELIS J., *Accoucheur des Campagnes sous le roi Soleil, le traité d'accouchement de G. Mauquest De La Motte*, Toulouse, Privat, 1979.

GELIS J., *L'Arbre et le fruit, la naissance dans l'Occident moderne (XVIe-XIXe siècle)*, Paris, Fayard, 1984.

GILMORE J. H., PERKINS KLIEWER M. A. *et al.*, « Fetal brain development of twins assessed in utero by ultrasound implications for schizophrenia », *Schizophrenia Research*, 1996, 19, p. 141-149.

GOULD et PYLE, *Anomalies and Curiosities of Medecine*, Londres, 1897.

GUTTMACHER A. F., « The incidence of multiple births in man and some other unipara », *Obstet. Gynecol.*, 1953, 2, p. 22-35.

HUBIN-GAYTE M., « Jumeaux d'ailleurs et de tout temps », *Journal des psychologues*, 2001, p. 22-26.

JOSSE D. et ROBIN M., « La prénomination des jumeaux : effet de couple, effet de mode ? », *Enfance*, 1990, 3 (4), p. 251-261.

JOUBERT L., *Erreurs populaires et propos vulgaires touchant la médecine et le régime de santé*, Bordeaux, S. Milanges, 1579, p. 226-227.

KEITH L. G., PAPIERNIK É., KEITH D. et LUKE B., *Multiple Pregnancy : Epidemiology, Gestation & Perinatal Outcome*, Londres, The Parthenon Publishing Group, 1995.

KLEIN B. S., *Not all are alike. Psychological Profile of Twinship*, Wesport, Praeger, 2003.

L'HOTE L., « "La gémellité sociale". Étude des rassemblements de jumeaux en Occident », DEA d'ethnologie et sociologie comparative, Nanterre-Paris-X, 1995, non publié.

LANGENEY A., *Le Sexe et l'innovation*, Paris, Le Seuil, 1979.

LEPAGE F., *Les Jumeaux*, Paris, Robert Laffont, « Réponses », 1980.

MACHIN G. A. et STILL K., « The twin-twin transfusion syndrome : vascular anatomy of monochorionic placentas and their clinical contents », *in* L. G. Keith, É. Papiernik, D. M. Keith et B. Luke, *Multiple Pregnancy : Epidemiology, Gestation & Perinatal Outcome*, New York, The Parthenon Publishing Group, 1995, p. 367-394.

MAURICEAU F., *Des maladies des femmes grosses et accouchées*, Paris, 1668.

METNEKI J., *Ikerk Kônyve*, Budapest, Édition Melania Kft, 1997.

MORTIMER G., « Zygosity and placental structure in monochorionic twins », *Acta Genet. Med. Gemellol.*, Rome, 1987, 36, p. 417-420.

NYLANDER P. S., « Ethnic differences in twinning rates in Nigeria », *J. Biosoc. Sci.*, 1971, 3, p. 151-157.

OSBOURNE C. K., PATEL N. B., « An assessment of perinatal mortality in twin pregnancies Dundee », *Acta Genet. Med. Gemellol.*, 1985, 34, p. 193-199.

PAPIERNIK É., TAFFOREAU J., RICHARD A., PONS J.-C. et KEITH L. G., « Perception of risk, choice of maternity site, and socio-economic level of twin mothers », *J. Perinat. Med.*, 1997, 25, p. 139-145.

PEU Ph., « La pratique des accouchements », Paris, 26 janvier 1694, cité dans Gelis J., *L'Arbre et le fruit, la naissance dans l'Occident moderne (xvie-xixe siècle)*, Paris, Fayard, 1984.

PHILIPS D. J. W., « Twin studies in medical research », *Lancet*, 1993, p. 342-352.

PIONTELLI A., « A study on twins before and after birth », *International Review of Psycho-Analysis*, 1989, 68, p. 453-463.

PISON G., « Les jumeaux en Afrique au sud du Sahara : fréquence, statut social et mortalité », *in* G. Pison, E. Van de Walle et N. Sala Diakanda, *Mortalité et société en Afrique*, Paris, PUF, 1989, p. 245-269 (Cahier de l'INED n° 124).

PONS J.-C., *L'Accouchement*, Paris, PUF, « Que sais-je ? », 1995 ; 2e édition, 1997.

PONS J.-C., *Les Nouvelles Grossesses*, Paris, PUF, « Questions », 1995.

PONS J.-C., CHARLEMAINE C. et PAPIERNIK É., *Les Grossesses multiples*, Paris, Flammarion, « Médecine-Sciences », 2000.

PONS J.-C., VENDITTELLI F., LACHCAR P., *L'IVG et sa prévention*, Paris, Masson, 2004.

PONS J.-C. et PERROUSE-MENTHONNEK K., *Soigner la femme enceinte*, Paris, Masson, « Abrégés », 2005.

PONS J.-C., BOMSEL-HELMREICH O., LAURENT Y. et PAPIERNIK É., « Epidemiology of multiple pregnancies », *Fetal Diagn. Ther.*, 1993, 8, p. 352-365.

PONS J.-C., LAURENT Y., SELIM D. et PAPIERNIK É., « Management of triplet and higher order pregnancies », *in* L. Keith, É. Papiernik, D. Keith et B. Luke, *Multiple pregnancy*, New York-Londres, The Parthenon Publishing Group, 1995, p. 535-549.

PONS J.-C., DOMMERGUES M., AYOUBI J. M., GELEBART M. et PAPIERNIK É., « Delivery of the second twin : comparison of two approaches », *Eur. J. Obstet. Gynecol. Reprod. Biol.*, 2002, 104, p. 32-39.

PONS J.-C. et HOFFMANN P., « Recommandations pour la pratique clinique : la césarienne a-t-elle une indication en cas de grossesse gémellaire », *J. Gynecol. Obstet. Biol. Reprod.*, 2000, 29, p. 40-50.

PONS J.-C., CHARLEMAINE C., DUBREUIL E., PAPIERNIK É. et FRYDMAN R., « Management and outcome of triplet pregnancy », *Eur. J. Obstet. Gynecol. Reprod. Biol.*, 1998, 76, p. 131-139.

PONS J.-C., NEKHLYUDOV L., DEPHOT N., LE MOAL S. et PAPIERNIK É., « Management and outcome of 65 quadruplet pregnancies : sixteen years' experience in France », *Acta Genet. Med. Gemellol.*, 1996, 45, p. 367-375.

PRICE B., « Primary biases in twin studies. A review of prenatal and natal difference-producing factors in monozygotic pairs », *The American Journal of Human Genetics*, 1950, 2 (4), p. 293-352.

ROBIN M., JOSSE D., CASATI I., KHEROUA H. et TOURETTE C., « Dress and physical environment of twins at one year : french mother attitudes and practice », *Journal of Reproductive and Infant Psychology*, 1994, 12, p. 241-248.

ROBIN M., JOSSE D. et TOURETTE C., Enquête de la Caisse nationale d'allocations familiales (CNAF) : « Incidences économique, sociale et psychologique d'une naissance de jumeaux sur la vie familiale », 1988.

ROBIN M., « La personnalité », *in* É. Papiernik, R. Zazzo, J.-C. Pons et M. Robin, *Jumeaux, triplés et plus...*, Paris, Nathan, 1992, p. 150-154.

ROBIN M., CAHEN F. et PONS J.-C., « Maternal adjustment to a multiple birth », *Early Child Development and Care*, 1992, 79, p. 1-11.

SANDBANK A. C., *Twin and Triplet Psychology*, New York, Routledge, 1999.

SAVARY C., GROSS C., *Des jumeaux et des autres*, Genève, Éditions Georg, 1995.

SHOLTES G., « Uberwaschung und Betrevung der Mehrlings Schwaugershaften », *Geburtshilfe Frauenheilkd*, 1977, 37, p. 747-755.

SNOLDERENT T. et STERCKX P., *Hergé. Biographie*, Bruxelles, Casterman, 1988.

SPIELMAN A., « Antenatal and postnatal influences », *in* A. C. Sandbank (éd.), *Twin and Triplet Psychology*, New York, Routledge, 1999, p. 19-35.

TAFFOREAU J., PAPIERNIK É., RICHARD A. et PONS J.-C., « Is prevention of preterm births in twin pregnancies possible ? Analysis of the results of a prevention program in France (1989-1991) », *Eur. J. Obstet. Gynecol. Reprod. Biol.*, 1995, 59, p. 139-174.

TISSERON S., *Tintin chez le psychanalyste*, Paris, Aubier, 1985.

TISSERON S., *Tintin et les secrets de famille*, Paris, Aubier, 1992.

VIARDEL C., *Observations sur la pratique des accouchements naturels, contre-nature et monstrueux*, Paris, 1671.

INDEX

REMERCIEMENTS

Les auteurs remercient les parents et futurs parents qui leur ont fait part de leur expérience à travers les témoignages qui illustrent ce livre.

Ils remercient madame Monique Rabin pour ses travaux sur la relation mère-jumeaux et pour le plaisir d'avoir pu travailler avec elle dans le passé.

Ils tiennent à remercier Dominique Bonfanti, présidente de la fédération « Jumeaux et plus », pour la présentation de l'association et sa connaissance précise des aides et prestations apportées aux parents, et Francis Dhumes, vice-président, Paul Jabert, administrateur de la fédération, pour les informations qu'ils ont pu nous apporter.

Un grand merci à Sabine Herbener pour ses relectures et ses remarques constructives ainsi que pour sa connaissance des associations dans le monde.

Les auteurs remercient chaleureusement pour leur aide précieuse :

— pour la partie médicale, l'Association départementale « Jumeaux et plus » de l'Isère et tout particulièrement Claudine Bévilacqua, Agnès Proal, Magali Segeat et Valérie Vayrac ;

— et pour la partie psychologique, Jean Belkhir, Lætitia Beuchère, Josy Chappot et Anne-Marie Malais.

Enfin, les auteurs remercient Marie-Odile Duval pour son aide technique et sa compétence.

Crédit photos

Figures 1, 2, 3, 4, 5, 6, 7, 8, 9, 10, 12, 13, 14 et 15 : Thierry Delétraz.
Figure 11 : France Dumas.
Page 11 : © BSIP/MBPL/Ruth Jenkinson.
Pages 64, 65 et 74 : © Cliché docteur Marc Althusen.
Page 111 : © BSIP/Astier.
Page 165 : © Jérôme Tisne/Iconica/Getty Images.
Page 201 : © Greer/Masi/Oredia.
Page 241 (Paire de statuettes ibeji, Paris, Musée du quai Branly) : © Photo RMN/ Jean-Gilles Berizzi.

Ouvrage publié sous la responsabilité éditoriale de Caroline Chaine
Maquette - Mise en pages - Photogravure : NORD COMPO (Villeneuve-d'Ascq)
Dépôt légal : janvier 2006
N° d'édition : 7381-1656-X – N° d'impression : 100697
Imprimé en France